DEFOE · ROBINSON CRUSOE

BELLETRISTIK

Daniel Defoe

ROBINSON CRUSOE

1986

Verlag Philipp Reclam jun. Leipzig

Aus dem Englischen
Übersetzung von A. Tuhten
Neu bearbeitet von Gerhard Jacob
Mit 25 Illustrationen nach Holzschnitten von Grandville

ISBN 3-379-00205-4

© Verlag Philipp Reclam jun. Leipzig 1986

Originaltitel:
The Life and Strange Surprising Adventures of Robinson Crusoe,
of York, Mariner
Die Illustrationen stammen aus: Abenteuer des Robinson Crusoe
von Daniel Defoe, Leipzig 1850
Reclams Universal-Bibliothek Band 200
8. (1. illustr.) Auflage
Reihengestaltung: Lothar Reher
Gesetzt aus Garamond-Antiqua
Printed in the German Democratic Republic
Lizenz Nr. 363. 340/74/86 · LSV 7321 · Vbg. 18,1
Gesamtherstellung:
Grafischer Großbetrieb Völkerfreundschaft Dresden
Bestellnummer: 660 150 6
00250

Erstes Kapitel

Robinson im Elternhaus. Lob des Mittelstandes. Robinsons Flucht

Ich wurde im Jahre 1632 in der Stadt York als Kind einer angesehenen Familie geboren, die ursprünglich nicht aus dieser Gegend stammte. Mein Vater war Ausländer, aus Bremen gebürtig, und hatte sich zuerst in Hull niedergelassen. Er kam an diesem Ort als Kaufmann zu einem hübschen Vermögen und war, nachdem er sein Geschäft aufgegeben, nach York gezogen. Dort heiratete er meine Mutter, deren sehr angesehene Familie Robinson hieß. Nach diesen wurde ich Robinson Kreutzner genannt. Da es aber in England Mode ist, die Worte zu verunstalten, so hießen wir jetzt Crusoe, nennen und schreiben uns sogar selbst so, und diesen Namen habe ich auch von jeher unter meinen Bekannten geführt.

Ich hatte zwei ältere Brüder. Der eine von ihnen, der als Oberstleutnant in einem früher von dem berühmten Oberst Lockhart befehligten Infanterieregiment in Flandern diente, fiel in der Schlacht bei Dünkirchen, gegen die Spanier kämpfend. Was aus dem zweiten Bruder geworden ist, erfuhr ich ebensowenig, als meine Eltern je in Erfahrung bringen konnten, was aus mir geworden war.

Da ich der dritte Sohn in der Familie und zu keinem Gewerbe erzogen worden war, fing ich bald an, mir den Kopf mit Plänen zu einem umherschweifenden Leben anzufüllen. Mein Vater, ein schon sehr bejahrter Mann, hatte mir eine so vollendete Erziehung gegeben, wie sie im Hause und bei dem Besuch einer

Freischule auf dem Lande möglich ist. Er bestimmte mich für das Studium der Rechtsgelehrsamkeit; aber ich hatte nur den einen Gedanken, Seemann zu werden. Diese Neigung war schuld, daß ich mich so schroff gegen den Willen, ja sogar gegen die Befehle meines Vaters auflehnte und so taub gegen die Vorstellungen und Bitten meiner Mutter und anderer mir nahestehender Menschen blieb. Es schien, als ob das Verhängnis mein Schicksal geleitet hätte, das mich mit aller Macht in künftiges Elend treiben sollte.

Mein Vater, der ein verständiger und ernster Mann war, gab mir ernste und wohlgemeinte Ratschläge, um mich von meinem Vorhaben abzubringen, das er wohl durchschaute.

Eines Tages ließ er mich zu sich auf sein Zimmer rufen, das er wegen der Gicht hüten mußte, und sprach sich mit großer Wärme über jene Angelegenheit mit mir aus.

„Was für andere Gründe", sagte er, „als nur die Vorliebe für ein unstetes Leben können dich bewegen, Heimat und Vaterhaus zu verlassen, wo du dein gutes Auskommen haben und bei Fleiß und Ausdauer in ruhigem, behaglichem Leben dein Glück gründen kannst."

Er sagte mir, daß nur Leute in verzweifelter Lage oder solche, die nach großen Dingen streben, außer Landes und auf Abenteuer gehen, um sich durch Unternehmungen, die außerhalb der gewöhnlichen Bahn liegen, emporzubringen oder berühmt zu machen. Solche Unternehmungen aber seien für mich entweder zu hoch oder zu gering; ich gehöre zum Mittelstand oder was man auch die höhere Region der unteren Klassen nennen könnte. Die aber sei, wie ihn lange Erfahrung gelehrt habe, die beste in der Welt, und in ihr gelange man am sichersten zu irdischem Glück. Sie sei weder dem Elend und dem Mühsal der Menschenklasse ausgesetzt, die nur von ihrer Hände Arbeit leben; noch werde sie heimgesucht von dem Hochmut, der Üppigkeit, dem Ehrgeiz und dem Neid, die in den höheren Sphären der menschlichen Gesellschaft zu Hause seien.

Ich könne, fügte er hinzu, am besten die Glückseligkeit des Mittelstandes daraus erkennen, daß er von allen, die ihm nicht angehören, beneidet werde; daß sogar Könige oft über die Mißlichkeiten, die ihre hohe Geburt mit sich bringen, geseufzt und gewünscht haben, in die Mitte der Extreme zwischen Hohe und Niedere gestellt worden zu sein. Auch der Weise bezeuge, daß jener Stand der des wahren Glückes sei, da er ja gebetet habe: „Armut und Reichtum gib mir nicht!"

Mein Vater bat mich, darauf achtzuhaben, daß das Elend der Menschen zumeist an die höheren und niederen Schichten der Gesellschaft verteilt sei; die Mittelklasse aber sei weder so viel Wechselfällen unterworfen, noch habe sie so sehr unter den Mißgeschicken und Unbehaglichkeiten des Leibes und der Seele zu leiden wie jene, die durch ausschweifend üppiges Leben auf der einen, durch harte Arbeit, Mangel am Notwendigsten oder schlechten und unzulänglichen Lebensunterhalt auf der anderen Seite infolge ihrer natürlichen Lebensstellung geplagt seien. Der Mittelstand sei dazu angetan, alle Arten von Tugenden und Freuden gedeihen zu lassen. Friede und Genügsamkeit seien im Gefolge eines mäßigen Vermögens.

Gemütsruhe, Geselligkeit, Gesundheit, Mäßigkeit, alle wirklich angenehmen Erheiterungen und wünschenswerten Vergnügungen seien die segensreichen Gefährten einer mittleren Lebensstellung. Durch diesen Mittelweg komme man still und gemächlich durch die Welt und sanft wieder heraus; ungeplagt von allzu schwerer Hand- oder Kopfarbeit, frei vom Sklavendienst ums tägliche Brot, unbeirrt durch verwickelte Verhältnisse, die der Seele den Frieden und dem Leib die Ruhe entziehen, ohne Aufregung durch Neid oder den im Herzen heimlich glühenden Ehrgeiz nach großen Dingen. Dieser Weg führe vielmehr zum behaglichen Genuß des Lebens. Man gleite sanft durch dieses Dasein und genieße nur seine Süßigkeiten, ohne seine Bitterkeiten kosten zu müssen; wer auf ihm wandle, werde mit jedem Tage mehr erfahren, wie gut es ihm geworden sei!

Hierauf drang mein Vater ernstlich und inständig in mich, ich solle mich nicht gewaltsam in eine elende Lage stürzen, vor der die Natur, indem sie mich in meine jetzige Lebensstellung gebracht, mich sichtlich habe behüten wollen. Ich sei ja durchaus nicht genötigt, meinen Unterhalt zu verdienen. Er habe es gut mit mir vor und werde sich bemühen, mich in bequemer Weise in die Lebensbahn zu bringen, die er mir soeben gerühmt habe. Wenn es mir nicht gut gehe in der Welt, so sei das nur mein eigner Fehler oder mein Schicksal; er habe keine Verantwortung dafür, nachdem er mich so nachdrücklich vor Unternehmungen gewarnt habe, die, wie er bestimmt wisse, zu meinem Verderben gereichen müßten. Mit einem Wort, daß, so gewiß er alles mögliche für mich tun werde, wenn ich zu Hause bleiben und seiner Anweisung gemäß meine Existenz begründen wolle, so wenig werde er sich dadurch zum Mitschuldigen an meinem Mißgeschick machen, daß er mein Vorhaben, in die Fremde zu gehen, irgendwie unterstützen werde.

Schließlich hielt er mir das Beispiel meines älteren Bruders vor, den er auch mit denselben triftigen Gründen gewarnt habe, nicht in den niederländischen Krieg zu ziehen. Dennoch sei er nicht zu überreden gewesen, von seinem Wunsch, in das Heer einzutreten, abzustehen, und so sei er in jugendlichem Übermut seinem Verderben entgegengegangen und habe darum auf fremder Erde einen frühen Tod gefunden.

,,Ich werde zwar'', so endete mein Vater, ,,nicht aufhören, für dich zu beten, aber das sage ich dir im voraus: Wenn du deine törichten Pläne verfolgst, wird dir Gott seinen Segen nicht dazu geben, und du wirst vielleicht einmal Muße genug dazu haben, darüber nachzudenken, daß du meinen Rat in den Wind geschlagen hast, wenn niemand mehr dasein dürfte, der dir zur Umkehr behilflich sein könnte.''

Bei dem letzten Teil unseres Zwiegespräches, der, wie mein Vater wohl selbst kaum ahnte, wahrhaft prophetisch war, strömten ihm die Tränen über die Wangen, besonders als er meinen gefallenen Bruder erwähnte, und als er von der Zeit sprach, in der die Reue zu spät kommen dürfte und niemand dasein werde, um mir beizustehen, geriet er in solche Bewegung, daß er nicht weiterreden konnte.

Ich war durch seine Worte tief ergriffen, und wer wäre es nicht gewesen! Daher nahm ich mir vor, nicht mehr an ein Fortgehen zu denken, sondern mich, den Wünschen meines Vaters gemäß, zu Hause niederzulassen.

Aber, ach, schon nach wenigen Tagen waren diese guten Vorsätze verflogen, und um dem peinlichen Zureden meines Vaters zu entgehen, beschloß ich einige Wochen später, mich heimlich davonzumachen. Jedoch führte ich meine Absicht nicht in der Hitze des ersten Entschlusses aus, sondern nahm eines Tages meine Mutter, als sie ungewöhnlich guter Laune schien, beiseite und erklärte ihr, daß meine Leidenschaft, die Welt zu sehen, unüberwindlich sei, daß sie mich zu allem andern, was es auch sei, untauglich mache und daß mein Vater besser daran täte, mir seine Zustimmung zu geben, als mich zu zwingen, ohne sie zu gehen. Ich sei nun achtzehn Jahre und zu alt, um noch den kaufmännischen Beruf zu erlernen oder mich auf eine Advokatur vorzubereiten. Ich sei fest überzeugt, wollte ich es doch versuchen, würde ich es die gehörige Zeit nicht aushalten, sondern meinem Prinzipal davonlaufen, um doch zur See zu gehen. Ich bat die Mutter, bei dem Vater zu befürworten, daß er mich eine Seereise zum Versuch machen lasse. Käme ich dann wieder, und die Sache hätte mir nicht gefallen, so wollte ich nie mehr fort und verspräche dann durch doppelten Fleiß und Eifer die verlorene Zeit wieder einzubringen. Diese Mitteilung versetzte meine Mutter in große Aufregung. Sie meinte, es würde ganz vergebens sein, mit meinem Vater über einen solchen Gegenstand zu reden; der wisse zu gut, was zu meinem Besten diene, um mir seine Einwilligung zu so gefährlichen Unternehmungen zu geben. Sie wundre sich, fügte sie hinzu, daß ich nach der Unterredung mit meinem Vater und seinen liebreichen Ermahnungen noch an so etwas denken könne. Wenn ich mich absolut zugrunde richten wolle, so sei mir nicht zu helfen; aber darauf könnte ich mich verlassen, daß ich ihre Zustimmung dazu niemals erhalten werde; sie ihrerseits wolle keinen Teil an meinem Unglück haben, und ich solle niemals sagen können, sie habe ihre Hand zu etwas geboten, was gegen den Willen meines Vaters sei.

Wie ich später erfuhr, war diese Unterredung von meiner Mutter trotz ihrer Versicherung, dem Vater davon nichts mitteilen zu wollen, ihm doch von Anfang bis Ende erzählt worden. Er sei davon sehr betroffen gewesen und hätte seufzend geäußert: „Der Junge könnte nun zu Hause sein Glück machen, geht er aber in die Fremde, so wird er der unglücklichste Mensch von der Welt werden, meine Zustimmung bekommt er nicht!"

Es währte noch beinahe ein volles Jahr, ehe ich dennoch meinen Vorsatz ausführte; in dieser ganzen Zeit aber blieb ich entschieden taub gegen alle Vorschläge, ein Geschäft anzufangen, und machte meinen Eltern häufig Vorwürfe, daß sie sich dem, worauf meine ganze Neigung ging, so entschieden widersetzten.

Eines Tages war ich in Hull, wohin ich jedoch zufällig und ohne etwa Fluchtgedanken zu hegen, gekommen war. Dort traf ich einen Kameraden, der im Begriff stand, mit dem Schiff seines Vaters nach London zu fahren. Er drang in mich, ihn zu begleiten, indem er mir die gewöhnliche Lockspeise der Seeleute, nämlich freie Fahrt, anbot.

So geschah es, daß ich, ohne Vater und Mutter um Rat zu fragen, ja ohne ihnen auch nur ein Wort zukommen zu lassen und es dem Zufall überlassend, ob sie etwas von mir hören würden, ohne Gottes und der Eltern Segen und ohne Rücksicht auf die Umstände und Folgen meiner Handlung, in böser Stunde (das weiß Gott) am 1. September 1651 an Bord des nach London bestimmten Schiffes ging.

Zweites Kapitel

Erste Abenteuer auf hoher See. Reise nach Guinea

Niemals, glaube ich, haben die Mißgeschicke eines jungen Abenteurers rascher ihren Anfang genommen und länger angehalten als die meinigen. Unser Schiff war kaum aus dem Humberfluß heraus, als der Wind sich erhob und die See anfing, hoch zu gehen. Da ich früher niemals auf See war, so wurde ich körperlich bald unaussprechlich elend und mein Gemüt von furchtbarem Schrecken erfüllt. Jetzt begann ich ernstlich darüber nachzudenken, was ich unternommen und wie die gerechte Strafe des Himmels meiner böswilligen Entfernung vom Vaterhaus und meiner Pflichtvergessenheit sogleich auf dem Fuße gefolgt war. Alle guten Ratschläge meiner Eltern, meines Vaters Tränen und die Bitten meiner Mutter traten mir wieder vor die Seele, und mein damals noch nicht, wie später, verhärtetes Gewissen machte mir Vorwürfe über meine Pflichtlosigkeit gegen Gott und die Eltern. Inzwischen steigerte sich der Sturm, und das Meer schwoll stark an, wenn auch bei weitem nicht so hoch, wie ich es später oft erlebt und schon einige Tage nachher gesehen habe. Doch reichte es hin, um mich, der ich ein Neuling zur See und völlig unerfahren in solchen Dingen war, zu entsetzen. Von jeder Woge meinte ich, sie würde uns verschlingen, und sooft sich das Schiff in einem Wellental befand, war mir, als kämen wir nimmer wieder auf die Höhe. In dieser Seelenangst tat ich Gelübde in Menge und faßte die besten Entschlüsse. Zum Beispiel den, wenn es Gott gefalle, mir das Leben auf dieser Reise zu erhalten, wenn ich jemals wieder den Fuß auf festes Land setzen dürfe, so wollte ich alsbald heim zu meinem Vater gehen und nie im Leben wieder ein Schiff betreten; ich wollte dann seinem väterlichen Rate folgen und mich nicht mehr von neuem in ein solches Elend begeben wie dieses. Jetzt sah ich die Richtigkeit seiner Bemerkung über die goldene Mittelstraße des Lebens klar ein; wie ruhig und behaglich mein Vater seine Tage zugebracht und niemals Stürmen zur See und Kümmernissen auf dem Lande ausgesetzt war. Kurz, ich beschloß, daß ich es machen wollte wie der verlorene Sohn und reuig zurückkehren zu meinem Vater. Diese weisen und verständigen Gedanken hielten an, solange der Sturm dauerte und sogar noch ein wenig länger; aber am nächsten Tage legte sich der Wind, die See ging ruhiger, und ich fing an, die Sache mehr gewohnt zu werden. Doch blieb ich den ganzen Tag still und ernst und litt auch noch etwas an der Seekrankheit. Aber am spätern Nachmittage klärte sich das Wetter auf, der Wind legte sich völlig, und es folgte ein köstlicher Abend. Die Sonne ging leuchtend unter und am andern Morgen ebenso schön auf, und da wir wenig oder gar keinen Wind hatten und eine glatte, von der Sonne bestrahlte See, so erschien mir dieser Anblick so herrlich wie nie zuvor.

Ich hatte diese Nacht gut geschlafen, und frei von Seekrankheit in bester Laune betrachtete ich voll Bewunderung das Meer, das gestern so wild und fürchterlich gewesen und nur kurze Zeit darauf so friedlich und anmutig vor uns dalag. Und gerade jetzt, damit meine guten Vorsätze ja nicht standhalten sollten, trat mein Kamerad, der mich verführt hatte, zu mir.

„Nun, Bob", sagte er, indem er mich auf die Schulter klopfte, „wie ist dir's bekommen? Ich wette, du hast dich gefürchtet gestern, bei der Mütze voll Wind, die wir hatten, was?"

„Eine Mütze voll Wind nennst du das?" rief ich. „Es war ein schrecklicher Sturm!"

„Ein Sturm?" erwiderte er. „O du Narr, hältst du das für einen Sturm? Das war ja gar nichts. Gib uns ein gutes Schiff auf offener See, so kümmern wir uns keinen Pfifferling um eine so elende Brise; aber du bist eben nur ein Süßwassermatrose, Bob. Komm, wir wollen eine Bowle Punsch brauen, und die Affäre wird bald vergessen sein, sieh nur, welch herrliches Wetter wir haben."

Um es mit dieser traurigen Erzählung kurz zu machen: wir taten nach Seemannsbrauch; der Punsch wurde gebraut, und ich wurde damit halb betrunken gemacht, und in dem Leichtsinn dieser einen Nacht ersäufte ich alle meine Reue, alle meine Gedanken über die Vergangenheit und alle meine guten Vorsätze für die Zukunft. Sowie die See, als der Sturm sich gelegt, wieder ihre glatte Oberfläche und friedliche Stille angenommen hatte, so war auch der Aufruhr in meinem Innern vorüber. Meine Befürchtungen, von den Wogen verschlungen zu werden, hatte ich vergessen, meine alten Wünsche kehrten zurück, und die Gelübde und Versprechungen, die ich in meinem Innern getan, kamen mir vollständig aus dem Sinn. Ab und zu stellten sich allerdings wieder einige Bedenken bei mir ein, und ernste Gedanken versuchten in meine Seele einzudringen; allein ich schüttelte sie ab und suchte mich von ihnen wie von einer Krankheit loszumachen, und indem ich mich ans Trinken und an lustige Gesellschaft hielt, wurde ich bald Herr über diese „Anfälle", wie ich sie zu nennen beliebte, und ich hatte in fünf oder sechs Tagen einen so vollständigen Sieg über mein Gewissen errungen, wie es ein junger Mensch, der entschlossen ist, sich nicht davon beunruhigen zu lassen, nur sein kann.

Aber ich sollte noch eine neue Probe bestehen! Die Vorsehung hatte, wie es in solchen Fällen gewöhnlich zu sein pflegt, beschlossen, mich vollständig ohne irgendeine Entschuldigung zu lassen. Denn wenn ich dieses erste Mal nicht für eine Errettung ansehen wollte, so war die nächste Gelegenheit so beschaffen, daß der gottloseste und verhärtetste Bösewicht sowohl die Größe der Gefahr als die der göttlichen Barmherzigkeit dabei hätte anerkennen müssen.

Am sechsten Tage unserer Fahrt gelangten wir auf die Reede von Yarmouth. Der Wind war uns entgegen und das Wetter ruhig gewesen, und so hatten wir nach dem Sturm nur eine geringe Strecke zurückgelegt. Dort sahen wir uns genötigt, vor Anker zu gehen, und lagen, weil der Wind ungünstig, nämlich aus Südwest blies, sieben oder acht Tage daselbst, während welcher Zeit viele andere Schiffe von Newcastle her auf eben dieser Reede vor Anker lagen, die den gemeinsamen Hafen für alle die Schiffe abgab, die guten Wind abwarteten, um die Themse aufwärts zu fahren.

Wir wären jedoch nicht so lange hier gelegen, sondern mit der Flut allmählich stromaufwärts gefahren, allein der Wind wehte zu stark. Nach dem vierten oder fünften Tag blies er besonders scharf. Da aber die Reede für einen guten Hafen galt, der Ankergrund gut und unser Ankertau sehr stark war, so beunruhigten sich unsere Leute nicht, sondern verbrachten, ohne die geringste Furcht zu empfinden, ihre Zeit nach Seemannsart mit Schlafen und Zechen; aber am achten Tage nahm der Wind zu, und wir hatten alle Hände voll zu tun, die Topmasten einzuziehen und alles dicht und fest zu machen, damit das Schiff so ruhig wie möglich vor Anker liegen konnte. Um Mittag ging die See sehr hoch. Große Wellen schlugen über das Deck, und ein- oder zweimal meinten wir, der Anker sei gewichen, worauf unser Kapitän sogleich den Notanker loszumachen befahl, so daß wir nun von zwei Ankern gehalten wurden.

Unterdessen erhob sich ein wahrhaft fürchterlicher Sturm, und jetzt sah ich zum erstenmal Angst und Bestürzung auch in den Mienen unserer Seeleute. Ich hörte den Kapitän, der mit aller Aufmerksamkeit und Wachsamkeit auf die Erhaltung des Schiffes bedacht war, mehrmals, während er neben mir zu seiner Kajüte hinein- und herausging, leise vor sich hinsagen: „Gott sei uns gnädig! Wir sind alle verloren! Wir werden alle umkommen!", und dergleichen Äußerungen mehr.

Während der ersten Verwirrung lag ich ganz still in meiner Koje, die sich im Zwischendeck befand, und war in einer unbeschreiblichen Stimmung. Es war mir nicht möglich, die vorigen reuigen Gedanken, die ich so offenbar von mir gestoßen hatte, wieder aufzunehmen. Ich hatte geglaubt, die Todesgefahr überstanden zu haben, und gemeint, es würde jetzt nicht so schlimm werden wie das erstemal. Jedoch als der Kapitän in meine Nähe kam und die erwähnten Worte sprach, erschrak ich fürchterlich. Ich stand auf, ging aus meiner Kajüte und sah mich um; aber ich hatte noch niemals einen so furchtbaren Anblick gehabt. Das Meer ging bergehoch und überschüttete uns alle drei bis vier Minuten. Als ich überhaupt etwas sehen konnte, nahm ich nichts war als Jammer und Not ringsumher. Zwei Schiffe, die in unserer Nähe vor Anker lagen, hatten, weil sie zu schwer beladen waren, ihre Mastbäume kappen und über Bord werfen müssen, und unsere Leute riefen einander zu, daß ein Schiff, das etwa eine halbe Stunde vor uns ankerte, gesunken sei. Zwei andere Schiffe, deren Anker nachgegeben hatten, waren von der Reede auf die See getrieben und, aller Masten beraubt, jeder Gefahr preisgegeben. Die leichten Fahrzeuge waren am besten daran, da sie der See nicht so vielen Widerstand entgegensetzen konnten, aber zwei oder drei von ihnen trieben auch hinter uns her und wurden vom Winde, dem sie nur das Sprietsegel boten, hin und her gejagt.

Gegen Abend fragten der Steuermann und der Hochbootsmann den Kapitän, ob sie nicht den Fockmast kappen dürften. Er wollte anfangs nicht daran, aber als der Hochbootsmann ihm entgegenhielt, daß, wenn es nicht geschähe, das Schiff sinken würde, willigte er ein. Als man den vorderen Mast beseitigt hatte, stand der Hauptmast so lose und erschütterte das Schiff dermaßen, daß die Mannschaft genötigt war, auch ihn zu kappen und das Deck frei zu machen.

Jedermann kann sich leicht denken, in welchem Zustand ich mich bei alledem befand; ich, der ich ein Neuling zur See war und erst so kurz vorher eine solche Angst ausgestanden hatte. Doch wenn ich die Gedanken, die ich damals hatte, jetzt noch richtig anzugeben vermag, so war mein Gemüt zehnmal mehr in Trauer darüber, daß ich meine früheren Absichten auf-

gegeben und wieder zu den vorhergefaßten Plänen zurückgekehrt war, als über den Gedanken an den Tod selbst. Diese
Gefühle im Verein mit dem Schrecken vor dem Sturm ver-
setzten mich in einen solchen Gemütszustand, daß ich ihn
nicht mit Worten beschreiben kann. Das Schlimmste aber war
noch nicht gekommen.

Der Sturm wütete dermaßen fort, daß selbst die Seeleute zugestanden, daß sie niemals einen schlimmeren erlebt hätten.

Wir hatten zwar ein gutes Schiff, allein es war zu schwer
beladen und schwankte so stark, daß die Matrosen wiederholt
riefen, es werde umschlagen. In gewisser Hinsicht war es gut
für mich, daß ich die Bedeutung dieses Wortes nicht in seinem
vollen Umfang kannte, bis ich später danach fragte.

Mittlerweile wurde der Sturm so heftig, daß ich sah, was man
nicht oft zu sehen bekommt: nämlich wie der Kapitän, der
Hochbootsmann und etliche andere, die mehr Gefühl hatten
als die übrigen, zum Gebet ihre Zuflucht nahmen. Sie erwarteten nämlich jeden Augenblick, ihr Schiff untergehen zu
sehen. Um unsere Not vollzumachen, rief mitten in der Nacht
ein Matrose, der den Auftrag hatte, den Schiffsraum zu untersuchen, das Schiff sei leck und habe schon vier Fuß Wasser
geschöpft. Sogleich wurde jedermann an die Pumpen gerufen.
Bei diesem Ruf glaubte ich, mein Herz erstarre in der Brust.
Ich fiel rücklings neben mein Bett, auf dem ich in der Kajüte
saß; die Bootsleute aber rüttelten mich auf und sagten, wenn
ich auch sonst zu nichts nütze sei, zum Pumpen tauge ich doch
so gut wie jeder andre. Da raffte ich mich auf, eilte zur Pumpe
und arbeitete wacker mit.

Inzwischen hatte der Kapitän bemerkt, wie einige leicht-
beladene Kohlenschiffe, weil sie den Sturm vor Anker nicht
aushalten konnten, in die freie See stachen und sich uns näherten. Daher befahl er, ein Geschütz zu lösen und dadurch
ein Notsignal zu geben. Ich, der nicht wußte, was das zu
bedeuten hatte, war so erschrocken, daß ich glaubte, das Schiff
sei aus den Fugen gegangen oder irgend etwas Schreckliches
sei vorgefallen. Mit einem Wort, ich fiel vor Schrecken in
Ohnmacht. Weil aber jeder nur an Erhaltung seines eigenen
Lebens dachte, bekümmerte sich niemand um mich und was
aus mir würde. Ein andrer nahm meine Stelle an der Pumpe
ein, stieß mich mit dem Fuße beiseite und ließ mich für tot
liegen, bis ich nach geraumer Zeit wieder zu mir kam.

Wir arbeiteten wacker fort, aber das Wasser stieg im Schiffsraum immer höher, und das Schiff begann augenscheinlich zu sinken. Zwar legte sich der Sturm jetzt ein wenig, allein unmöglich konnte unser Fahrzeug sich so lange über Wasser halten, bis wir einen Hafen erreichten. Deshalb ließ der Kapitän fortwährend Notschüsse abfeuern. Endlich wagte ein leichtes Schiff, das gerade vor uns vor Anker lag, ein Hilfsboot auszusenden. Mit äußerster Gefahr nahte es sich uns, doch schien es uns rein unmöglich, daß wir hineinstiegen oder daß es auch nur an unser Schiff anlegte. Endlich kamen die Matrosen durch energisches Rudern und mit Lebensgefahr uns so nahe, daß unsere Leute ihnen vom Hinterteil des Schiffes ein Tau mit einer Boje zuwerfen konnten.

Als sie unter großer Mühe und Not des Seils habhaft geworden, zogen sie sich damit dicht an das Hinterteil unseres Fahrzeugs heran, worauf wir uns dann sämtlich in das ihrige begaben. Aber nun war gar kein Gedanke daran, daß wir mit dem Boote das Schiff, zu dem es gehörte, erreichen konnten. Daher beschlossen wir einmütig, das Boot vom Winde treiben zu lassen und es nur soviel wie möglich nach der Küste zu steuern. Der Kapitän versprach den fremden Leuten, ihr Fahrzeug, wenn es am Strande scheitern sollte, zu bezahlen. So gelangten wir denn, teils durch Rudern, teils vom Winde getrieben, nordwärts, etwa in der Gegend von Winterton Neß, nahe an die Küste heran.

Noch keine Viertelstunde hatten wir unser Schiff verlassen, als wir es schon untergehen sahen. Jetzt begriff ich, was es heißt, wenn ein Schiff auf See leck wird. Ich gestehe, daß ich kaum den Mut hatte hinzusehen, als mir die Matrosen sagten, das Schiff sei im Sinken; denn von dem Augenblick an, in dem sie mich in das Boot warfen, denn ich konnte mich kaum bewegen, stand mir das Herz teils vor Schrecken, teils vor Todesangst, teils vor Sorgen um die Zukunft, sozusagen still.

Während sich nun die Bootsleute bemühten, uns ans Land zu bringen, bemerkten wir (denn sobald uns die Woge in die Höhe trug, vermochten wir die Küste zu sehen), wie eine Menge Menschen am Strande hin und her lief, um uns, wenn wir herankämen, Hilfe zu leisten. Doch nur langsam kamen wir vorwärts und konnten das Land nicht eher erreichen, bis wir den Leuchtturm von Winterton passiert hatten. Hier fällt die Küste nach Cromer zu westwärts ab, und so vermochte das Land die Heftigkeit des Windes ein wenig zu brechen.

Dort legten wir an, gelangten sämtlich, obgleich nicht ohne große Anstrengungen, ans Ufer und gingen hierauf zu Fuß nach Yarmouth. Als Schiffbrüchige wurden wir in dieser Stadt sowohl von den Behörden, die uns gute Quartiere anwiesen, als auch von Privatleuten und Schiffseigentümern mit großer Menschenfreundlichkeit behandelt und mit so viel Geld versehen, daß es hingereicht hätte, uns, je nachdem wir Lust hatten, die Reise nach London oder nach Hull zu ermöglichen.

Wäre ich nun so vernünftig gewesen, wieder in meine Heimat zurückzukehren, so wäre das ja gewiß nur zu meinem Glück ausgeschlagen, und mein Vater würde, um mit dem Gleichnis des Heilands zu reden, das fetteste Kalb zur Feier meiner Heimkehr geschlachtet haben. Nachdem er gehört, daß das Schiff, mit dem ich von Hull abgefahren, auf der Reede von Yarmouth untergegangen sei, hat er lange in der Meinung gelebt, ich sei ertrunken.

Aber mein böses Geschick trieb mich nun mit unwiderstehlicher Macht vorwärts, und obgleich mich mein Gewissen und meine Vernunft hier und da ernstlich mahnten, umzukehren und nach Hause zu gehen, hatte ich doch nicht die Kraft, das auszuführen. Ich weiß nicht, ob es eine geheimnisvolle Macht gibt, die uns zwingt und treibt, Werkzeuge unseres eigenen Verderbens zu werden, wenn wir es auch vor uns sehen und mit offenen Augen hineinrennen. Gewiß aber ist, daß nur ein unabwendbar über mich beschlossenes Verhängnis, dem ich in keiner Weise entrinnen konnte, mich vorwärts drängte, trotz dem ruhigen und vernünftigen Überlegen meiner innersten Gedanken und ungeachtet zweier so sichtbarer Lehren, wie ich sie bei meinem ersten Versuch erhalten hatte.

Mein Kamerad, der Sohn unseres Schiffseigentümers, der mich früher in meiner Gewissensverhärtung bestärkt hatte, war nun verzagter als ich. Als wir uns das erstemal nach unserer Ankunft in Yarmouth wiedersahen, und das war erst nach zwei oder drei Tagen, da wir in verschiedenen Quartieren untergebracht waren, schien der Ton seiner Stimme verändert, und er fragte mich, ganz tiefsinnig aussehend und mit dem Kopfe schüttelnd, wie es mir ginge. Nachdem er seinem Vater mitgeteilt hatte, wer ich sei und daß ich diese Reise nur zum

Versuche gemacht habe, und zwar in der Absicht, später weiter in die Welt hinauszugehen, wandte sich dieser an mich und sagte in sehr ernstem, feierlichem Tone:

„Junger Mann, Ihr dürft niemals wieder zur See gehen, Ihr solltet dies Erlebnis als ein sichtbares und deutliches Zeichen ansehen, daß Ihr nicht zum Seemann bestimmt seid."

„Wie? Herr!" erwiderte ich. „Wollt Ihr selbst denn nie wieder auf das Meer?"

„Das ist etwas anderes", antwortete er; „es ist mein Beruf und daher meine Pflicht. Allein Ihr habt bei dieser Versuchsreise vom Himmel ein Probe von dem erhalten, was für Euch zu erwarten steht, wenn Ihr auf Eurem Sinn beharret. Vielleicht hat uns das alles nur Euretwegen betroffen, wie es mit Jona in dem Schiffe von Tarsis ging. Sagt mir doch, wer Ihr seid und was in aller Welt Euch bewegen konnte, diese Reise mitzumachen?"

Hierauf erzählte ich ihm einen Teil meiner Lebensgeschichte. Als ich geendet, brach er leidenschaftlich in die Worte aus: „Was habe ich nur getan, daß solch ein Unglücksmensch auf mein Schiff geraten mußte? Nicht für tausend Pfund möchte ich meinen Fuß wieder mit dir zusammen auf ein Schiff setzen!" Dieser Ausbruch war wohl durch die Erinnerung an seinen Verlust hervorgerufen, denn eigentlich hatte der Mann kein Recht dazu, so heftig mir gegenüber aufzutreten.

Jedoch redete er mir später noch sehr ernstlich zu und ermahnte mich, zu meinem Vater zurückzukehren und nicht noch einmal die Vorsehung zu versuchen. Ich würde sehen, sagte er, daß die Hand des Himmels sichtbar mir entgegenarbeite. „Verlaßt Euch darauf, junger Mann", fügte er hinzu, „wenn Ihr nicht nach Hause gehet, werdet Ihr, wohin Ihr Euch auch wendet, nur mit Mißgeschick und Not zu ringen haben, bis die Worte Eures Vaters sich an Euch erfüllt haben."

Bald darauf trennten wir uns. Ich hatte ihm nur wenig geantwortet und sah ihn später nicht mehr wieder. Was aus ihm geworden ist, weiß ich nicht.

Was mich betrifft, so begab ich mich, da ich jetzt etwas Geld in der Tasche hatte, zu Lande nach London. Sowohl dort wie schon unterwegs hatte ich manchen inneren Kampf zu bestehen, was ich tun solle: ob nach Hause zurückkehren oder zur See gehen. Was die erste Absicht betraf, so stellte sich den besseren Regungen meiner Seele alsbald die Scham entgegen. Es fiel mir ein, wie ich von den Nachbarn ausgelacht werden und wie beschämt ich nicht nur vor Vater und Mutter, sondern auch vor allen anderen Leuten stehen würde. Seit jener Zeit habe ich oft beobachtet, wie ungereimt und töricht oft das Gemüt des Menschen geartet ist und wie es sich besonders in der Jugend oft der Vernunft entgegenstellt, die den Menschen im Grunde allein leiten sollte, nämlich, daß wir uns nicht schämen zu sündigen, wohl aber uns schämen zu bereuen; daß wir kein Bedenken tragen vor der Handlung, wegen der wir mit Recht für Narren angesehen werden sollten, wohl aber vor der Buße zurückschrecken, die uns doch allein wieder die Achtung vernünftiger Menschen verschaffen kann.

In jener Unentschlossenheit darüber, was ich ergreifen und welchen Lebensweg ich einschlagen sollte, verharrte ich geraume Zeit. Ein unüberwindlicher Widerwille hielt mich auch ferner ab, heimzukehren. Nach einiger Zeit verblaßte auch die Erinnerung an das Mißgeschick, das ich erlebt, mehr und mehr, und als diese sich erst gemildert hatte, war mit ihr auch der letzte Rest des Verlangens nach Hause verschwunden. Und kaum hatte ich alle Gedanken an die Rückkehr aufgegeben, so sah ich mich auch schon nach Gelegenheit zu einer neuen Reise um.

Die unheilvolle Macht, die mich zuerst aus meines Vaters Hause getrieben, die mich in dem tollen, unreifen Gedanken verstrickt hatte, in der Ferne mein Glück zu suchen, die diesen Plan so fest hatte in mir einwurzeln lassen, daß ich für allen guten Rat, für Bitten und Befehle meines Vaters taub gewesen war, dieselbe Macht veranlaßte mich auch, daß ich mich auf die allerunglücklichste Unternehmung von der Welt einließ. Ich begab mich nämlich an Bord eines nach der afrikanischen Küste bestimmten Schiffes oder, wie unsere Seeleute zu sagen pflegen, eines Guineafahrers. Jedoch, und dies war ein besonders schlimmer Umstand, verdingte ich mich nicht etwa als ordentlicher Seemann auf das Schiff. Wenn ich in diesem Falle auch etwas härter hätte arbeiten müssen, so hätte ich doch den seemännischen Dienst gründlich erlernt und mich allmählich zum Matrosen oder Leutnant, wenn nicht gar zum Kapitän heraufgearbeitet. Nein, wie es ja immer mein Schicksal war, daß ich das Schlimmste wählte, so tat ich es auch diesmal. Denn da ich Geld in der Tasche und gute Kleider auf dem Leibe hatte, wollte ich nur wie ein großer Herr an Bord gehen und hatte somit auf dem Schiffe weder etwas Ordentliches zu tun, noch lernte ich den Seemannsdienst vollständig kennen.

In London hatte ich das Glück, in ziemlich gute Gesellschaft zu geraten, was einem so unbesonnenen, mißleiteten Gesellen, wie ich damals einer war, nicht oft zuteil wird. Obgleich der Teufel gerne beizeiten seine Netze nach solchen Taugenichtsen auswirft, bei mir hatte er es doch unterlassen. Ich machte die Bekanntschaft eines Schiffskapitäns, der eben von der guineischen Küste zurückgekehrt war und, da er dort gute Geschäfte gemacht hatte, im Begriff stand, eine neue Reise dahin zu unternehmen.

Er fand Gefallen an meiner Unterhaltung, die damals gar nicht übel war, und als er vernommen, daß ich Lust hatte, die Welt zu sehen, machte er mir den Vorschlag, kostenfrei mit ihm zu reisen. Ich könne sein Tischgenosse und Gesellschafter sein, und wenn ich etwa einige Waren mitnehmen wolle, sie auf eigene Rechnung in Afrika verkaufen; vielleicht würde ich dadurch zu weiteren Unternehmungen ermutigt werden. Dies Anerbieten nahm ich an und schloß mit dem Kapitän, einem ehrlichen, aufrichtigen Mann, innige Freundschaft. Durch seine Uneigennützigkeit trug mir ein kleiner Kram, den ich mitgenommen, bedeutenden Gewinn ein. Ich hatte nämlich auf des Kapitäns Rat für ungefähr vierzig Pfund Sterling Spielwaren eingekauft. Das Geld hierfür brachte ich mit Hilfe einiger Verwandten zusammen, die, wie ich vermutete, auch meine Eltern oder wenigstens meine Mutter dazu bewogen hatten, etwas zu meiner ersten Unternehmung beizusteuern.

Dies war die einzige unter meinen Reisen, die ich glücklich nennen kann. Ich verdanke das nur der Rechtschaffenheit meines Freundes, durch dessen Anleitung ich auch eine ziemliche Kenntnis in der Mathematik und dem Schiffswesen erlangte. Er lehrte mich den Kurs des Schiffes zu verzeichnen, Beobachtungen anzustellen, überhaupt das Nötigste, was ein Seemann wissen muß. Da es ihm Freude machte, mich zu belehren, hatte ich auch Freude, von ihm zu lernen, und so wurde ich auf dieser Reise zugleich Kaufmann und Seemann. Ich brachte für meine Waren fünf Pfund und neun Unzen Goldstaub zurück, wofür ich in London dreihundert Guineen einlöste. Aber leider füllte mir gerade dieser Gewinn den Kopf mit ehrgeizigen Plänen, die mich ins Verderben bringen sollten.

Aber sogar diese Reise war nicht ganz ohne Mißgeschick für mich abgelaufen, wozu ich hauptsächlich rechne, daß ich mich während der ganzen Reise unwohl fühlte, und da wir unsern Handel hauptsächlich an der Küste vom fünfzehnten Grad nördlicher Breite bis zum Äquator hin trieben, so wurde ich, wohl infolge der übermäßigen afrikanischen Hitze, von einem heftigen Fieber befallen.

Drittes Kapitel

Robinsons Gefangenschaft in Saleh. Seine Flucht mit Xury

Nunmehr galt ich für einen ordentlichen Guineahändler. Nachdem mein Freund, zu meinem größten Unheil, bald nach dieser Reise gestorben war, beschloß ich, dieselbe Reise zu wiederholen, und schiffte mich auf dem früheren Schiff ein, das jetzt der ehemalige Steuermann führte. Noch nie hat ein Mensch eine unglücklichere Fahrt erlebt. Ich nahm zwar nur für hundert Pfund Sterling Waren mit und ließ den Rest meines Gewinns in den Händen der Witwe meines Freundes, die sehr rechtschaffen gegen mich handelte; dennoch erlitt ich furchtbares Mißgeschick auf dieser Reise. Das erste war, daß uns, als wir zwischen den Kanarischen Inseln und der afrikanischen Küste segelten, noch in der Morgendämmerung ein türkischer Korsar aus Saleh überraschte und mit allen Segeln Jagd auf uns machte. Wir spannten, um zu entrinnen, unsere Segel gleichfalls sämtlich auf, soviel nur die Masten halten wollten. Da wir aber sahen, daß der Pirat uns überholte und uns in wenigen Stunden erreicht haben würde, blieb uns nichts übrig, als uns kampfbereit zu machen.

Wir hatten zwölf Kanonen, der türkische Schuft aber führte deren achtzehn an Bord. Gegen drei Uhr nachmittags hatte

er uns eingeholt. Da er uns jedoch aus Versehen in der Flanke angriff, statt am Vorderteil, wie er wohl ursprünglich beabsichtigt hatte, schafften wir acht von unseren Kanonen auf die angegriffene Seite und gaben ihm ein Salve. Nachdem der Feind unser Feuer erwidert und dazu eine Musketensalve von zweihundert Mann, die er an Bord mit sich führte, gefügt hatte, und zwar ohne einen einzigen unsrer Leute, die sich gut gedeckt hielten, getroffen zu haben, wich er zurück. Alsbald aber bereitete er einen neuen Angriff vor, und auch wir machten uns abermals zur Verteidigung fertig. Diesmal griff er uns auf der andern Seite an, legte sich dicht an unsern Bord, und sofort sprangen sechzig Mann von den Türken auf unser Deck und begannen unser Segelwerk zu zerhauen.

Wir empfingen sie zwar mit Musketen, Enterhaken und andern Waffen, machten auch zweimal unser Deck frei; trotzdem aber, um sogleich das traurige Ende des Kampfes zu berichten, mußten wir, nachdem unser Schiff seeuntüchtig gemacht und drei unserer Leute getötet waren, uns ergeben und wurden als Gefangene nach Saleh, einer Hafenstadt der Neger, gebracht. Dort ging es mir nicht so schlecht, wie ich anfangs befürchtet hatte. Ich wurde nicht wie die andern ins Innere nach der kaiserlichen Residenz gebracht, sondern der Kapitän der Seeräuber behielt mich unter seiner eigenen Beute, da ich als junger Bursch ihm brauchbar schien. Die furchtbare und vollständige Verwandlung meines Standes, durch die ich aus einem stolzen Kaufmann zu einem armen Sklaven geworden war, beugte mich tief. Jetzt gedachte ich der prophetischen Worte meines Vaters: daß ich ins Elend geraten und ganz hilflos werden würde. Ich wähnte, diese Vorhersagung habe sich nun bereits erfüllt, und es könne nichts Schlimmeres mehr für mich kommen. Die Hand des Himmels, so dachte ich, habe mich schon erreicht, und ich sei rettungslos verloren. Aber, ach, es war nur der Vorgeschmack der Leiden, die ich noch, wie der Verlauf dieser Geschichte lehren wird, durchmachen sollte.

Da mein neuer Herr mich in sein eigenes Haus mitgenommen hatte, gab ich mich der Hoffnung hin, er werde mich auch mitnehmen, wenn er wieder zur See ginge, und ich könne dann, wenn ihn allenfalls ein spanisches oder portugiesisches Kriegsschiff kapern würde, wieder meine Freiheit erlangen. Diese kühne Hoffnung entschwand aber gar bald; denn sooft sich mein Patron einschiffte, ließ er mich zurück, um die Arbeit im Garten, und den gewöhnlichen Sklavendienst im Hause zu verrichten, und wenn er dann von seinen Streifzügen heimkam, mußte ich in der Kajüte seines Schiffes schlafen und dieses überwachen. Während ich hier nun auf nichts anderes sann, als wie ich meine Flucht bewerkstelligen könnte, wollte sich mir doch auf keine Weise die Gelegenheit dazu bieten. Auch war niemand da, dem ich meine Pläne hätte mitteilen und der mich hätte begleiten können, denn ich besaß keinen Mitsklaven, es war kein Engländer, Irländer oder Schottländer da außer mir selbst; so daß ich zwei lange Jahre, obgleich ich mich oft in der Einbildung damit beschäftigte, keinerlei Aussicht und Gelegenheit sah, meinen Fluchtplan auszuführen.

Nach Verlauf von ungefähr zwei Jahren rief mir ein seltsamer Vorfall meine alten Pläne, mir meine Freiheit wieder zu verschaffen, ins Gedächtnis zurück. Eine geraume Zeit hindurch blieb nämlich mein Herr, wie ich hörte, aus Geldmangel gegen seine Gewohnheit zu Hause liegen. Während dieser Zeit fuhr er jede Woche ein oder mehrere Male in seinem kleinen Schiffsboote auf die Reede zum Fischen, wobei er stets mich und einen jungen Mauren zum Rudern mitnahm.

Wir machten ihm auf diesen Fahrten allerlei Späße vor, und da ich mich zum Fischfang anstellig zeigte, erlaubte er, daß ich mit einem seiner Verwandten und dem Mohrenjungen auch zuweilen allein hinausfuhr und ihm ein Gericht Fische holte.

Als wir einst an einem sehr windstillen Morgen solch eine Fahrt machten, entstand ein so dicker Nebel, daß wir die Küste, von der wir kaum eine Stunde entfernt waren, aus dem Gesicht verloren. Wir ruderten unablässig, ohne zu wissen, ob wir vorwärts oder zurück kämen, den ganzen Tag und die folgende Nacht hindurch und wurden erst am nächsten Morgen gewahr, daß wir, statt uns dem Lande zu nähern, nach der offenen See hingeraten und mindestens zwei Meilen vom Ufer entfernt waren. Dennoch erreichten wir dieses, völlig ausgehungert, unter nicht geringer Mühe und Gefahr wieder, nachdem sich auch noch ein scharfer Wind gegen uns erhoben hatte. Unser Gebieter, durch dieses Ereignis gewarnt, beschloß, in Zukunft vorsichtiger zu sein. Da er das Langboot unseres, von ihm genommenen Schiffes zur Verfügung hatte, nahm er sich vor, nie mehr ohne Kompaß und Proviant zum Fischen zu gehen; so befahl er dem Zimmermann seines Schiffes, der auch ein Sklave und Engländer war, in diesem

Boot eine kleine Kajüte zu errichten, ähnlich der in einer Barke, und zwar so, daß hinter dieser jemand Platz habe, um zu steuern und das große Segel zu regieren, davor aber zwei Personen Raum fänden, um die andern Segel zu handhaben.

Das Langboot führte ein sogenanntes Giecksegel, und die Rahe ragte über die Kajüte hinaus, die schmal und niedrig war und höchstens für den Kapitän und ein paar Sklaven sowie für einen Tisch und ein Schränkchen zur Aufbewahrung von Brot, Reis, Kaffee und dergleichen Raum bot. In diesem Fahrzeug fuhren wir denn fleißig zum Fischen aus, und da ich mich gut auf das Geschäft verstand, ließ mein Herr mich nie zu Hause.

Eines Tages wollte dieser mit ein paar vornehmen Mohren zum Vergnügen oder zum Fischfang eine Fahrt machen und ließ dazu ungewöhnliche Anstalten treffen. Schon abends zuvor hatte er Mundvorrat an Bord geschickt und mir aufgetragen, drei Flinten mit dem im Boot befindlichen Pulver und Blei bereitzuhalten, damit er und seine Freunde sich auch durch Vogelschießen vergnügen könnten.

Ich tat, wie mir befohlen, und wartete in dem sauber geputzten Boote, auf dem Flagge und Wimpel lustig wehten, auf die Ankunft meines Gebieters und seiner Gäste. Bald nachher aber kam jener allein und sagte mir, seine Gäste seien durch Geschäfte verhindert, ich solle daher mit dem Mann und dem Jungen wie gewöhnlich allein hinausfahren und ein Gericht Fische zum Abendessen fangen, da seine Freunde bei ihm zu Nacht essen würden. Er befahl mir, sowie wir die Fische gefangen, sogleich nach Hause zurückzukehren.

In diesem Augenblick kamen mir meine Fluchtgedanken wieder in den Sinn. Ich sah jetzt ein kleines Schiff ganz zu meiner Verfügung gestellt, und sowie mein Herr fort war, bereitete ich alles anstatt nur zu einem Fischfang zu einer längeren Fahrt vor. Freilich wußte ich nicht, wohin diese gehen sollte, aber das kümmerte mich nicht, da ich vorderhand nur darauf bedacht war, von dort wegzukommen.

Zunächst sann ich auf einen Vorwand, um den Mohren nach Proviant auszuschicken. Ich sagte ihm, es zieme sich nicht für uns, von dem Mundvorrat unseres Gebieters zu nehmen. Dies leuchtete ihm ein, und er brachte denn auch bald einen großen Korb mit geröstetem Zwieback, wie solcher dortzulande bereitet wurde, nebst drei Krügen mit frischem Wasser herbei.

Ich wußte, wo mein Herr seinen Flaschenkorb hatte, der, nach der Form zu schließen, auch von einem englischen Schiffe erbeutet sein mußte. Diesen stellte ich in das Boot, wie wenn er dort für unsern Herrn schon gestanden habe. Dann trug ich einen etwa fünfzig Pfund schweren Wachsklumpen hinein sowie einen Knäuel Bindfaden, ein Beil, eine Säge und einen Hammer, lauter nützliche Dinge, besonders das Wachs, aus dem ich Lichter machen wollte. Dann drehte ich dem Mauren, der Ismael hieß, aber Muley genannt wurde, eine weitere Nase. „Muley", sagte ich zu ihm, „die Gewehre unsers Herrn sind an Bord. Könnten wir nicht auch ein wenig Pulver und Schrot bekommen? Es wäre doch hübsch, wenn wir für uns einige Alkamies (eine Art Seevögel) schießen könnten. Ich weiß, der Schießbedarf liegt im großen Schiff." — „Gut", erwiderte er, „ich will's holen." Bald darauf kam er wirklich mit einem großen Lederbeutel, in dem sich etwa anderthalb Pfund Pulver, fünf bis sechs Pfund Schrot und etliche Kugeln befanden, und trug dies alles zusammen ins Boot. Unterdessen hatte ich auch in meines Herrn Kajüte etwas Pulver gefunden, das ich in eine der großen Flaschen im Flaschenkorb, die beinahe leer war und deren Inhalt ich in eine andere goß, füllte. So, mit dem Nötigsten versehen, segelten wir aus dem Hafen zum Fischfang. Der Wind blies leider aus Nordnordost; wäre er von Süden gekommen, hätte ich leicht die spanische Küste oder wenigstens die Bucht von Cadiz erreichen können. Trotzdem aber, mochte der Wind auch noch so ungünstig wehen, blieb mein Entschluß fest, von diesem schrecklichen Orte zu entrinnen, das übrige aber dem Geschick anheimzustellen.

Nachdem wir einige Zeit gefischt hatten, ohne etwas zu fangen — denn wenn ich auch einen Fisch an der Angel spürte, zog ich ihn nicht heraus —, sagte ich zu dem Mauren: „Das geht aber nicht, auf diese Weise werden wir unserm Herrn nichts nach Hause bringen, wir müssen es weiter draußen versuchen." Er, der an nichts Böses dachte, willigte ein und zog, da er am Bug des Schiffes stand, die Segel auf. Ich steuerte dann das Boot beinahe eine Meile auf die offene See hinaus. Hierauf brachte ich es in die Stellung, als ob ich fischen wollte, gab dem Jungen das Steuerruder, ging nach vorn, wo der Maure stand, tat, als ob ich beabsichtige, hinter ihm etwas aufzuheben, faßte ihn rücklings an und warf ihn kurzerhand über Bord. Sofort tauchte er wieder auf, denn er schwamm wie ein Kork, und bat mich, ihn wieder hereinzuheben. Er wolle ja, sagte er, mit mir in die weite, weite Welt gehen. Da er rasch hinter dem Boot herschwamm, hätte er mich bei dem schwachen Wind bald erreicht. Ich aber eilte in die Kajüte, ergriff eine der Vogelflinten und rief ihm zu: „Wenn du dich ruhig verhältst, werde ich dir nichts zuleide tun. Du schwimmst gut genug, um das Land erreichen zu können, und die See ist ruhig. Mach, daß du fortkommst, so will ich dich verschonen; wagst du dich aber an das Boot heran, so brenne ich dir eins vor den Kopf, denn ich bin entschlossen, mich zu befreien."

Hierauf wandte er sich um, schwamm nach der Küste und hat diese auch jedenfalls mit Leichtigkeit erreicht, denn er war ein vortrefflicher Schwimmer.

Ebensogut hätte ich allerdings auch den Mauren mit mir nehmen und den Jungen statt seiner ertränken können, aber jenem war nicht sehr zu trauen. Als er sich fortgemacht, sagte ich zu dem kleinen Burschen, der Xury hieß: „Höre, wenn du mir treu bleibst, will ich etwas Großes aus dir machen; willst du mir aber nicht beim Barte Mohammeds und seines Propheten schwören, mir treu zu bleiben, so muß ich dich auch ins Wasser werfen." Der Junge lächelte mir ins Gesicht und antwortete mir so treuherzig, daß ich ihm nicht mißtrauen konnte, er verspräche, mir treu zu sein und mit mir zu gehen, wohin ich wolle.

Solange mich der schwimmende Maure im Auge zu halten vermochte, steuerte ich das Boot dem hohen Meere zu, und zwar so, daß man meinen sollte, wir hätten uns der Meerenge von Gibraltar zugewandt, wie natürlich auch jeder vernünftig denkende Mensch voraussetzen würde. Wer hätte denn annehmen können, daß wir südlich gesegelt wären, so recht eigentlich nach der Barbarenküste hin, an der ganze Völkerschaften von Negern wohnten, die uns mit ihren Kähnen umzingeln und uns umbringen konnten, wo wir auch nirgends landen konnten, ohne Gefahr zu laufen, von wilden Bestien oder noch unbarmherzigeren wilden Menschen zerrissen zu werden.

Dennoch aber änderte ich, sobald die Abenddämmerung kam, die Richtung unseres Bootes und steuerte direkt nach Südost. Diesen Kurs schlug ich ein, um in der Nähe der Küste zu bleiben. Da wir guten, frischen Wind hatten, kamen wir so schnell vorwärts, daß wir am nächsten Nachmittag gegen drei Uhr uns schon beinahe hundertundfünfzig Meilen südlich von

Saleh befanden, weit entfernt von dem Reich des Kaisers von Marokko oder irgendeines andern Herrschers, wenigstens sahen wir keinen Menschen am Lande.

Meine Furcht vor den Mauren war so groß, und ich bangte so sehr davor, ihnen in die Hände zu fallen, daß ich mich nicht entschließen konnte, ans Land oder auch nur vor Anker zu gehen. Der Wind wehte uns noch volle fünf Tage günstig. Nachdem er sich dann südwärts gedreht hatte, durfte ich glauben, daß, wenn man auch zu Schiffe auf uns Jagd gemacht haben sollte, diese doch nun aufgegeben sein würde. Daher wagte ich mich jetzt an die Küste und warf Anker an der Mündung eines kleinen Flusses. Ich wußte weder, unter welchem Breitengrade noch in welchem Land, noch bei welchem Volk ich mich befand. Keine Menschenseele ließ sich sehen; auch hatte ich kein Verlangen danach, denn das einzige, wonach ich mich sehnte, war frisches Wasser.

Wir gelangten abends in die Flußmündung und beschlossen, sobald es dunkel wäre, an Land zu schwimmen und die Gegend auszukundschaften. Jedoch vernahmen wir, als es Nacht geworden, einen so fürchterlichen Lärm, ein solches Bellen, Brüllen und Heulen wilder Tiere, Gott weiß welcher Art, daß mein armer Junge vor Angst sterben wollte und mich flehentlich bat, nicht vor Tagesanbruch an das Ufer zu gehen.

„Gut, Xury", sagte ich, „dann wollen wir es lassen; aber vielleicht bekommen wir bei Tage Menschen zu sehen, die es geradeso schlecht mit uns meinen wie diese Löwen." — „Ei, dann schicken wir ihnen einige Kugeln aufs Fell", erwiderte Xury lachend, „die ihnen Beine machen sollen!" — Ein wenig Englisch nämlich hatte der Junge durch den Verkehr mit uns Sklaven gelernt.

Ich war froh, den Jungen so lustig zu sehen, und ließ ihn zur Ermutigung einen Schluck Rum aus einer der Flaschen meines Patrons tun. Übrigens war Xurys Rat gut, daher befolgte ich ihn auch. Wir warfen unseren kleinen Anker aus und lagen die Nacht über still.

An Schlafen war jedoch kein Gedanke; denn nach einigen Stunden sahen wir gewaltig große Bestien verschiedener Art, die wir nicht zu nennen wußten, an den Strand kommen und sich ins Wasser stürzen. Sie machten sich das Vergnügen einer Abkühlung und heulten und brüllten dabei auf eine Art, wie ich es in meinem Leben nicht wieder gehört habe.

Xury war furchtbar erschrocken, und ich nicht minder. Aber wie entsetzten wir uns erst, als eines der Untiere auf unser Boot zugeschwommen kam. Wir konnten es nicht sehen, doch an seinem Schnauben war zu hören, daß es eine ungeheuer große und grimmige Bestie sein mußte. Xury behauptete, es sei ein Löwe, und es mochte wohl auch einer sein. Der arme Junge schrie, ich solle den Anker lichten und wegrudern.

„Nein", erwiderte ich, „wir wollen nur das Kabeltau verlängern und nach der See hinsteuern, dann können die Tiere uns nicht folgen."

Kaum hatte ich diese Worte gesprochen, als ich das Ungeheuer schon zu meiner großen Überraschung bis auf zwei Ruderlängen uns nahe erblickte. Sofort eilte ich nach der Kajüte, ergriff ein Gewehr und gab Feuer, worauf die Bestie sich alsbald umwandte und wieder nach dem Lande schwamm.

Es ist unmöglich, den fürchterlichen Lärm, das Geschrei und Geheul zu beschreiben, das unmittelbar an der Küste und weiter ins Land hinein nach meinem Schusse entstand. So etwas hatten diese Geschöpfe wahrscheinlich früher nie gehört. Ich zog daraus den Schluß, daß wir während der Nacht nicht hier ans Land gehen dürften, und es schien sogar fraglich, ob wir es bei Tage wagen könnten, denn den wilden Menschen in die Hände zu geraten war um nichts besser als in die Gewalt der wilden Tiere zu kommen, wenigstens hatten wir vor beiden gleich große Angst.

Trotzdem aber gebot uns die Notwendigkeit, irgendwo zu landen, um Wasser zu holen, wovon wir keinen Tropfen mehr im Boot hatten. Es fragte sich nur, wo wir es wagen sollten. Xury sagte mir, wenn er mit einem der Krüge ans Ufer gehen dürfe und es daselbst überhaupt Wasser gäbe, wolle er schon welches bekommen. Ich fragte ihn, warum er denn gehen wolle und er nicht lieber sähe, wenn ich es täte. Er antwortete mir darauf mit solcher Treuherzigkeit, daß ich ihn für immer liebgewann, folgendes:

„Wenn kommen wilde Männer, sie essen mich, und du weggehen." — „Nun, Xury", erwiderte ich, „dann wollen wir alle beide gehen, und wenn die wilden Männer kommen, schießen wir sie nieder, dann können sie keinen von uns fressen." Hierauf gab ich ihm ein Stück Zwieback und ließ ihn einen Schluck Rum aus einer der Flaschen des schon erwähnten Flaschenkorbes tun. Dann ruderten wir das Boot möglichst nahe ans Ufer und wateten, nur mit unseren Gewehren und zwei Wasserkrügen ausgerüstet, ans Land.

Ich wagte nicht, das Boot aus den Augen zu verlieren, weil ich fürchtete, die Wilden möchten in Kähnen den Fluß herunterkommen. Der Junge aber, der etwa eine Meile landeinwärts eine Niederung gewahrte, eilte danach hin, und gleich darauf sah ich ihn wieder zurückkehren. Ich glaubte, er sei von Wilden verfolgt oder durch ein Tier erschreckt, und rannte, um ihm zu helfen, ihm entgegen. Als ich jedoch näher kam, sah ich, daß er etwas über die Schultern hängen hatte, das ich als ein von ihm getötetes Tier erkannte. Es glich einem Hasen, war aber von anderer Farbe und hatte längere Beine. Wir hatten große Freude darüber, da es uns eine herrliche Mahlzeit lieferte. Das Beste aber, was Xury mitbrachte, war die Nachricht, daß er gutes Wasser gefunden und keine Wilden gesehen hatte.

Bald darauf wurden wir gewahr, daß wir uns um Wasser nicht hätten so große Sorgen zu machen brauchen. Denn ein wenig höher in der Bucht hinauf, in der wir lagen, fanden wir, sobald die Flut, die nicht tief hineinging. verlaufen war, das Wasser süß und frisch. So füllten wir denn unsere Krüge, schmausten unser erlegtes Wildbret mit Behagen und machten uns wieder reisefertig. Spuren eines menschlichen Wesens hatten wir in dieser Gegend nicht wahrgenommen.

Da ich schon früher einmal auf meinen Reisen an dieser Küste gewesen war, wußte ich, daß die Kanarischen Inseln sowie die Kapverdischen Inseln von hier nicht weit abliegen konnten. Es gebrach mir aber an Instrumenten zur Untersuchung des Breitengrades, unter dem wir uns befanden, auch kannte ich leider die Lage jener Inseln nicht genau, deshalb war ich im Zweifel, welche Richtung ich nach ihnen einzuschlagen hatte; andernfalls wäre es gewiß eine Leichtigkeit gewesen, sie zu erreichen.

Aber meine Hoffnung bestand darin, daß ich, wenn ich mich längs der Küste hielte, bis ich zu dem Teil käme, an dem die Engländer Handel trieben, ein oder das andere ihrer Schiffe antreffen könnte, das sich wie gewöhnlich dort mit Handel beschäftigte, und dieses uns aufnehmen würde. Soviel ich nach meiner Berechnung herausgebracht, mußte ich damals in der Gegend sein, die zwischen dem Kaiserreich Marokko und den Negerstaaten liegt und wo die Küste nur von Bestien bewohnt ist. Die Neger haben diesen Landstrich verlassen und sich aus Furcht vor den Mauren nach Süden zurückgezogen, während die Mauren die Gegend wegen ihrer Unfruchtbarkeit nicht des Anbaues werthalten. Beide Völkerschaften haben auch deshalb jene Strecke aufgegeben, weil so erstaunlich viel Tiger, Löwen, Leoparden und andere wilde Tiere dort hausen. Die Mauren benutzen die Gegend daher nur zum Jagen, indem sie armeenweise zu zwei- bis dreitausend'Mann dorthin ziehen. Beinahe hundert Meilen lang sahen wir an der Küste nur wüstes Land, bei Tage wie ausgestorben, des Nachts erfüllt vom Geheul und Gebrüll der Bestien.

Ein- oder zweimal glaubte ich den Pic von Teneriffa zu erblicken und hatte große Lust, nach ihm hinzusteuern; nach mehrmaligen, vergeblichen Versuchen aber, durch widrigen Wind genötigt und auch weil die See für mein kleines Fahrzeug zu hoch ging, beschloß ich, nach meinem früheren Plane, mich längs der Küste zu halten.

Mehrmals war ich genötigt, ans Land zu gehen, um frisches Wasser zu holen. Eines Tages warfen wir früh am Morgen unter einem ziemlich hoch gelegenen Küstenpunkt Anker. Die Flut begann, und wir wollten sie abwarten, um mit ihr weiterzufahren. Xury, der seine Augen flinker als ich überall hatte, rief mir leise zu, es sei besser, wenn wir von der Küste uns abwendeten, „denn“, sagte er, „dort liegt ein schreckliches Ungeheuer neben dem Hügel und schläft“.

Ich sah nach der angedeuteten Richtung und erblickte wirklich ein scheußliches Untier. Es war ein sehr großer Löwe, der am Ufer im Schatten eines Hügelvorsprungs lag. „Xury“, sagte ich, „du mußt ans Land und ihn töten.“ — „Mir ihn töten? Er mich essen auf mit ein Mundvoll!“ meinte er. Da sagte ich weiter nichts mehr zu dem Jungen und hieß ihn nur, sich still zu verhalten. Ich nahm unsere größte Flinte, lud sie stark mit Pulver und mit zwei Kugeln und legte sie neben mich. In ein anderes Gewehr tat ich zwei Kugeln, in ein drittes (denn wir besaßen drei) fünf Kugeln von kleinerem Kaliber.

Beim ersten Schuß zielte ich der Bestie scharf nach dem Kopf, allein sie hatte die Tatze ein wenig über die Schnauze gelegt, so daß die Kugeln sie über dem Knie trafen und ihr nur den Gelenkknochen zerschmetterten. Der Löwe sprang auf, knurrte anfangs leise, fühlte aber sein Bein entzwei, sank nieder und stellte sich dann auf drei Beine, indem er das schrecklichste Gebrüll losließ, das ich je vernommen. Ich war erschrocken, daß ich den Kopf verfehlte, griff aber sofort nach dem zweiten Gewehr und gab abermals Feuer; wiewohl der Feind ausreißen wollte, traf ich ihn diesmal doch in den Kopf und sah mit Vergnügen, wie er zusammenbrach und ohne großen Lärm seinen Todeskampf kämpfte. Jetzt bekam Xury Mut und wollte ans Land.

„Gut", sagte ich, „geh!" Darauf sprang er ins Wasser, nahm in die eine Hand eine kleine Flinte, schwamm mit der andern ans Ufer, begab sich dicht an das Tier heran, hielt ihm das Gewehr ans Ohr und machte ihm mit einem neuen Schuß durch den Kopf vollends den Garaus.

Dies Wildbret lieferte uns aber nichts zu essen, und es tat mir leid, drei Schüsse an ein Tier verschwendet zu haben, mit dem wir nichts anfangen konnten. Xury aber sagte, etwas wollte er doch davontragen, und bat mich um das Beil. „Wozu denn, Xury?" fragte ich. „Mich Kopf abhauen", antwortete er. Jedoch gelang es ihm nicht, des Ungeheuers Kopf abzuhauen, wohl aber brachte er eine seiner riesigen Tatzen mit zurück.

Ich hatte unterdessen überlegt, daß uns vielleicht das Fell auf eine oder andere Art von einigem Wert sein könnte, und beschloß, es abzuziehen. So machte ich mich denn mit Xury ans Werk; der Junge aber leistete dabei viel mehr als ich, denn ich verstand mich schlecht auf die Sache. Die Arbeit nahm einen ganzen Tag in Anspruch, bis wir zuletzt das Fell davontrugen. Wir spannten es über das Dach unserer Kajüte aus, wo es die Sonne rasch trocknete, dann benutzte ich es als Decke für mein Lager.

Nach diesem Aufenthalt segelten wir zehn bis zwölf Tage in einem fort südwärts. Jetzt gingen wir mit unserem Proviant, der stark ins Abnehmen geraten war, sehr sparsam um. Ans Land wagten wir uns nur, um Wasser zu holen.

Mein Plan war, zu versuchen, ob wir den Gambia oder Senegal, das heißt die Gegend des Kap Verde, erreichen könnten, wo ich hoffen durfte, einem europäischen Schiffe zu begegnen. Geschah das nicht, so blieb mir nichts übrig, als nach den Inseln des Kap Verde zu steuern oder unter den Negern umzukommen.

Ich wußte, daß alle europäischen Schiffe, die nach der Küste von Guinea oder nach Brasilien oder Ostindien fuhren, auf dem Kap Verde oder jenen Inseln Station machten. So setzte ich denn mein ganzes Geschick auf die eine Karte: Entweder ich begegnete einem Schiff oder — ich war verloren!

Als ich in dieser Ungewißheit etwa zehn Tage hindurch gesegelt war, begann ich wahrzunehmen, daß die Küste bewohnt war, und an mehreren Stellen sahen wir im Vorbeifahren Leute am Ufer stehen, die uns beobachteten. Wir konnten auch erkennen, daß sie ganz schwarz und völlig nackt waren. Einmal wandelte mich die Lust an, ans Land zu ihnen zu gehen, aber Xury riet mir ab, indem er sagte: „Nicht gehen, o ja nicht gehen!" Dennoch näherte ich mich der Küste so weit, daß ich mit den Leuten sprechen konnte. Sie liefen eine geraume Strecke neben dem Schiffe die Küste entlang. Waffen hatten sie nicht, außer einem einzigen, der einen langen, dünnen Stab trug, den Xury als eine Lanze bezeichnete, mit der diese Leute auf weite Entfernung mit großer Sicherheit werfen könnten. Deshalb hielt ich mich in gehörigem Abstand, redete aber, so gut es ging, durch Zeichen mit ihnen und gab ihnen insbesondere zu verstehen, daß ich etwas zu essen haben möchte. Sie forderten mich durch Winke auf, das Boot anzuhalten, und deuteten an, sie würden dann Speisen für mich herbeischaffen. Hierauf zog ich die Segel ein und legte bei, während zwei der Neger landeinwärts liefen.

Nach kaum einer halben Stunde kamen sie mit zwei Stücken getrockneten Fleisches und etwas Korn, so wie es ihr Land hervorbrachte, aber wir wußten weder, was das eine noch das andere war; dennoch waren wir fest entschlossen, es anzunehmen, aber, wie zu demselben gelangen, war nun die Frage, denn ich wagte nicht, zu ihnen ans Land zu gehen, und sie schienen sich ebenso vor uns zu fürchten. Doch zuletzt fanden die guten Leute einen sicheren Weg für uns alle. Sie legten die Sachen ans Ufer auf die Erde nieder und zogen sich dann eine weite Strecke zurück, bis wir ihre Gaben an Bord gebracht hatten; dann kamen sie wieder so nah als möglich zu uns heran.

Wir machten ihnen Zeichen des Dankes, da wir sonst nichts zu bieten hatten, aber gleich darauf bot sich uns Gelegenheit, ihnen einen großen Dienst zu leisten. Es kamen nämlich zwei gewaltige Tiere, eines das andere verfolgend, von den Bergen herab nach dem Meer gelaufen. Ob nun das Männchen dem Weibchen nachlief, ob sie nur einen Wettlauf abhielten oder ob die Bestien sich in Wut verfolgten, konnten wir nicht erkennen, ebensowenig wie wir wußten, ob ein solcher Vorfall hierzulande alltäglich oder ungewöhnlich sei. Doch glaube ich das letztere: einmal, weil solche wilden Tiere sich regelmäßig nur des Nachts zeigen, und dann, weil die Menschen am Ufer, besonders die Weiber, sehr erschrocken schienen. Alle, außer dem Mann mit der Lanze, entflohen. Die Bestien dachten jedoch nicht daran, die Neger zu verfolgen, sie stürzten sich vielmehr ohne weiteres ins Wasser und schwammen darin umher, als ob sie sich ein Vergnügen machen wollten.

Endlich kam eines der Tiere dem Boote näher. Ich legte mich auf die Lauer, ein Gewehr schußfertig in der Hand. Zuvor hatte ich Xury befohlen, die andern beiden Flinten zu laden. Sobald mir das Tier in Schußweite kam, gab ich Feuer und traf es gerade vor den Kopf. Alsbald sank es unter, kam aber gleich wieder in die Höhe und tauchte im Todeskampf auf und nieder. Es hatte sich unverzüglich nach dem Lande zurückgewendet, allein noch ehe es das Ufer erreichte, gaben ihm die tödliche Wunde und das verschluckte Wasser den Tod.

Es ist unmöglich, das Erstaunen der armen Leute über den Knall und das Feuer meines Gewehres zu schildern. Einige von ihnen wollten vor Furcht sterben und fielen, wie tot vor Schrecken, um. Als sie aber die Bestie leblos und ins Wasser versinken sahen und ich ihnen zugewinkt hatte, ans Ufer zu kommen, faßten sie Mut, näherten sich und fingen an, das Tier zu suchen. Es schwamm in seinem Blute, von dem das Wasser sich gefärbt hatte. Ich schlang ihm ein Seil um den Leib, das ich den Negern zuwarf, die das tote Tier damit an den Strand zogen. Es war ein ungemein schöner und wundervoll geflechter Leopard. Die Neger schlugen vor Verwunderung über das Ding, womit ich ihn getötet hatte, die Hände über dem Kopf zusammen.

Die andere Bestie, erschreckt durch Blitz und Knall des Schusses, schwamm ans Land und rannte nach dem Berg zurück, woher sie gekommen. Wegen der Entfernung vermochte ich nicht zu erkennen, was es für ein Tier war. Ich merkte, daß die Neger Lust hatten, den toten Leoparden zu verzehren, und war auch gern bereit, ihnen diesen zu überlassen. Daher gab ich ihnen das durch Zeichen zu verstehen, und sie schienen sehr dankbar dafür. Sofort machten sie sich an die Arbeit und zogen ihm mit einem scharfen Stück Holz das Fell rascher ab, als wir es mit unseren Messern gekonnt hätten.

Sie boten mir etwas von dem Fleisch an, was ich jedoch ablehnte, dagegen machte ich ein Zeichen, sie sollten mir das Fell geben, was sie denn auch sehr bereitwillig taten. Sie brachten mir ferner noch eine große Menge von Lebensmitteln, die ich zwar nicht kannte, aber dennoch annahm. Ich machte ihnen dann durch Zeichen begreiflich, daß ich Wasser nötig habe, indem ich ihnen einen von meinen Krügen umgekehrt vorzeigte, um damit anzudeuten, daß er leer sei. Sofort kamen auf ihren Ruf zwei Weiber herbei und trugen ein großes irdenes Gefäß, das, wie ich vermute, in der Sonne gebrannt war. Sie setzten es in der früher erwähnten Weise nieder, und ich schickte Xury ans Ufer und ließ meine drei Krüge sämtlich füllen. Die Weiber waren vollständig nackt, ebenso wie die Männer.

Jetzt hatte ich eßbare Wurzeln, Korn und Wasser die Menge. Nachdem ich diese freundlichen Neger verlassen hatte, segelte ich etwa elf Tage weiter, ohne der Küste zu nahe zu kommen, bis ich ungefähr fünf Meilen vor mir eine weit in das Meer ragende Landspitze entdeckte. Da die See sehr ruhig war, steuerte ich vom Lande ab, um diese Spitze zu umsegeln. Endlich, nachdem ich etwa zwei Meilen an dem gedachten Punkt vorüber war, erblickte ich vollkommen deutlich auch auf der andern Seite seewärts Land, woraus ich den begründeten Schluß zog, jenes sei das Kap Verde, und dies seien die nach ihm benannten Inseln. Jedoch lagen sie mir noch zu fern, und ich wußte nicht, nach welcher Seite ich mich wenden sollte, denn wenn sich ein frischer Wind erhob, war es leicht möglich, daß ich keine von beiden erreichte.

In dieser zweifelhaften Lage ging ich gedankenvoll in die Kajüte und setzte mich, nachdem ich Xury das Ruder übergeben hatte, dort nieder.

Plötzlich rief der Junge: „Herr, ein Schiff, ein Segelschiff!" Der arme Teufel war vor Schreck ganz außer sich, weil er meinte, es müsse notwendig eines von den uns verfolgenden Schiffen unseres Patrons sein, während ich wußte, daß wir uns längst außer dessen Bereich befanden.

Ich sprang aus der Kajüte und sah nicht nur das Schiff, sondern kannte es auch sofort als ein portugiesisches. Anfangs glaubte ich, es sei nach der guineischen Küste zum Negerhandel bestimmt, jedoch wurde mir bei genauerer Betrachtung seines Kurses klar, daß es anderswohin gehe und nicht nach dem Lande hinsteuere. Ich wendete mich deshalb mit vollen

Segeln nach der offenen See, entschlossen, wenn es möglich sei, mit den Leuten im Schiffe zu unterhandeln.

Aller Anstrengung ungeachtet, erkannte ich aber bald, daß ich sie nicht einholen würde und daß sie mir aus den Augen kommen müßten, ehe ich ein Zeichen geben konnte. Schon fing ich an zu zweifeln, als sie, wie es schien, mit Hilfe ihres Fernrohres mich bemerkt und wahrgenommen hatten, daß mein Boot ein europäisches sei, das vermutlich zu einem verlorenen Schiffe gehöre. Sie zogen die Segel ein und ließen mich herankommen. Hierdurch ermutigt, hißte ich die Flagge meines ehemaligen Patrons auf und feuerte als ein weiteres Notsignal einen Schuß ab. Sofort legten sie das Schiff bei, und nach ungefähr drei Stunden hatte ich sie erreicht.

Sie fragten mich nacheinander auf portugiesisch, spanisch und französisch, was ich für ein Landsmann sei. Ich verstand aber keine dieser Sprachen. Endlich rief mich ein schottischer Matrose, der an Bord war, an, und ich erwiderte, daß ich ein Engländer und aus der Mohrensklaverei von Saleh entflohen sei. Hierauf luden sie mich ein, an Bord zu kommen, und nahmen mich mit all meiner Habe freundlich auf.

Ich war, wie mir wohl jedermann glauben wird, unbeschreiblich froh, auf diese Art aus einer so elenden und fast hoffnungslosen Lage befreit zu sein. Sofort bot ich alles, was ich besaß, dem Schiffskapitän als Lohn für meine Befreiung an. Er aber erwiderte mir großmütig, er werde nichts annehmen, es solle mir vielmehr alle meine Habe wieder zugestellt werden, sobald wir nach Brasilien kämen. „Denn", sagte er, „ich habe Euch das Leben nur aus dem Grunde gerettet, aus dem ich mir selber in ähnlicher Lage Rettung wünschen würde. Vielleicht werde ich früher oder später einmal in gleicher Weise von jemandem aufgenommen werden müssen. Überdies", fuhr er fort, „wenn ich Euch so weit weg von Eurer Heimat, wie nach Brasilien, brächte und Euch dann Eure Habe abnähme, so müßtet Ihr doch Hungers sterben, und ich hätte Euch dann das wieder genommen, was ich Euch kaum gegeben habe. Nein, nein, Senhor Inglese (Herr Engländer), ich will Euch umsonst mitnehmen, und Eure Sachen werden Euch dort Unterhalt verschaffen und die Heimreise ermöglichen."

Viertes Kapitel

Robinson als Pflanzer in Brasilien. Neue Reise, neuer Schiffbruch

Ebenso mildtätig, wie er gesprochen, handelte er auch. Er untersagte den Matrosen aufs strengste, auch nur das geringste von meinen Sachen anzurühren; dann nahm er diese in eigenen Gewahrsam und händigte mir ein genaues Verzeichnis derselben ein, damit ich sie sämtlich, sogar meine drei irdenen Krüge, wiederbekäme.

Mein Boot war ein treffliches Fahrzeug. Der Kapitän bemerkte das und fragte mich, ob ich es wohl an sein Schiff verkaufen und was ich dafür haben wolle. Ich antwortete, er sei so edelmütig in jeder Hinsicht gegen mich, daß ich für das Boot gar nichts nehmen könne, sondern es ihm ganz anheimstelle. Er aber erwiderte, er wolle mir einen Schuldschein auf achtzig Goldstücke für Brasilien geben, und wenn mir dort jemand mehr böte, so würde er das auch zahlen.

Dann bot er mir sechzig Goldstücke für meinen Jungen, den Xury. Hierzu aber hatte ich keine Lust, nicht, weil ich den Knaben dem Kapitän nicht gern überlassen hätte, sondern weil es mir leid tat, seine Freiheit zu verkaufen, nachdem er mir so treulich Beistand geleistet hatte. Als ich dies dem Kapitän vorstellte, fand er es gerechtfertigt und schlug als Ausweg vor, daß er dem Jungen durch eine Urkunde versprechen wolle, ihn nach zehn Jahren, wenn er dann Christ geworden sei, wieder freizugeben. Hierauf, und da Xury auch einwilligte, überließ ich ihn dem Kapitän.

Wir hatten eine sehr gute Reise nach Brasilien und warfen schon nach etwa drei Wochen in der Allerheiligenbucht oder de Todos os Santos Anker. Nun war ich auf einmal aus der jämmerlichsten Lebenslage befreit, und es galt zu überlegen, was ich in Zukunft anfangen sollte.

Das edelmütige Benehmen des Kapitäns gegen mich werde ich nie vergessen. Er nahm für die Überfahrt nichts von mir und gab mir obendrein zwanzig Dukaten für das Leopardenfell und vierzig für das Löwenfell; auch ließ er mir pünktlichst alles, was im Schiffe mir gehörte, ausliefern, und was ich Lust hatte zu verkaufen, z. B. den Flaschenkorb, zwei meiner Gewehre und den Rest des Wachses, kaufte er mir ab. Kurz, ich löste aus meiner Habe über zweihundert spanische Speziestaler. Mit diesem Kapital ging ich in Brasilien an Land.

Kurze Zeit darauf empfahl mich der Kapitän an einen Mann von gleicher Redlichkeit, wie er selbst war. Dieser besaß ein Ingênho, d. h. ein Haus und eine Zuckerplantage. Auf dieser hielt ich mich eine Zeitlang auf und wurde dadurch mit der Kultur und Bereitung des Zuckers bekannt. Da ich sah, welch angenehmes Leben die Pflanzer führten und wie rasch sie reich wurden, entschloß ich mich, wenn mir die Niederlassung gestattet würde, gleichfalls Pflanzer zu werden und mir zu diesem Zweck mein in London hinterlassenes Geld schicken zu lassen. Ich ließ mich deshalb durch eine Urkunde naturalisieren, kaufte so viel Land, als mit meinem Kapital möglich war, und machte einen Plan zu einer Pflanzung, wie sie mein in England befindliches Geld mir anzulegen gestatten würde.

Ich hatte einen Portugiesen, der aus Lissabon, aber von englischen Eltern stammte, mit Namen Wells zum Nachbar, der sich ungefähr in denselben Umständen befand wie ich. Wir wurden gut bekannt miteinander. Sein Betriebskapital war, wie das meine, gering und verschaffte uns etwa zwei Jahre hindurch wenig mehr als den Lebensunterhalt. Indessen begannen wir uns zu vergrößern, so daß wir im dritten Jahr schon etwas Tabak anpflanzen und jeder von uns ein großes Stück Land zum Zuckerbau für das folgende Jahr vorbereiten konnten. Leider aber hatten wir Hilfe nötig, und jetzt wurde es mir fühlbar, daß es eine Torheit von mir gewesen war, mich von Xury zu trennen.

Aber, ach, es ist kein Wunder, daß ich, der ich's nie vernünftig angefangen, auch diesmal verkehrt gehandelt hatte. Das war nun nicht wieder gutzumachen. Ich hatte mich jetzt auf ein Leben eingelassen, das meiner ganzen Natur entgegen und völlig verschieden war von dem, an dem ich Gefallen fand, dessentwillen ich das Vaterhaus verlassen und den väterlichen Rat in den Wind geschlagen hatte. Jetzt befand ich mich auf der Mittelstraße des Lebens, die ich zu Hause auch hätte wandeln können, ohne mich in der Welt so abzuplagen, wie ich es nun tat. Oft sagte ich zu mir selbst: ‚Diese Art Leben könntest du auch in England bei deinen Verwandten und Freunden führen und brauchtest nicht deswegen fünftausend englische Meilen unter Fremde und unter die Wilden in eine Wüstenei zu gehen, wo man von dem Fleckchen Erde, das deine Heimat ist, niemals ein Wort vernommen hat.'

So sah ich meine Lage mit immer größerem Mißvergnügen an. Ich hatte niemanden zum Umgang als jenen Nachbar, mit dem ich zuweilen verkehrte. Was zu arbeiten war, mußte ich mit eigenen Händen tun, und ich kam mir vor wie jemand, der auf eine einsame Insel verschlagen ist. Aber das sollte erst noch kommen. Jedermann möge bedenken, daß, wenn er seine gegenwärtige Lage ungerecht beurteilt, die Vorsehung ihn leicht zu einem Tausche zwingen kann, damit er durch die Erfahrung lerne, wie glücklich er früher gewesen. Jenes einsame Leben auf einem öden Eilande, an das ich damals dachte, sollte mir noch dereinst beschieden sein, weil ich sooft ungerechterweise damit mein damaliges Leben verglichen hatte, das, wenn es länger gedauert, mich sehr wahrscheinlich zu einem begüterten und reichen Manne gemacht hätte.

Ich hatte meine Plantage schon einigermaßen instand gebracht, als der Schiffskapitän, der mich auf der See aufgenommen, die Rückreise antrat. Das Schiff hatte nämlich, bis die Ladung und die Reisevorbereitungen beendet waren, beinahe drei Monate dort verweilt. Als ich meinem Freunde sagte, daß ich ein kleines Kapital in London hinterlassen hatte, erwiderte er in seiner freundlichen, aufrichtigen Art: „Senhor Inglese", so pflegte er mich stets zu nennen, „wenn Ihr mir Briefe und eine Vollmacht mitgeben wollt mit dem Auftrag an die Person, die Euer Geld in London hat, dieses nach Lissabon zu schicken, und zwar in solcher Münze, wie sie hierzulande gilt, so werde ich es Euch, will's Gott, bei meiner Rückkehr mitbringen. Doch weil menschliche Dinge dem Wechsel und Mißgeschick so sehr oft unterworfen sind, rate ich Euch, nur die Hälfte Eures Kapitals, hundert Pfund Sterling, kommen zu lassen und dem Glück anzuvertrauen. Kommt dies Geld richtig hier an, dann könnt Ihr ja den Rest in gleicher Weise beziehen. Geht es verloren, so habt Ihr wenigstens die Hälfte gerettet."

Das war ein so vernünftiger Rat, daß ich ihn nicht ausschlagen durfte. Ich faßte daher Briefe an die Frau in London, die mein Geld besaß, und eine Vollmacht für den portugiesischen Kapitän ab, wie mein Freund es mir geraten hatte. Der Kapitänswitwe gab ich einen ausführlichen Bericht über meine Abenteuer, erzählte ihr von meiner Sklaverei und Flucht, von der Begegnung mit dem portugiesischen Kapitän und seinem menschenfreundlichen Benehmen, von meiner gegenwärtigen Lage, und erteilte ihr die nötige Anweisung zur Übersendung des Geldes. Als mein Freund nach Lissabon gekommen war, gelang es ihm, durch einen englischen Kaufmann sowohl die Anweisung zur Übersendung des Geldes als auch einen mündlichen Bericht über meine Erlebnisse nach London zu besorgen. Die Witwe sandte hierauf außer dem Geld noch aus eigener Tasche an den portugiesischen Kapitän ein sehr schönes Geschenk für seine edles, menschenfreundliches Verhalten mir gegenüber.

Der Londoner Kaufmann legte die hundert Pfund in englischen Waren an, wie es der Kapitän vorgeschrieben hatte, schickte sie sofort nach Lissabon, und letzterer brachte sie wohlbehalten nach Brasilien. Es befanden sich darunter (der Anordnung des Kapitäns gemäß, denn ich verstand nichts von der Sache) alle Arten Werkzeuge, Eisenwaren und andere Dinge, die ich auf meiner Pflanzung gut benutzen konnte.

Als die Sendung angekommen war, dachte ich, mein Glück sei gemacht, so voll freudiger Zuversicht war ich. Mein guter Kapitän hatte die fünf Pfund Sterling, die ihm meine Freundin zum Geschenk gemacht, dazu verwendet, für mich auf sechs Jahre einen Diener zu mieten. Er nahm nichts von Belang für alle seine Bemühungen an als etwas Tabak, den ich selbst produziert hatte.

Meine Besitztümer bestanden in lauter englischen Manufakturwaren, als da sind: Tücher, Stoffe verschiedener Art und lauter Dinge, die in Brasilien ganz besonders gesucht waren, weshalb ich sie mit Vorteil verkaufen konnte. So löste ich wenigstens das Vierfache des Einkaufspreises aus meiner ersten Ladung und war nun meinen armen Nachbarn an Mitteln weit überlegen.

Das erste, was ich nun tat, war, daß ich mir einen Negersklaven und einen europäischen Diener kaufte neben dem, den mir der Kapitän aus Lissabon besorgt hatte.

Wie aber der Mißbrauch des Glücks oftmals unser größtes Unglück herbeiführt, so war es auch bei mir. Meine Pflanzung nahm im nächsten Jahr einen großen Aufschwung. Ich erntete fünfzig schwere Rollen Tabak außer dem, was ich für allerlei Lebensbedürfnisse mit meinen Nachbarn getauscht hatte. Diese fünfzig Rollen, deren jede über hundert Zentner wog, wurden wohlverwahrt aufgespeichert bis zur Rückkehr des Lissaboner Schiffes.

Jetzt aber füllte mir mein wachsender Reichtum den Kopf mit allerlei Plänen, die über meine Mittel gingen, wie das ja schon oft die gescheitesten Geschäftsleute ruiniert hat. Wäre ich in meiner damaligen Lage geblieben, so hätte ich wohl noch alles Glückes teilhaftig werden können, um dessentwillen mein Vater mir so eindringlich ein ruhiges, stilles Leben empfohlen hatte. Allein es warteten andere Dinge auf mich. Ich sollte noch selbst der Schmied meines eigenen Unglücks werden. Ich sollte das Maß meiner Torheiten vollmachen, um mir für Selbstbetrachtungen, zu denen ich später Zeit genug haben sollte, noch mehr Stoff zu sammeln. All mein Mißgeschick aber ward herbeigeführt durch meine törichte Neigung zu einem unsteten Leben, dem ich, entgegen den klarsten Beweisen, daß mir das Beharren in meinem jetzigen Leben am besten bekommen, unablässig nachstrebte.

Wie ich einst meinen Eltern entlaufen war, so konnte ich auch jetzt nicht in zufriedener Ruhe leben. Ich mußte auf und davon und der glücklichen Aussicht, ein reicher Mann auf meiner neuen Pflanzung zu werden, den Rücken kehren, nur um einem heftigen und unmäßigen Wunsche zu willfahren, rascher zu steigen, als die Natur der Sache erlaubte. Und so stürzte ich mich denn wieder in die tiefste Tiefe menschlichen Elends, in die je ein Mann geraten ist und in der nicht leicht ein andrer sein Leben und seine Gesundheit erhalten hätte.

Ich werde jetzt den Faden meiner Erzählung wieder aufnehmen und zusammenhängend diesen Teil meiner Geschichte mitteilen.

Wie man sich denken kann, hatte ich nach vierjährigem Aufenthalt in Brasilien und nachdem ich mit meiner Pflanzung vorankam und Glück hatte, nicht nur die Landessprache gelernt, sondern auch Bekannte und Freunde unter meinen Mitpflanzern und den Kaufleuten zu San Salvador gewonnen. Bei meinen Gesprächen mit ihnen war auch oft von meinen beiden Reisen an die Küste von Guinea, von der Art und Weise des Handels mit den Negern und auch davon die Rede gewesen, wie leicht es sei, dort für Kleinigkeiten, wie für Spielwaren, Glasperlen, Messer, Scheren, Beile, Glasstückchen und dergleichen, nicht nur Goldstaub, Guineakörner, Elefantenzähne und so weiter, sondern auch Neger zur Sklavenarbeit in Brasilien zu erhandeln.

Man lauschte auf diese Mitteilungen mit gespannter Aufmerksamkeit, vorzüglich aber auf das, was den Ankauf von Negern anging. Damals wurde der Handel mit diesen noch nicht stark betrieben. Er stand unter der Oberaufsicht der Könige von Spanien und Portugal, und die Einkünfte flossen in die königlichen Kassen, daher wurden nur wenig Neger nach Brasilien gebracht, und diese kosteten schweres Geld.

Einmal, als ich mich mit einigen Pflanzern und Kaufleuten sehr angelegentlich und eingehend über diese Dinge unterhalten hatte, kamen am nächsten Morgen drei von ihnen zu mir und sagten, sie hätten sich jene Angelegenheit reiflich überlegt und wollten mir einen Vorschlag machen. Ich mußte Verschwiegenheit geloben, und hierauf teilten sie mir mit, daß sie Lust hätten, ein Schiff nach Guinea zu schicken, da es ihnen auf ihren Pflanzungen an nichts so sehr fehle wie an Arbeitern. Weil sie jedoch keinen öffentlichen Handel mit Sklaven treiben durften, so beabsichtigten sie, nur eine einzige Reise zu machen, die erkauften Neger heimlich an Land zu bringen und dann unter sich zu teilen. Es frage sich nun, ob ich als ihr Superkargo die Expedition zu Schiffe leiten wolle. Als Vergütung sollte ich einen gleichen Anteil wie sie an den Negern bekommen, ohne zu dem Ankaufskapital beizusteuern.

Dies wäre ein verlockendes Anerbieten für jemanden gewesen, der nicht eine eigene Pflanzung, die auf dem besten Wege sich zu vergrößern war, zu überwachen gehabt hätte. Für mich aber, der ich einen guten Anfang gemacht hatte und nur so fortzufahren brauchte, um mir mit Hilfe meiner anderen hundert Pfund Sterling aus England binnen drei oder vier Jahren sicherlich ein Vermögen von drei- bis viertausend Pfund Sterling erworben zu haben, war der bloße Gedanke an eine solche Reise das Unsinnigste, dessen ich mich schuldig machen konnte.

Aber ich war nun einmal dazu geboren, mich zugrunde zu richten, und deshalb konnte ich dem Anerbieten ebensowenig widerstehen, wie ich einst dem guten Rat meines Vaters zu folgen vermocht hatte. Kurz, ich sagte jenen Leuten, daß ich von Herzen gern die Reise machen wolle, wenn sie versprächen, während meiner Abwesenheit für meine Pflanzung zu sorgen und sie, wenn ich umkommen sollte, an die von mir bestimmten Personen zu überliefern. Sie gingen hierauf ein und stellten mir ein urkundliches Versprechen darüber aus. Ich faßte dann ein förmliches Testament ab, verfügte darin über meine Pflanzung und über meine sonstige Habe für den Fall meines Todes und ernannte den Kapitän, meinen Lebensretter, zum Universalerben mit der Bestimmung, daß er die Hälfte meines Besitztums für sich behalten, die andere Hälfte verkaufen und den Ertrag nach England schicken solle.

So traf ich allerdings die besten Maßregeln, um die Zukunft meines Vermögens zu sichern. Hätte ich nur halb soviel Nachdenken auf das verwandt, was mein wahres Interesse forderte und was ich tun und lassen sollte, so würde ich sicherlich nicht meine günstige Lage aufgegeben und eine Seereise angetreten haben, auf der mich die gewöhnlichen Gefahren einer solchen und obendrein noch, wie ich nach meiner Erfahrung Grund hatte anzunehmen, ganz besondere Unglücksfälle erwarteten.

Ich aber folgte blindlings den Lockungen meiner Einbildungskraft und hörte nicht auf die Stimme der Vernunft. Das Schiff wurde ausgerüstet, die Ladung geliefert und alles der Verabredung gemäß von meinen Kompagnons ins Werk gesetzt. In schlimmer Stunde ging ich an Bord, am 1. September 1659, gerade an dem Tage, an dem ich acht Jahre zuvor meinen Eltern in Hull entflohen war, ihren Geboten trotzend und mein eigenes Glück töricht verscherzend.

Unser Schiff war etwa hundertundzwanzig Tonnen schwer, führte sechs Kanonen und eine Mannschaft von vierzehn Leuten außer dem Kapitän, dem Schiffsjungen und mir. Wir hatten keine schwere Ladung, sondern nur solche Waren, die sich zum Handel mit den Negern eigneten: Perlen, Muscheln und allerlei Kleinigkeiten, wie kleine Spiegel, Messer, Scheren, Beile und dergleichen.

Noch an dem Tage, an dem ich an Bord gegangen war, lichteten wir die Anker. Wir hielten uns zunächst nordwärts an der brasilianischen Küste entlang, um dann vom zehnten oder elften Grad nördlicher Breite aus hinüber nach Afrika zu steuern, was der gewöhnliche Kurs dorthin in dieser Jahreszeit war. Wir hatten bis auf die große Hitze bei der Küstenfahrt sehr gutes Wetter. Von der Höhe von San Augustin aus nahmen wir, das Land aus dem Gesicht verlierend, den Weg seewärts, als ob wir nach der Insel Fernando de Noronha wollten, die wir jedoch östlich liegen ließen. Nach zwölftägiger Fahrt passierten wir die Linie und hatten gerade nach unserer

Berechnung sieben Grad zweiundzwanzig Minuten nördlicher Breite erreicht, als ein heftiger Orkan uns gänzlich jede Orientierung nahm. Er hob sich von Südost, drehte sich dann nach Nordwest und blieb hierauf in Nordost stehen. Von dort blies er in so furchtbarer Weise zwölf Tage hindurch, daß wir weiter nichts tun konnten, als uns von der Wut der Windsbraut forttreiben zu lassen. Ich brauche kaum zu sagen, daß ich während dieser ganzen Zeit jeden Tag meinen Untergang erwartete und daß niemand im Schiffe hoffte, mit dem Leben davonzukommen.

Zur Steigerung dieser Not verloren wir drei unsrer Leute. Einer davon starb am hitzigen Fieber, ein anderer nebst dem Schiffsjungen wurde über Bord gespült. Ungefähr am zwölften Tage legte sich der Sturm ein wenig, und der Kapitän begann, so gut es gehen wollte, seine astronomische Aufnahme zu machen. Er brachte heraus, daß wir etwa unter dem elften Grad nördlicher Breite, aber zweiundzwanzig Längengrade westwärts vom Kap San Augustin verschlagen waren. Demnach befanden wir uns in der Nähe der Küste von Guayana oder dem nördlichen Teil Brasiliens, oberhalb des Amazonenstromes und nahe bei dem Orinoko, der gewöhnlich der Große Fluß genannt wird. Der Kapitän beriet mit mir, welchen Kurs er jetzt nehmen sollte, und war gewillt, da unser Schiff leck und arg zugerichtet war, direkt nach der brasilianischen Küste zurückzukehren, wogegen ich mich jedoch entschieden erklärte.

Wir studierten hierauf die Seekarte und fanden, daß wir kein bewohntes Land antreffen würden, bis wir in den Bereich der Karibischen Inseln kämen. Deshalb beschlossen wir, nach Barbados hinzusteuern, das wir, wenn wir uns seewärts hielten, um den Golfstrom der Bai von Mexiko zu vermeiden, etwa binnen vierzehn Tagen zu erreichen hoffen konnten. Denn ohne unser Schiff auszubessern und für uns selbst Lebensmittel einzunehmen, wären wir in keinem Falle imstande gewesen, die afrikanische Küste zu erreichen.

In der erwähnten Absicht änderten wir nun den Kurs und steuerten nach Westnordwest, um auf irgendeiner der englischen Inseln Station zu machen. Aber es sollte anders kommen. Als wir uns unter 12° 18′ nördlicher Breite befanden, überfiel uns ein neuer Sturm und trieb uns mit solcher Gewalt nach Westen, daß wir aus dem Bereich aller befahrenen

Handelswege und in die Gefahr gerieten, selbst wenn uns die See verschonte, wahrscheinlich eher von Wilden gefressen zu werden, als wieder heimzukommen.

In dieser traurigen Lage, während der Wind noch sehr heftig ging, erscholl eines Morgens von einem unserer Leute der Ruf: „Land!"

Kaum aber waren wir an Deck geeilt, um zu sehen, wo wir uns befänden, so saß unser Schiff auch schon auf einer Sandbank. Sobald es festlag, wurde es von den Wogen dergestalt überflutet, daß wir uns sämtlich verloren glaubten und uns so rasch als möglich in die Kajüten zurückzogen, um vor den schäumenden Wellen Schutz zu suchen.

Niemand, der nicht Ähnliches durchgemacht hat, kann sich die menschliche Ratlosigkeit in solcher Lage vorstellen. Wir wußten nicht, wo wir uns befanden, ob das Land, an das wir getrieben waren, eine Insel oder ein Teil des Festlandes, ob es bewohnt sei oder nicht. Auch mußten wir, da der Wind zwar etwas gemäßigter, aber immer noch sehr heftig war, jeden Augenblick fürchten, das Schiff werde in Trümmer gehen, wenn nicht, wie durch eine Art Wunder, der Wind plötzlich umschlage. Wir schauten einer den andern in Todeserwartung an, und jeder von uns machte sich zum Eintritt in eine andere Welt bereit.

Ganz gegen unser Erwarten jedoch zerbarst das Schiff nicht, und wie der Kapitän versicherte, begann der Wind sich plötzlich zu legen.

Trotzdem aber, da wir auf dem Sande saßen und keine Hoffnung hatten, das Schiff flottzumachen, blieb uns in unserer traurigen Lage nichts übrig, als darauf bedacht zu sein, wie wir das nackte Leben retten könnten. Vor dem Sturm hatten wir am Heck unseres Schiffes ein Boot gehabt, das aber während des Unwetters ans Steuerruder geschleudert, dann losgerissen und entweder gesunken oder fortgetrieben war. Wir hatten zwar noch ein anderes Boot an Bord, aber es schien unmöglich, dieses in See zu bringen. Zu langem Besinnen jedoch fehlte die Zeit, da wir jede Minute das Schiff in Stücken zu sehen meinten und einige riefen, es sei bereits geborsten.

Trotz dieser schlimmen Lage gelang es dem Steuermann, mit Hilfe der übrigen Mannschaft, jenes Boot über Bord zu lassen. Wir sprangen alle, elf an der Zahl, hinein, uns der Barmherzigkeit Gottes und dem wilden Meere gänzlich überlassend.

Denn wiewohl der Sturm sich bedeutend gemindert hatte, gingen die Wogen doch noch furchtbar hoch, und man konnte hier mit den Holländern die stürmische See in Wahrheit „den wild Zee" nennen.

Unsere Not war immer noch groß genug. Wir sahen klar voraus, daß das Boot sich in den hohen Wellen nicht halten könne, sondern untergehen müsse. Segel hatten wir nicht, hätten auch nichts damit anfangen können. Daher arbeiteten wir uns mit den Rudern nach dem Lande hin, aber schweren Herzens wie Leute, an denen ein Todesurteil vollzogen werden soll. Denn es war uns bewußt, daß das Boot, wenn näher zur Küste gelangt, von der Brandung in tausend Stücke zerschmettert werden müsse. Gleichwohl, indem wir unsere Seelen Gott befahlen, ruderten wir mit allen Kräften nach dem Lande hin, mit eigenen Händen unserem Verderben entgegen.

Ob die Küste aus Fels oder Sand bestand, ob sie flach oder steil war, wußten wir nicht. Der einzige Hoffnungsschimmer, der uns noch geblieben, bestand in der Aussicht, daß wir vielleicht das Boot in irgendeine Bai oder Flußmündung einlaufen lassen oder uns unter einem Vorsprung der Küste bis zum Eintritt der Ebbe bergen könnten. Von diesen Dingen ließ sich aber nichts sehen, vielmehr bot das Land, als wir dem Ufer näher kamen, einen noch schrecklicheren Anblick als das Meer selbst.

Wir waren nach unserer Berechnung ungefähr anderthalb Meilen gerudert oder vielmehr vom Wasser getrieben, als eine berghohe wütende Welle gerade auf uns zugerollt kam und uns den Gnadenstoß erwarten ließ. Sie traf das Boot mit solcher Gewalt, daß sie es alsbald umwarf und uns nicht nur aus ihm herausschleuderte, sondern auch voneinander trennte. Ehe wir nur ein Stoßgebet hatten tun können, waren wir sämtlich von den Wogen verschlungen.

Die Verwirrung meiner Gedanken beim Untersinken ins Wasser ist unbeschreiblich. Obwohl ich sehr gut schwamm, hatte mich die Welle, noch ehe ich Atem schöpfen konnte, eine ungeheure Strecke nach der Küste hingetragen, und als sie dann erschöpft zurückkehrte, ließ sie mich, halbtot infolge des verschluckten Wassers, auf dem fast trockenen Lande zurück.

Ich besaß noch so viel Geistesgegenwart, da ich mich unerwartet dem Festlande so nahe sah, daß ich mich aufrichtete und versuchte, so weit als möglich nach dem Ufer hinzugelangen, ehe eine andere Welle kommen und mich mitnehmen würde. Dieser Versuch mißlang jedoch. Eine Woge wie ein großer Hügel, gleich einem wütenden Feinde, mit dem zu kämpfen ich weder Mut noch Kraft hatte, stürzte hinter mir her. Es blieb mir nichts übrig, als den Atem einzuziehen und mich so gut es ging über dem Wasser zu halten. Dabei war mein Hauptaugenmerk darauf gerichtet, daß die See mich nicht, wie sie mich eine gute Strecke landeinwärts getrieben, auch ebenso weit wieder zurücktrage.

Die neue Woge begrub mich sofort wieder zwanzig bis dreißig Fuß in die Tiefe. Ich konnte fühlen, wie sie mich mit großer Gewalt und Schnelligkeit eine geraume Strecke nach der Küste hintrug. Wiederum hielt ich den Atem an und bemühte mich, mit aller Kraft vorwärts zu schwimmen. Fast wäre mir der Atem ausgegangen, als ich plötzlich auftauchte und Hand und Kopf über dem Wasser sah. Obwohl dies nur zwei Sekunden dauerte, reichte es doch aus, mir neue Luft und frischen Mut zu verschaffen. Abermals war ich eine gute Weile mit Wasser bedeckt, dann aber, als sich die Woge erschöpft hatte und zurückkehrte, fühlte ich Grund unter den Füßen. Ich stand einige Augenblicke still, schöpfte Luft und eilte sofort mit allen Kräften dem Ufer zu. Aber auch diesmal entrann ich nicht der wütenden See, die mich aufs neue überflutete. Zweimal noch erfaßten mich die Wellen und trieben mich, da die Küste sehr flach war, vorwärts wie vorher.

Das letzte dieser beiden Male hätte leicht verhängnisvoll für mich werden können. Das Meer warf mich nämlich dabei gegen ein Felsstück, und zwar mit solcher Gewalt, daß ich die Besinnung verlor und ganz hilflos dalag. Der Schlag traf mich in die Seite und gegen die Brust und benahm mir dadurch den Atem, so daß ich, wäre unmittelbar wieder eine Welle gekommen, ertrunken wäre. Jedoch kam ich, kurz vor der Rückkehr der Wogen, wieder zu mir und beschloß, diesmal mich fest an den Felsen anzuklammern und, wenn möglich, den Atem bis zur Rückkehr der Welle einzuhalten. Dies gelang denn auch, da die Wogen nicht mehr so hoch wie vorher gingen. Ein weiterer Lauf brachte mich dann dem Strand so nahe, daß die nächste Welle, obwohl sie mich übergoß, mich nicht mehr fortzutragen vermochte. Abermals rannte ich weiter, und diesmal gelangte ich zum festen Lande, wo ich in großer Freude die Anhöhe der Küste erkletterte und mich da, frei von Gefahr und außerhalb des Bereichs der See, ins Gras niedersetzte.

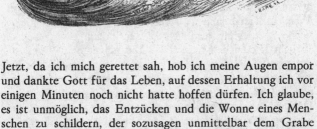

Jetzt, da ich mich gerettet sah, hob ich meine Augen empor und dankte Gott für das Leben, auf dessen Erhaltung ich vor einigen Minuten noch nicht hatte hoffen dürfen. Ich glaube, es ist unmöglich, das Entzücken und die Wonne eines Menschen zu schildern, der sozusagen unmittelbar dem Grabe entronnen ist. Ich begreife jetzt, daß, wenn man einem armen Schächer, der schon den Strick um den Hals hat, Begnadigung schenkt, man zu gleicher Zeit einen Wundarzt schickt, der ihn zur Ader läßt, damit die Überraschung ihm nicht das Herz abdrücke:

> Denn unerwartet Glück, wie jäher Schmerz,
> macht uns bestürzt, erschüttert unser Herz!

Mit emporgehobenen Händen, ganz versunken in das Gefühl meiner Rettung, ging ich am Strande auf und ab. Ich machte die wunderbarsten Bewegungen, und meine Gebärden sollten wohl meine Gedanken ausdrücken, die jetzt bei meinen Gefährten weilten. Ich dachte, daß sie wohl alle ertrunken und ich die einzige gerettete Seele sei; es mußte denn auch so sein, denn ich sah keinen wieder, habe auch kein Zeichen mehr von ihnen wahrgenommen außer drei Hüten, einer Mütze und zweier nicht zusammengehöriger Schuhe.

Als ich nach dem gestrandeten Fahrzeug blickte, das durch die Stärke der Brandung meinem Auge fast entzogen worden war, rief ich unwillkürlich aus: „Mein Gott, wie ist es möglich gewesen, daß ich das Land erreichen konnte."

Nachdem sich mein Herz an der tröstlichen Seite meiner Lage erhoben und für alles Kommende gestärkt hatte, begann ich umherzublicken und auszuschauen, auf was für einem Lande ich mich eigentlich befände und was zunächst zu tun sei. Da sank nun allerdings mein Mut wieder um bedeutendes, als ich erkannte, daß meine Errettung nur eine grausame Begünstigung sei.

Ich war durchnäßt und konnte die Kleider nicht wechseln, hatte weder etwas zu essen noch zu meiner Stärkung etwas zu trinken; keine andere Aussicht bot sich mir, als Hungers zu sterben oder von den wilden Tieren gefressen zu werden, und was mich besonders bekümmerte, ich besaß ja keinerlei Waffen, um irgendein Tier zu meiner Nahrung zu töten oder mich gegen solche zu wehren, die mich zu der ihrigen zu machen die Absicht hegten. Ich trug nichts bei mir als ein Messer, eine Tabakspfeife und ein wenig Tabak in einem Beutel. Dies war meine ganze Habe, und ich geriet darüber so in Verzweiflung, daß ich wie wahnsinnig hin und her lief.

Die Nacht kam, und ich begann schweren Herzens zu überlegen, was mein Los sein würde, wenn es hier wilde Tiere gäbe, von denen ich wußte, daß sie stets des Nachts auf Beute auszugehen pflegten.

Der einzige Ausweg, der mir einfiel, war, einen dicken, bu-
schigen Baum, eine Art dorniger Fichte, die in meiner Nähe
stand, zu erklettern. Ich beschloß, dort die ganze Nacht sitzen
zu bleiben und am nächsten Tag die Art, wie ich meinen Tod
finden wolle, zu wählen, denn auf das Leben selbst hoffte ich
nicht mehr.

Ich ging einige Schritte am Strand hin und her, um nach
frischem Wasser zu suchen; das fand ich denn auch bald zu
meiner großen Freude. Nachdem ich nun getrunken und etwas
Tabak in den Mund gesteckt hatte, um den Hunger ab-
zuwehren, erstieg ich den Baum und versuchte, mich in ihm
so zu lagern, daß ich im Schlafe nicht herunterfallen konnte.
Vorher hatte ich mir einen kurzen Stock, so eine Art Prügel,
zu meiner Verteidigung abgeschnitten, und dann verfiel ich
infolge meiner großen Müdigkeit in tiefen Schlaf und schlief
so erquickend, wie es wohl wenige in meiner Lage vermocht
hätten. Nie im Leben hat mir, glaube ich, der Schlummer so
wohlgetan wie damals.

Fünftes Kapitel

Robinson auf einsamer Insel. Er verschafft sich eine Menge Sachen
vom Wrack seines Schiffes und baut sich ein Bollwerk

Als ich erwachte, war es heller Tag. Das Wetter hatte sich
aufgeklärt und der Sturm sich gelegt, so daß die See ruhig ging.
Am meisten überraschte mich, daß das Schiff in der Nacht
durch die Flut von der Sandbank, auf der es gestrandet, fast
bis zu dem früher erwähnten Felsen, an den mich die Woge
so heftig geschleudert hatte, getrieben war. Es befand sich
etwa eine Meile von der Küste, und da es noch aufrecht stand,
wünschte ich sehr, an Bord zu sein, um wenigstens einige
nötige Gegenstände für mich retten zu können.

Als ich von meiner Schlafstätte auf dem Baum herabgestiegen
war, blickte ich umher, und das erste, worauf meine Augen
fielen, war das Boot. Der Wind und die Wellen hatten es, etwa
zwei Meilen zu meiner Rechten entfernt, auf den Strand geschleudert.

Ich ging die Küste entlang danach hin, aber ein kleiner, etwa
eine halbe Meile breiter Meeresarm hinderte mich, zu ihm zu
gelangen.

Da ich nun für den Augenblick meine Gedanken mehr auf das
Schiff gerichtet hatte, wo ich etwas zu meiner nächsten Le-
bensfristung zu finden hoffte, so kehrte ich für diesmal wieder
um.

Kurz nach Mittag wurde die See sehr ruhig und die Ebbe so
stark, daß ich bis auf eine Viertelmeile dem Schiff nahe
kommen konnte. Hier wurde mir ein neuer Schmerz bereitet.
Ich sah nämlich klar, daß wir, wären wir alle an Bord
geblieben, sämtlich gerettet wären. Wir würden dann alle ans
Land gelangt und ich nicht so jammervoll von allem Trost und
aller menschlichen Gesellschaft verlassen gewesen sein wie
jetzt. Die Tränen traten mir bei diesem Gedanken in die
Augen. Da ich aber wenigstens einige Erleichterung meines
Aufenthalts auf dem Schiffe zu finden hoffte, beschloß ich,
den Versuch zu machen, ob ich es erreichen könne. Ich zog
wegen der großen Hitze einen Teil meiner Kleider aus und
begab mich ins Wasser. Als ich zu dem Schiffe gelangt war,
zeigte sich mir eine neue große Schwierigkeit; ich wußte nämlich nicht, wie ich wohl in das Schiff gelangen konnte. Das auf

dem Grunde aufliegende Fahrzeug ragte hoch aus dem Wasser, und ich konnte nirgends eine Handhabe finden, um mich daran in die Höhe zu heben. Erst nachdem ich es zweimal umschwommen, erspähte ich ein kleines Tauende, das von dem Vorderteil so tief herunterhing, daß ich es, wenn auch nur mit großer Mühe, fassen und mit seiner Hilfe in den Vorderteil des Schiffes gelangen konnte.

Hier sah ich, daß das Schiff leck und schon eine große Menge Wasser eingedrungen war. Es lag auf der Seite einer Sandbank, und das Hinterteil ragte hoch in die Luft. Das Vorderteil lag gänzlich im Wasser. Dennoch war das Deck frei und was sich auf diesem befand, trocken.

Wie man denken kann, untersuchte ich vor allen Dingen, was verdorben sei und was nicht. Zunächst fand ich, daß der sämtliche Schiffsproviant trocken und vom Wasser verschont geblieben war. Da ich starken Appetit verspürte, eilte ich sofort nach dem Brotraum, füllte mir die Taschen mit Zwieback und aß davon, während ich zugleich noch die andern Sachen durchmusterte, da ich keine Zeit zu verlieren hatte. Auch etwas Rum fand ich in der großen Kajüte und trank davon einen gehörigen Schluck, was zur Ermunterung meiner Lebensgeister notwendig war. Jetzt hätte ich vor allen Dingen ein Boot brauchen können, um mich mit mancherlei Dingen zu versehen, die mir voraussichtlich sehr nötig sein würden. Aber was hätte es geholfen, die Hände in den Schoß zu legen und Unerreichbares zu wünschen? Meine große Not spornte meinen Eifer an. Wir hatten an Bord einige Rahen und zwei oder drei dicke hölzerne Sparren, auch einige große Masten. Ich beschloß, dieses alles zu benutzen, und warf dann so viel davon über Bord, als ich der Schwere halber bewältigen konnte, indem ich jeden Balken mit einem Seil befestigte, damit er nicht fortschwimmen konnte. Hierauf verließ ich das Schiff und zog die Hölzer an mich heran, band vier davon an beiden Enden floßartig möglichst fest zusammen und legte zwei bis drei Stücke quer darüber. Da ich bemerkte, daß ich zwar ganz gut auf den so verbundenen Hölzern herumgehen konnte, daß sie aber kein großes Gewicht zu tragen vermochten, machte ich mich an eine neue Arbeit. Ich sägte mit der Zimmermannssäge einen langen Topmast der Länge nach in drei Teile und brachte diese mit großer Mühe und Arbeit an meinem Floß an. Die Hoffnung, mich mit dem Nötigsten zu versehen, feuerte mich an, so daß ich vollbrachte, was mir wohl bei keiner anderen Gelegenheit möglich gewesen wäre.

Das Floß war nun stark genug, um ein ansehnliches Gewicht aushalten zu können. Es fragte sich zunächst, womit ich es belasten und wie ich die Ladung vor dem Seewasser schützen sollte. Zuerst beschloß ich, alle Planken und Dielen, deren ich habhaft werden konnte, darauf zu legen. Nachdem dies geschehen, nahm ich, in richtiger Erwägung dessen, was ich am nötigsten brauchte, drei den Matrosen gehörige Kisten, brach sie auf und ließ sie, nachdem ich sie leer gemacht, auf das Floß herunter.

In die erste tat ich Lebensmittel, nämlich: Brot, Reis, drei holländische Käse, fünf Stücke Ziegenfleisch, das auf dem Schiff einen Hauptteil unsrer Kost ausgemacht hatte, und einen kleinen Rest europäischen Getreides, das wir für das Geflügel mitgenommen hatten, das unterwegs geschlachtet worden war. Es war Weizen und Gerste gemischt gewesen, was aber, wie ich später mit großem Bedauern bemerkte, teils von den Ratten angefressen, teils durch die Länge der Zeit verdorben war. Auch einige Flaschen Likör entdeckte ich, die der Kapitän für sich bestimmt hatte, sowie fünf bis sechs Gallonen Arrak. Die letzteren Gegenstände stellte ich frei auf das Floß, da in den Kisten kein Raum mehr für sie war.

Inzwischen begann die Flut allmählich zu steigen. Mit Betrübnis sah ich sie meinen Rock, mein Hemd und die Weste wegschwemmen, die ich am Ufer auf dem Sand zurückgelassen hatte, während ich meine leinenen, nur bis ans Knie reichenden Hosen sowie die Strümpfe beim Schwimmen anbehalten hatte. Der Verlust jener Sachen veranlaßte mich, nach Kleidern umherzustöbern, und ich fand deren auch in Menge. Doch nahm ich nur das für den Augenblick Nötigste, denn ich hatte mein Augenmerk noch mehr auf andere Dinge gerichtet, und zwar vor allem auf Handwerkszeug, mit dem ich auf dem Lande hantieren konnte. Nach langem Suchen fand ich denn auch den Zimmermannskasten, der mir eine sehr kostbare Beute und in diesem Augenblick mehr wert war als eine ganze Schiffsladung voll Goldbarren. Ich brachte ihn, wie er war, aufs Floß, ohne seinen Inhalt vorher zu untersuchen, da mir dieser ungefähr bekannt war.

Meine nächste Sorge ging nun auf Munition und auf Waffen. Es befanden sich zwei sehr gute Vogelflinten und zwei Pistolen in der großen Kajüte, und dieser sowie einiger Pulverhörner, eines kleinen Schrotbeutels und zweier alter, verrosteter Säbel bemächtigte ich mich zuerst. Wie ich wußte, waren auch drei Fäßchen mit Pulver im Schiff, doch hatte ich keine Ahnung, wo sie der Stückmeister aufgehoben hatte. Erst nach langem Suchen fand ich sie, zwei davon waren noch gut und trocken, das dritte aber hatte Wasser gezogen. Die beiden ersteren schaffte ich mit den Waffen aufs Floß und dachte nun darüber nach, wie ich dieses ans Ufer bringen solle. Ich hatte nämlich weder Segel noch Steuer noch Ruder. Eine Handvoll Wind aber würde genügt haben, um mein ganzes Fahrzeug umzuwerfen.

Dreierlei jedoch ermutigte mich: erstens eine glatte, ruhige See, zweitens das Steigen der Flut, die landeinwärts ging, und drittens, daß das bißchen Wind, das überhaupt wehte, mich gegen das Land zu blies. Nachdem ich also noch mehrere zerbrochene Ruder, die zum Boot des Schiffes gehört hatten, sowie außer dem Werkzeug im Kasten zwei Sägen, eine Axt und einen Hammer aufgefunden, begab ich mich auf die Fahrt.

Etwa eine Meile weit ging es ganz gut mit meinem Floß, nur bemerkte ich, daß es ein wenig von meinem früheren Landungsplatz abgetrieben wurde. Daraufhin vermutete ich, es möge da wohl eine Wasserströmung und demzufolge vielleicht eine Bucht oder Flußmündung sein, die ich als Hafen für meine Landung benutzen konnte.

Wie ich gedacht, so war es in der Tat. Vor mir zeigte sich eine kleine Landöffnung, und die Flut strömte, wie ich bemerkte, stark nach ihr hin. In dieser Strömung suchte ich denn mein Floß so gut als möglich zu halten.

Jetzt aber hätte ich fast zum zweitenmal Schiffbruch erlitten, und diesmal hätte ich schwerlich den Kummer überstanden. Weil ich nämlich die Beschaffenheit der Küste nicht kannte, geriet mein Floß mit dem einen Ende in eine Untiefe, und da das andere Ende nicht auf den Grund stieß, fehlte nicht viel, daß meine ganze Ladung abgerutscht und ins Wasser gefallen wäre. Ich tat mein möglichstes, um dies zu verhüten, indem ich mich hinten auf die Kisten setzte, um sie an ihrem Platz festzuhalten. Leider aber konnte ich nun das Floß mit aller Gewalt nicht losbringen, besonders deshalb, weil ich meinen Posten bei den Kisten nicht verlassen durfte. In dieser Situation verharrte ich beinahe eine halbe Stunde, dann aber brachte mich das steigende Wasser ein wenig mehr ins Gleichgewicht; kurz darauf wurde mein Floß wieder flott, ich stieß mit dem Ruder ab und gelangte endlich in die Mündung eines kleinen Flusses, zwischen dessen engen Ufern die Flut sich in heftigem Strome bewegte. Jetzt sah ich mich nach einem geeigneten Landungsplatz um, indem ich besonders wünschte, einen solchen nicht allzu weit flußaufwärts zu finden. Denn in der Hoffnung, bald ein Schiff auf dem Meer zu erspähen, hatte ich beschlossen, dem Ufer so nahe als möglich zu bleiben.

Endlich ersah ich denn auch zur rechten Seite der Bucht eine kleine Einbiegung; nach dieser trieb ich mit großer Mühe das Floß, bis ich ihr so nahe kam, daß ich mit meinem Ruder Grund fand und geradewegs einlaufen konnte. Hier aber wäre beinahe abermals meine ganze Ladung zugrunde gegangen. Die Küste fiel nämlich dort ziemlich steil ab, und wenn ich landen wollte, mußte das eine Ende meines Fahrzeugs, sobald es auf den Strand stieß, wieder hoch, das andere wieder so tief zu liegen kommen, daß meine Beute dadurch gefährdet wurde. Da blieb mir denn nichts weiter zu tun, als den höchsten Stand der Flut abzuwarten, indem ich mit meinem Ruder wie mit einem Anker das Floß festhielt und das letztere möglichst dicht an eine flache Uferstelle drängte, die voraussichtlich von Wasser überflutet werden mußte. Sobald dies geschehen war (mein Floß ging etwa einen Fuß tief im Wasser), trieb ich es auf jene flache Stelle und befestigte es da, indem ich an jedem Ende eines meiner zerbrochenen Ruder in den Grund stieß. So blieb ich liegen, bis die Ebbe das Floß und meine ganze Beute unversehrt auf dem Lande zurückließ.

Meine nächste Aufgabe war jetzt, die Gegend auszukundschaften, einen geeigneten Platz für meine Niederlassung auszusuchen und mich umzusehen, wo ich meine Güter am sichersten unterbringen konnte. Ich wußte nämlich nicht, ob ich mich auf dem Festlande oder auf einer Insel befand, ob die Gegend unbewohnt sei oder nicht; ob es hier wilde Tiere gab oder nicht.

Etwa eine Meile von mir entfernt stieg ein Hügel steil empor, der den sich ihm nach Norden hin anreihenden Höhenzug überragte. Ich nahm eine der Vogelflinten, eine Pistole und ein Pulverhorn zu mir, und so bewaffnet, trat ich meine Entdeckungsreise nach jenem Punkte an. Von dort erkannte ich zu meiner großen Betrübnis, daß ich mich auf einer rings vom Meer umgebenen Insel befand. Kein Land war zu sehen, ausgenommen einige Felsen in ziemlicher Entfernung und zwei kleinere Inseln, die etwa drei Meilen westwärts ablagen. Ich bemerkte ferner, daß meine Insel nicht bebaut und, wie deshalb mit gutem Grunde anzunehmen, unbewohnt war, wenn es nicht etwa wilde Bestien dort gab, deren ich jedoch bis dahin keine wahrgenommen hatte. Nur eine große Menge mir unbekannter Vögel sah ich, von denen ich jedoch, auch nachdem ich einige getötet, nicht zu sagen vermochte, ob sie eßbar seien. Bei meiner Rückkehr schoß ich einen großen Vogel, der neben einem ansehnlichen Gehölz auf einem Baume saß.

Das mochte wohl der erste Schuß sein, der hier seit Erschaffung der Welt vernommen wurde. Kaum war er gefallen, so erhob sich aus allen Gegenden des Waldes eine Unzahl von Vögeln verschiedenster Art, die alle durcheinanderkrächzten und -schrien. Keine mir bekannte Art war darunter. Der von mir erlegte Vogel schien, nach der Farbe und dem Schnabel zu schließen, dem Habichtgeschlecht anzugehören, doch waren seine Klauen nicht wie die bei dieser Vogelgattung gewöhnlichen beschaffen. Mit dem Fleische ließ sich nichts anfangen.

Indem ich mich mit diesen Ergebnissen meiner Entdeckungsreise vorläufig begnügte, ging ich nach meinem Floß zurück und beschäftigte mich den Rest des Tages über damit, die Ladung ans Land zu bringen. Da ich mich fürchtete, auf bloßer Erde zu schlafen wegen der etwa vorhandenen wilden Tiere (später zeigte sich, daß meine Furcht unbegründet war), verbarrikadierte ich mich, so gut es ging, mit den Kisten und Brettern, die ich ans Ufer gebracht hatte, und baute mir daraus für mein nächstes Nachtlager eine Art Hütte. Hinsichtlich meiner Nahrung hatte ich vorläufig nichts Brauchbares bemerkt außer einigen hasenähnlichen Tieren, die aus dem Walde gelaufen kamen, in dem ich den Vogel geschossen hatte.

Ich bedachte nun, daß ich sehr mannigfache nützliche Gegenstände und vor allem das Tau- und Segelwerk aus dem Schiffe holen konnte.

Daher beschloß ich, eine weitere Reise an Bord des gestrandeten Fahrzeugs zu unternehmen, und da ich einsah, daß der nächstfolgende Sturm dieses notwendig zertrümmern mußte, nahm ich mir vor, unter Zurückstellung jedes anderen Vorhabens, sofort zu retten, was möglich sei. Mein Floß wiederum zu der Fahrt zu benutzen, erschien mir nach reiflicher Erwägung nicht geraten, und so entschloß ich mich, den Weg zum Schiffe wieder ganz in der früheren Weise zu machen.

Sobald die Flut vorüber war, entkleidete ich mich in meiner Hütte und behielt nichts an als mein buntes Hemd, ein Paar leinene Beinkleider und die Strümpfe, schwamm an das Wrack heran und begann, an Bord gelangt, mir ein zweites Floß herzurichten. Diesmal baute ich es, durch die Erfahrung genötigt, weniger schwerfällig und belud es auch nicht so sehr als das erstemal. Unter den nützlichen Dingen, die ich diesmal mitnahm, befanden sich zunächst einige Beutel mit Nägeln, ein großer Bohrer, etliche Dutzend Handbeile und ein mir ganz besonders dienlich erscheinender Schleifstein. Außer diesen Gegenständen versicherte ich mich einiger, dem Stückmeister anvertraut gewesener Sachen, nämlich mehrerer Stücke Eisen, zweier Fäßchen mit Musketenkugeln, sieben Musketen, noch einer Vogelflinte und einer weiteren kleineren Quantität Pulver, ferner fand ich einen großen Sack mit kleinem Schrot und eine dicke Rolle Blei. Die letztere war jedoch so schwer, daß ich nicht wagte, sie über Bord zu bringen. Weiterhin eignete ich mir zu, was ich an Kleidungsstücken finden konnte, sodann ein Bramsegel, eine Hängematte und etwas Betten. Auch diese zweite Ladung brachte ich zu meiner großen Freude auf dem Floß unversehrt und vollständig ans Ufer.

Mit einiger Furcht hatte ich daran gedacht, während meiner Abwesenheit vom Lande könnten meine dort befindlichen Lebensmittel geraubt sein, doch fand ich bei meiner Rückkehr keinerlei Spuren eines Gastes. Nur sah ich ein Tier, einer wilden Katze ähnlich, auf einer der Kisten sitzen, das, als ich näher kam, eine Strecke fortlief und dann stehenblieb. Es saß ganz ruhig da und sah mir ins Gesicht, als ob es Lust habe, meine Bekanntschaft zu machen. Ich zielte mit dem Gewehr nach ihm, aber das verstand es nicht, wenigstens machte es keine Miene, wegzulaufen. Hierauf warf ich ihm ein Stück Zwieback zu, wiewohl ich nicht sehr freigebig mit diesem Artikel sein durfte, da mein Vorrat nicht weit reichte. Das Tier lief darauf zu, beschnüffelte es, fraß es auf und sah mich dann vergnügt an, als ob es noch mehr verlange. Ich dankte jedoch für weiteres, und da es sah, daß nichts mehr zu erwarten sei, lief es fort.

Nachdem ich meine zweite Ladung ans Land gebracht, hätte ich am liebsten vor allen Dingen die Pulverfässer geöffnet, um den Inhalt nach und nach aus den schweren großen Behältern zu tun und mir somit das Fortschaffen zu erleichtern. Doch hielt ich es für geratener, mir zunächst aus Segeltuch und einigen Pfählen, die ich zu diesem Zwecke gefällt hatte, ein Zelt zu errichten. Sobald dies fertig war, brachte ich alles hinein, was durch Regen oder Sonne verdorben werden konnte. Rund um das Zelt türmte ich sämtliche leere Kisten und Fässer auf, um mich gegen plötzliche Angriffe von Menschen und Tieren zu sichern. Sodann verschloß ich den Eingang mit einigen Brettern von innen und mit einem leeren Kasten von außen, breitete ein Bett auf den Boden, legte meine zwei Pistolen mir zu Häupten und meine Flinte neben mich, ging dann zum ersten Male wieder zu Bett und schlief die ganze Nacht sehr ruhig. Meine Müdigkeit war begreiflich genug, da ich die vorige Nacht nur wenig geschlafen und den letzten Tag über tüchtig gearbeitet hatte.

Wiewohl ich jetzt das größte Magazin von Gegenständen

besaß, das wohl jemals ein einzelner Mensch um sich her aufgehäuft hat, gab ich mich dennoch nicht damit zufrieden. Denn da das zertrümmerte Schiff noch in seiner früheren Stellung verharrte, glaubte ich mich verpflichtet, daraus zu holen, was ich nur bekommen konnte. So ging ich denn jeden Tag bei niedrigem Wasser an Bord und schaffte diesen und jenen Gegenstand herüber. Das dritte Mal holte ich mir vom Takelwerk soviel ich vermochte, alle dünnen Seile und Stricke, ein Stück Leinwand, das zum Ausbessern der Segel bestimmt war, und das Faß mit dem nassen Pulver. In der Folge bemächtigte ich mich nach und nach des sämtlichen Segeltuchs, ließ es jedoch nicht ganz, sondern schnitt es kurzerhand in Stücke, da es nur noch als einfache Leinwand zu benutzen war.

Wie groß aber war meine Freude, als ich nach fünf oder sechs solcher Fahrten, während ich schon glaubte, das Schiff enthalte nichts Brauchbares mehr für mich, noch eine große Tonne mit Brot, drei ansehnliche Gefäße mit Rum und sonstigen Spirituosen, eine Kiste mit Zucker und ein Fäßchen mit feinem Mehl entdeckte. Ich leerte die Brottonne aus, wickelte die Brote einzeln in Segelstücke und brachte alles wohlbehalten ans Ufer.

Am nächsten Tag unternahm ich eine weitere Fahrt. Da jetzt das Schiff alles Beweglichen entledigt war, machte ich mich an die Taue, schnitt das große Kabel in Stücke, um es fortschaffen zu können, und nahm auch noch zwei Kabel und eine Trosse sowie alles Eisenwerk mit ans Land. Dann fällte ich den Fock- und den Brammast, verfertigte aus diesen und allen anderen dazu brauchbaren Dingen wiederum ein großes Floß, belud es mit jenen schweren Gütern und trat dann die Rückfahrt an. Jetzt aber begann mein gutes Glück mich zu verlassen. Das Floß war nämlich so schwerfällig, daß ich es, nachdem ich in die kleine Bucht kam, wo ich sonst auch immer meine Güter gelandet hatte, nicht so gut lenken konnte wie die früheren und es demnach umschlug und mich samt allen meinen Gütern ins Wasser warf.

Für mich hatte das nichts zu sagen, da das Ufer nahe war. Jedoch von meiner Ladung ging der größte Teil, besonders das Eisen, von dem ich große Dienste erwartet hatte, verloren. Indes bekam ich während der Ebbe die meisten Taustücke und auch ein wenig von dem Eisen wieder; das letztere aber nur mit unendlicher Mühe, da ich es durch Tauchen aus dem Wasser holen mußte, und das war eine ungemein anstrengende Arbeit.

Von jetzt an begab ich mich täglich nach dem Wrack, um, was nur möglich war, zu holen. Am dreizehnten Tage meines Aufenthalts auf der Insel war ich schon elfmal auf dem Schiffe gewesen und hatte in dieser Zeit alles, was zwei Menschenhände schleppen konnten, herübergeschafft. Wäre das Wetter ruhig geblieben, so hätte ich mich nach und nach des ganzen Schiffes bemächtigt, aber schon als ich mich anschickte, zum zwölftenmal an Bord zu gehen, fühlte ich, daß sich der Wind erhob. Dennoch trat ich während der Ebbe die Fahrt an. Ich entdeckte nun auch, obgleich ich geglaubt hatte die Kajüte schon völlig ausgeräumt zu haben, darin noch eine Kommode, in der sich mehrere Rasiermesser, ein paar große Scheren und zehn bis zwölf gute Messer und Gabeln befanden; in einem andern Behälter aber lag ein Häuflein Geld, etwa sechsunddreißig Pfund Sterling wert in europäischen und brasilianischen Gold- und Silbermünzen.

Bei diesem letzteren Anblick konnte ich mich eines ironischen Lächelns nicht erwehren. „O elender Plunder", rief ich, „wozu taugst du mir nun? Du bist jetzt nicht einmal der Mühe wert, am Wege aufgelesen zu werden. Eines jener Messer nützt mir mehr als dein ganzer Haufe. Bleib, wo du bist, und ertrinke wie ein Tier, um das es sich nicht verlohnt, ihm das Leben zu retten."

Nach besserer Überlegung nahm ich jedoch trotzdem das Geld mit. Ich wickelte meine sämtliche Beute in ein Stück Leinwand und schickte mich an, ein neues Floß herzustellen. Während ich eben darangehen wollte, sah ich, daß der Himmel sich umzog. Zugleich steigerte sich der Wind, und nach einer Viertelstunde wehte eine ganz frische Brise vom Lande her. Sofort überlegte ich, daß ich mit einem Floß nicht dem Wind entgegen landen konnte und daß ich vor Beginn der Flut hinüber sein mußte, wenn ich überhaupt ans Ufer gelangen wolle. Da sprang ich denn ohne weiteres ins Wasser und schwamm nach der Küste, allerdings nicht ohne erhebliche Anstrengung, teils wegen des Gewichts, das ich zu tragen hatte, teils wegen der Strömung des Wassers. Denn der Wind war heftig geworden, und bis die volle Flut eintrat, hatte sich ein förmlicher Sturm erhoben. Da aber war ich schon wohlbehälten zu meinem kleinen Zelt gelangt, wo ich, meinen ganzen Reichtum um mich her gebreitet, sicher war. Es stürmte die ganze Nacht hindurch, und als ich am Morgen mich umsah, war das Schiff verschwunden. Nun gereichte es mir zum großen Trost, daß ich keine Zeit und Mühe versäumt hatte, was mir nützlich sein konnte, aus demselben herüberzuschaffen. Ich konnte jetzt von dem Fahrzeug und dem, was es etwa noch enthielt, nichts mehr hoffen und höchstens darauf bedacht sein zu retten, was von dem Winde an den Strand getrieben werden würde. In der Tat geschah das später mit mehreren Stücken, die ich jedoch wenig zu nutzen vermochte.

Jetzt wurden meine Gedanken vollauf beschäftigt mit der Überlegung, wie ich mich etwa gegen die Wilden, falls sich welche zeigen sollten, oder gegen die Bestien, wenn solche auf der Insel wären, zu schützen hätte. Ich war anfangs unschlüssig, ob ich mir eine Höhle in die Erde graben oder ein Zelt über ihr errichten sollte. Endlich entschloß ich mich, beides zu tun. Die Art und Weise, wie ich es bewerkstelligte, wird dem Leser nicht uninteressant sein.

Ich erkannte bald, daß die Gegend, in der ich mich befand, zu einer Niederlassung nicht geeignet war, teils, weil der Boden dort tief gelegen, sumpfig, dem Meere zu nah und dadurch, wie ich glaubte, ungesund sei, teils, weil sich kein frisches Wasser in der Nähe befand. Ich beschloß daher, einen gesünderen und passenderen Platz auszusuchen.

Nun sagte ich mir, daß vor allem folgende Umstände ins Auge zu fassen seien: erstens gesunde Lage und frisches Wasser; sodann Schutz vor der Sonnenhitze; Sicherung vor wilden Menschen oder Tieren; endlich ein freier Ausblick auf die See, damit ich, wenn Gott mir ein Schiff auf Sehweite nahe kommen läßt, nicht die Gelegenheit zu meiner Befreiung versäume, da ich noch keineswegs aufgehört hatte, auf diese zu hoffen.

Bei dem Suchen nach einer geeigneten Stelle fand ich denn auch eine kleine Ebene neben einem felsigen Hügel, der wie die Front eines Hauses steil nach jener hin abfiel, so daß von oben her kein lebendes Wesen so leicht an mich herankommen konnte. An der Seite dieses Felsens war eine Höhlung wie der Eingang zu einem Keller, ohne daß jedoch der Felsen an dieser Stelle wirklich ausgehöhlt gewesen wäre.

Auf dieser grünen Fläche nun, gerade vor der Höhlung, beschloß ich, mein Zelt aufzuschlagen. Der ebene Platz war nicht mehr als hundert Yards breit und nur etwa zweimal so lang und fiel an seinem Ende unregelmäßig gegen das Meer hin ab. Er lag an der Nordnordwestseite des Hügels, so daß ich immer vor der Hitze geschützt war, bis die Sonne, was in diesen Gegenden spät geschieht, nach Südwest herumkam.

Ehe ich das Zelt errichtete, zog ich vor der Höhlung einen Halbkreis, etwa acht Meter im Halbmesser von dem Felsen aus und sechzehn Meter im Durchmesser von seinem einen Endpunkt bis zum andern gerechnet.

In diesem Halbkreis pflanzte ich zwei Reihen Palisaden, die ich in den Bogen schlug, bis sie fest wie Pfeiler standen. Sie ragten fünf und einen halben Fuß von der Erde empor und waren oben zugespitzt. Beide Reihen standen nur sechs Zoll voneinander entfernt.

Dann legte ich die auf dem Schiffe abgeschnittenen Tauenden reihenweise zwischen die Pfähle und schlug andere Palisaden, die sich wie Strebepfeiler gegen jene stützten, etwa zwei und einen halben Fuß hoch auf der Innenseite, gleich in die Erde. Der so errichtete Zaun war dermaßen stark, daß weder Menschen noch Tiere ihn hätten durchbrechen oder übersteigen können. Am meisten Mühe bei der ganzen Arbeit kostete es mich, die Pfähle in dem Wald zu fällen, sie an Ort und Stelle zu schaffen und in den Boden einzutreiben.

Zum Eingang in diesen Platz bestimmte ich nicht eine Türe, sondern ich überstieg den Zaun stets mit Hilfe einer kurzen Leiter. Befand ich mich in der Umzäunung, so zog ich die Leiter hinter mir her und war so, wie ich glaubte, gegen alle Welt sicher verschanzt. Indes sah ich später ein, daß alle diese Vorsichtsmaßregeln unnötig gewesen wären.

Sechstes Kapitel

Robinson richtet sich ein. Die Ziegen

In meine neue Festung brachte ich nun mit unsäglicher Mühe all meine Reichtümer, die Lebensmittel, die Munition, das Werkzeug und was ich sonst noch oben erwähnt habe. Sodann errichtete ich mir ein großes Zelt, und zwar, um vor dem Regen geschützt zu sein, der zu gewisser Jahreszeit hier sehr heftig ist, ein doppeltes Zelt, das heißt, ich spannte über ein kleineres Zelt ein größeres, das ich oben mit einem Stück geteerter Leinwand bedeckte, die ich unter den Schiffssegeln gefunden hatte.

Statt in dem Bett, das ich ans Land gebracht, zu schlafen, nahm ich von jetzt an mein Nachtlager in einer sehr guten Hängematte, die früher dem Steuermann gehört hatte. In das Zelt brachte ich alle meine Vorräte, die keine Nässe vertragen konnten. Nachdem ich nun meine Güter auf diese Weise sämtlich hereingeschafft hatte, verschloß ich den bis dahin offengelassenen Eingang und stieg von nun an, wie gesagt, mittels der Leiter aus und ein.

Hierauf machte ich mich daran, ein Loch in den Felsen zu graben, trug alle Erde und Steine, die ich dabei losarbeitete, durch das Zelt und legte sie terrassenförmig um den Zaun, so daß der Erdboden auf dessen Innenseite etwa anderthalb Fuß höher wurde als auf der Außenseite. Zugleich gewann ich dabei gerade hinter meinem Zelte eine Höhlung, die mir als Keller dienen konnte.

Schwere Arbeit und gar manchen Tag kostete es, bis ich alle diese Dinge zustande brachte. Aus der Zwischenzeit sind einige Umstände, die mein Nachdenken in Anspruch nahmen, nachträglich zu erwähnen. Einmal, während ich an meinem Zelt und an der Höhlung arbeitete, erhob sich ein starkes Gewitter. Aus dunklem, dichtem Gewölk zuckte plötzlich ein Blitz, und ein gewaltiger Donnerschlag folgte. Rascher noch als dieser Blitz überkam mich der Gedanke: O mein Pulver! Das Herz erzitterte mir bei der Überlegung, daß ein einziger Blitzstrahl meinen ganzen Pulvervorrat vernichten könne, von dem, wie ich glaubte, nicht nur die Verteidigung, sondern auch die Ernährung meines ganzen Lebens abhängig sei. Wegen der Gefahr, in der ich selbst schwebte, ängstigte ich mich nicht so sehr, obwohl ein Funke, ins Pulver geraten, mich ja gleichfalls augenblicklich vernichtet hätte.

Von jenen Gedanken war ich so betroffen, daß ich, sobald der Sturm vorüber war, alles andere stehen- und liegenließ, um nur Beutel und Kästen anzufertigen, in denen ich das Pulver verteilen und dann in kleinen Paketen aufheben wollte, da ich hoffte, auf diese Weise werde wohl nicht alles zu gleicher Zeit vom Feuer verzehrt werden. Ich teilte mein Pulver, das etwa zweiundeinhalb Zentner wog, in wenigstens hundert Häuflein. Von dem Fäßchen, das Wasser gezogen hatte, fürchtete ich keine Gefahr und hob es daher in meiner neuen Höhle auf, die ich meine Küche nannte. Das Übrige verbarg ich in Löchern unter dem Felsen, damit es nicht naß werden sollte, und merkte mir aufs genaueste die Orte, wo ich es aufbewahrt hatte.

Diese Beschäftigung zur Sicherung meines Schießbedarfs unterbrach ich jeden Tag durch Pausen, in denen ich wenigstens einmal mit dem Gewehre ausging, sowohl zum Vergnügen als auch um zu sehen, ob ich irgend etwas Eßbares erlegen könne. Hierbei beabsichtigte ich, zu gleicher Zeit mich möglichst mit dem, was die Insel hervorbrachte, bekannt zu machen. Gleich auf dem ersten dieser Streifzüge entdeckte ich zu meiner großen Befriedigung, daß es hier Ziegen gab; sie zeigten jedoch so viel Schlauheit, Vorsicht und Flinkheit, daß ihnen nur mit der allergrößten Anstrengung beizukommen war. Dennoch gab ich die Hoffnung nicht auf, hin und wieder eine davon zu schießen. Bei der Verfolgung ihrer Fährten beobachtete ich, daß, wenn sie auf dem Felsen standen und mich im Tale erblickten, sie im größten Schrecken davoneilten, während sie, wenn sie im Tale weideten und ich auf dem Felsen stand, mich gar nicht beachteten. Da ich hieraus schloß, daß sie durch die Stellung ihrer Augen genötigt seien, den Blick zur Erde zu richten und demzufolge nicht leicht Gegenstände über ihnen wahrnehmen könnten, wendete ich später den Kunstgriff an, ihnen immer von dem Felsen aus beizukommen, von wo aus ich denn auch oft Gelegenheit hatte, Beute zu machen.

Bei der ersten Jagd auf diese Tiere erlegte ich eine Geiß, die ein Junges säugte. Das tat mir nun sehr leid. Als die Alte tot hingefallen war, stand das Zicklein ganz still neben ihr, bis ich kam und sie aufhob, worauf das Junge mir bis zu meiner Einfriedung folgte. Ich nahm die Ziege von den Schultern und hob das Zicklein über den Zaun. Meine Hoffnung, es aufziehen zu können, erfüllte sich nicht, denn da es nicht fressen wollte, mußte ich es gleichfalls töten und zu meinem Unterhalt verwenden. Die beiden Tiere versahen mich auf lange Zeit mit Fleisch, da ich nur wenig aß und mit meinen Vorräten überhaupt, besonders aber mit dem Brot, so sparsam als möglich umging.

Nachdem ich mich nun fest angesiedelt hatte, fand ich es unumgänglich notwendig, mir einen Platz zur Feuerung und Brennmaterial zu verschaffen. Ehe ich berichte, wie ich dies bewerkstelligte, muß ich zunächst angeben, welche sehr verschiedenartigen Gedanken mir, seit ich die Insel bewohnte, durch den Kopf gingen.

Die Aussicht, die sich vor meinem inneren Auge eröffnete, war sehr düster. Ich war an diese Insel nur durch einen heftigen Sturm, der mich gänzlich von dem beabsichtigten Kurs und Hunderte von Meilen weit von den gewöhnlichen Handelswegen verschlagen hatte, getrieben. Daher hatte ich guten Grund anzunehmen, daß ich nach dem Ratschluß des Himmels auf diesem öden Fleckchen Erde in trostloser Weise mein Leben beenden solle.

Sooft ich bei diesem Gedanken verweilte, rannen mir die Tränen reichlich über das Gesicht. Zuweilen haderte ich mit der Vorsehung darüber, daß sie ihre Geschöpfe so ins Verderben führe und so ganz und gar hilflos verlasse und unglücklich mache, daß man für die Erhaltung eines solchen Daseins ihr kaum Dank zollen könne.

Immer aber wurden diese Gedanken durch irgendeine andere Betrachtung rasch in eine abweichende Richtung geleitet. Besonders einmal, als ich, das Gewehr in der Hand, am Strande wandelnd über meine Lage nachdachte und mir jene vermessene Frage wieder aufstieß, drängte sich mir die Erwägung auf: ,Ja, es ist wahr, du bist in einer trostlosen Lage, aber gib dir doch Antwort auf dies: Wo sind deine Gefährten? Wart ihr nicht zu elfen in dem Boot? Wo sind die anderen zehn? Warum sind denn nicht sie gerettet, und warum bist nicht du untergegangen? Warum hast du allein diese Auszeichnung erfahren? Ist es besser, hier zu sein oder dort in den Fluten? Hat man nicht die Pflicht, alles Übel zugleich mit dem, was es Gutes bietet, zu betrachten und mit dem zu vergleichen, was schlimmer sein könnte?'

Dann fiel mir ein, wie gut für meinen Unterhalt hier gesorgt sei und in einer wieviel schlimmeren Lage ich mich befinden würde, wenn nicht zufällig das Schiff von dem Platz aus, an dem es gescheitert war, so nahe ans Land getrieben worden wäre, daß ich alle jene Dinge daraus holen konnte; und ferner, wie traurig meine Existenz sein würde, wenn sie so geblieben wäre, wie als ich zuerst ans Ufer kam, ohne das Notwendigste zum Leben zu haben. „Vor allem aber", rief ich in lautem Selbstgespräch aus, „was würde ich ohne ein Gewehr, ohne Munition, ohne jedes Arbeitswerkzeug, ohne Kleider und Betten, ohne Zelt oder sonstiges Obdach angefangen haben?" Dann erinnerte ich mich, daß ich jetzt alle diese Dinge reichlich besitze und mich auf dem Wege befinde, mir meinen Unterhalt auch ohne die Gewehre verschaffen zu können, wenn meine Munition einmal verbraucht sein würde. Denn von Anfang an hatte ich daran gedacht, wie ich für die Zeit, in der nicht nur mein Schießbedarf zu Ende sein, sondern auch meine Kraft und Gesundheit in Verfall geraten sein werde, für mich sorgen wolle.

Ich bemerke hierzu, daß die Furcht vor der Vernichtung meines Pulvers durch den Blitz damals noch gar nicht in mir aufgetaucht war, daher auch der Gedanke hieran mich bei dem ersten Gewitter um so jäher überfiel.

Nun aber will ich den traurigen Bericht von einem einsamen Dasein, wie es vielleicht nie ein anderer Mensch auf Erden geführt hat, von seinem Beginne an erzählen und in aller Ordnung fortführen.

Wir hatten nach meiner Berechnung den 30. September, als ich den Fuß zuerst auf diese schreckliche Insel setzte; es war also die Jahreszeit, in der bei uns die Sonne in der herbstlichen Tagundnachtgleiche steht. Dort dagegen glühte sie senkrecht über meinem Scheitel. Wie ich durch eine Berechnung, die ich angestellt, zu wissen glaubte, lag meine Insel neun Grad zweiundzwanzig Minuten nördlich vom Äquator.

Siebentes Kapitel

*Robinsons Zeitberechnung. Seine Bilanz über das Schlechte und
Gute seiner Lage*

Nach etwa zwölf Tagen fiel mir ein, daß, wenn ich keine
Vorkehrungen träfe, ich aus Mangel an Büchern, Feder und
Tinte in der Zeitrechnung irre werden müsse und bald sogar
den Sonntag nicht mehr von den Wochentagen würde unter-

scheiden können. Um dies zu verhindern, schnitt ich mit meinem Messer in einen großen Pfosten mit großen Buchstaben folgende Worte ein: „Hier bin ich am 30. September 1659 gelandet." Ich formte aus dem Pfosten ein großes Kreuz und trieb ihn an der Stelle ein, an der ich zuerst gelandet war. An den Seiten dieses viereckigen Pfostens machte ich täglich mit dem Messer einen Einschnitt, an jedem siebenten Tag einen doppelt so langen als an den übrigen, und wiederum am ersten Tage jedes Monats eine doppelt so große Einkerbung, als diejenigen für die Sonntage waren. Auf diese Weise führte ich meinen Kalender, meine Wochen-, Monats- und Jahresrechnung.

Ich habe hier noch zu bemerken, daß unter den Gegenständen, die ich vom Schiffe gebracht, sich einige an sich ziemlich wertlose, mir aber sehr nützliche befanden, die ich oben zu erwähnen unterlassen habe. Hierzu gehörten unter anderen: Federn, Tinte, Papier, die ich zum Teil aus den Vorräten des Kapitäns, des Steuermanns, des Stückmeisters und des Zimmermanns entnommen hatte; ferner mehrere Kompasse, einige mathematische Instrumente, Zirkel, Ferngläser, Karten und Schiffahrtsbücher. Das alles hatte ich zusammengerafft, ohne viel darüber nachzudenken, ob ich es jemals brauchen könne oder nicht. Auch drei gute Bibeln waren mir in die Hände gefallen, die mit meinen Sachen von London gekommen waren und die ich unter mein Reisegepäck gepackt hatte. Sodann hatte ich einige portugiesische Bücher, darunter drei katholische Gebetbücher und verschiedene andere Schriften aus dem Wrack mitgenommen und sorgfältig aufbewahrt. Ferner darf ich nicht vergessen, daß an Bord unseres Schiffes ein Hund und zwei Katzen gewesen waren, von denen ich im Verlauf meiner Geschichte noch zu reden haben werde. Denn die beiden Katzen hatte ich mitgenommen, der Hund aber war an dem Tage, nachdem ich die erste Floßfahrt gemacht hatte, von selbst aus dem Schiffe gesprungen und ans Land geschwommen. Er war mir manches Jahr hindurch ein treuer Gefährte, trug und apportierte mir alles mögliche und leistete mir Gesellschaft, so gut er vermochte. Ihn aber sprechen zu lehren, wollte nicht gelingen, wie große Mühe ich mir auch darum gab.

Wie schon bemerkt, hatte ich auch Federn, Tinte, Papier gefunden. Ich ging damit sehr haushälterisch um, zeichnete aber dennoch, solange der Vorrat reichte, alle meine Erlebnisse auf das genaueste auf. Später wurde mir dies unmöglich, da es mir durchaus nicht gelang, Tinte zu bereiten.

Überhaupt gebrach es mir, so viel Gegenstände ich auch um mich aufgehäuft hatte, doch an einer Menge sehr wesentlicher Dinge, so zum Beispiel außer der Tinte an einer Hacke und einem Spaten oder einer Schaufel, um die Erde damit umzugraben; ferner an Nähnadeln, Stecknadeln und Faden oder Garn. Was die Wäsche anbelangt, so gewöhnte ich mich schnell daran, sie zu entbehren.

Dieser Mangel an Gerätschaften erschwerte natürlich alle meine Arbeiten, und so dauerte es zum Beispiel fast ein Jahr, bis ich die Umzäunung meiner Wohnung beendet hatte. Die Pfähle, die ich so schwer wählte, als ich sie nur tragen konnte, nahmen viel Zeit zum Fällen, Vorbereiten und Nachhauseschaffen in Anspruch. Zuweilen brauchte ich zwei Tage, um eine von diesen Palisaden fertig an Ort und Stelle zu bringen, und einen dritten Tag, um sie in die Erde zu treiben. Hierzu bediente ich mich anfangs eines schweren Holzstückes, später aber nahm ich dazu eine der eisernen Brechstangen. Trotzdem war es ein mühsames und zeitraubendes Werk, diese Pfähle festzumachen. Aber was lag daran, daß irgend etwas, das ich verrichte, Zeit kostete, da ich ja deren im Überfluß hatte? Denn soviel ich vorläufig übersah, blieb mir nach Vollendung jener Arbeit nur noch die übrig, die Insel nach Lebensmitteln zu durchsuchen, was ich ohnehin schon jetzt fast an jedem Tage tat.

Ich faßte nun meine Lage ernstlich ins Auge und setzte das Ergebnis schriftlich auf, nicht sowohl um den Bericht denen zu hinterlassen, die etwa nach mir einmal auf die Insel kommen würden (denn ich hatte wenig Aussicht auf Erben), als um mich dadurch von den Gedanken, die täglich auf mich einstürmten und mir die Seele verdüsterten, zu befreien. Meine Vernunft begann allmählich Herr zu werden über meine verzweifelte Stimmung; ich tröstete mich dadurch, daß ich das Gute meiner Lage dem Schlimmen derselben gegenüberstellte und unparteiisch, gleichwie der Kaufmann sein Soll und Haben, die Freuden gegenüber den Leiden, die ich erfuhr, folgendermaßen verzeichnete:

Das Schlechte:	Das Gute:
Ich bin auf eine wüste, trostlose Insel, ohne alle Hoffnung auf Befreiung, verschlagen.	Aber ich lebe und bin nicht, wie alle meine Gefährten, ertrunken.
Ich bin vereinsamt und von aller Welt abgeschieden, dazu verurteilt, ein elendes Dasein zu führen.	Jedoch bin ich auch auserlesen aus der ganzen Schiffsmannschaft, vom Tode verschont zu bleiben, und der, welcher mir das Leben wunderbar erhalten hat, kann mich auch aus dieser elenden Lage wieder erlösen.
Ich bin von der Menschheit getrennt wie ein Einsiedler, verbannt aus der menschlichen Gesellschaft.	Trotzdem bin ich auf diesem öden Orte nicht Hungers gestorben.
Ich habe keine Kleider, um meine Blöße zu bedecken.	Aber ich befinde mich in einem heißen Klima, wo ich Kleider, selbst wenn ich sie hätte, schwerlich tragen könnte.
Ich bin ohne Verteidigungsmittel gegen irgendeinen gewaltsamen Angriff von Menschen oder Tieren.	Allein, ich bin auf eine Insel verschlagen, wo ich keine wilden Tiere zu sehen bekomme, wie ich sie an der afrikanischen Küste sah. Was wäre aus mir geworden, hätte ich dort Schiffbruch erlitten?
Ich habe keine Menschenseele, um mit ihr zu reden oder mich von ihr trösten zu lassen.	Aber Gott schickte durch wunderbare Fügung das Schiff so nahe ans Land, daß ich so viele Dinge daraus holen konnte, die zur Befriedigung meiner Bedürfnisse dienen oder mir die Mittel zu ihrer Befriedigung an die Hand geben werden, solange ich lebe.

71

Alles in allem ergab diese Übersicht, daß es zwar kaum eine unglücklichere Lage als die meinige in der Welt gab, daß aber doch negative und positive Umstände darin vorhanden waren, um derentwillen ich dankbar sein mußte. Daraus mag man lernen, daß kein Zustand existiert, der nicht etwas Tröstliches darbietet und bei dem wir nicht bei der Verzeichnung des Guten und Schlimmen etwas auf die Kreditseite der Rechnung zu setzen hätten.

Nachdem ich mich auf solche Weise mit meinem Zustand einigermaßen ausgesöhnt, dagegen aber die Hoffnung, auf der See ein Schiff zu erspähen, aufgegeben hatte, begann ich mir das Leben so angenehm einzurichten, als es nur möglich war.

Meine Wohnung habe ich bereits beschrieben. Sie bestand, wie erwähnt, aus einem Zelt zu Füßen eines Felsens, das mit einer starken Einzäunung von Pfählen und Tauen umgeben war. Ich durfte diese wohl ein Mauerwerk nennen, besonders nachdem ich eine Art Wall von Erdstücken etwa zwei Fuß hoch an seiner Außenseite aufgeführt und nach Ablauf von etwa zweieinhalb Jahren von diesem Wall aus Holzstücke gegen den Felsen gestemmt und sie mit Baumzweigen und ähnlichem bedeckt hatte, um den Regen abzuhalten, der während gewisser Jahreszeiten sehr heftig war.

Meine Güter hatte ich sämtlich in diese Einhegung oder in die in ihrem Hintergrund befindliche Höhlung gebracht.

Anfangs hatten sie dort einen unordentlichen Haufen gebildet und mir allen Platz weggenommen, so daß ich mich kaum hatte rühren können. Deshalb hatte ich mich daran gemacht, die Höhlung zu erweitern und tiefer in den Felsen einzudringen. Dieser bestand aus lockerem Sandstein und gab leicht nach. Da ich mich gegen wilde Tiere doch hinlänglich geschützt glaubte, arbeitete ich mich ganz durch den Felsen durch und bekam so eine Tür nach außen hin, durch die ich meine Festung verlassen konnte. So hatte ich nicht nur einen Aus- und Eingang, sondern auch einen größeren Raum für meine Habseligkeiten bekommen.

Ich begann hierauf, mir diejenigen Gegenstände anzufertigen, die mir die notwendigsten schienen, nämlich vor allem einen Tisch und einen Stuhl, da ich ohne diese nicht einmal die geringe Behaglichkeit, die mir auf der Welt geboten war, hatte genießen können. Denn ohne Tisch hätte ich weder schreiben noch essen, noch andere dergleichen Geschäfte mit einiger Bequemlichkeit vornehmen können.

Hierbei kann ich nicht umhin zu bemerken, daß, da die Vernunft die Wurzel und der Ursprung der Mathematik ist, jedermann durch vernünftige Berechnung und Ausmessung der Dinge binnen kurzer Zeit ein Meister in allen mechanischen Künsten werden kann. Ich hatte in meinem früheren Leben niemals Handwerkszeug zwischen den Fingern gehabt, und trotzdem erkannte ich jetzt bald, daß es mir durch Arbeit, Ausdauer und Eifer möglich sein würde, alles, was ich brauchte, wenn ich nur das nötige Gerät gehabt hätte, selbst

anzufertigen. Indes machte ich auch eine Menge Dinge ohne Handwerkszeug. Einige lediglich mit Hobel und Hackbeil, und zwar waren das Gegenstände, die wohl nie früher auf solche Art verfertigt waren. Zum Beispiel wenn ich ein Brett nötig hatte, blieb mir nichts übrig, als einen Baum zu fällen und ihn mit der Axt von beiden Seiten so lange zu behauen, bis er dünn wie ein Brett war, worauf ich ihn dann mit einem Hobel glättete. Freilich konnte ich auf diese Weise aus einem ganzen Baum nur ein einziges Brett erhalten; doch da half nichts weiter als Geduld, und wenn auch die Anfertigung eines einzigen solchen Gegenstandes mich eine enorme Zeit und Arbeit kostete, so war ja Arbeit und Zeit für mich von geringem Wert, es kam nicht darauf an, ob ich sie so oder so verwendete.

Zunächst machte ich mir aus den kurzen Latten, die ich auf meinem Floß aus dem Schiff geholt hatte, Tisch und Stuhl. Nachdem einige Bretter in der oben angegebenen Weise fertig geworden waren, brachte ich ferner große Flächen von einundeinhalb Fuß Breite übereinander an der Seitenwand meiner Höhle an, um alle meine Werkzeuge, Nägel und eisernen Geräte darauf zu legen und dadurch alles zur größeren Bequemlichkeit an einer bestimmten Stelle zu haben. Hierauf schlug ich Pflöcke in die Felswand, um mein Gewehr und alle Dinge, die man aufhängen konnte, daran zu hängen, so daß, wenn man meine Höhle hätte sehen können, sie einem Magazin für alle nötigen Dinge gleichgesehen hätte. Zudem hatte ich alles, was ich besaß, so zur Hand, daß es ein großes Vergnügen für mich war, meine Güter so in Ordnung und meine Vorräte so groß zu finden.

Und nun fing ich an, ein Tagebuch zu führen und darin meine täglichen Beschäftigungen zu verzeichnen. Früher hatte es mir zu sehr an Ruhe, besonders an Gemütsruhe gefehlt, und mein Journal wäre in dieser Zeit mit vielen unbedeutenden Dingen angefüllt worden. Da hätte ich zum Beispiel vom 30. September nichts zu berichten gehabt als etwa: „Nachdem ich gelandet und dem Tode des Ertrinkens entronnen war, nachdem ich zuvor eine große Menge Salzwasser, das ich verschluckt, erbrochen hatte und wieder ein wenig zu mir gekommen war, bin ich, statt Gott für meine Errettung zu danken, händeringend mit dem Ausruf ‚Ich bin verloren, ich bin verloren!' am Strande auf und ab gelaufen, bis ich müde und matt mich auf die Erde zu Ruhe legen mußte, wo ich aber nicht schlafen konnte, aus Furcht, von wilden Tieren gefressen zu werden."

Einige Tage, nachdem ich schon alles vom Schiff geholt hatte, konnte ich es nicht unterlassen, doch wieder einmal die Spitze eines kleinen Berges zu besteigen und auf die See hinauszuschauen, in der Hoffnung, ein Schiff zu erblicken. Wirklich bildete ich mir auch ein, in großer Entfernung ein Segel zu erspähen. Ich täuschte mich lange mit dieser Hoffnung und blickte starr auf das Meer, bis ich fast erblindete. Dann gab ich es auf, setzte mich nieder, weinte wie ein Kind und vergrößerte so mein Elend durch meine eigene Torheit.

Erst nachdem ich diesen Kummer einigermaßen überwunden, meine Niederlassung beendet und mein Hauswesen eingerichtet hatte und alles um mich so hübsch wie möglich geordnet war, begann ich mein Tagebuch. Ich will seinen kärglichen Inhalt (ich konnte es nämlich nur so lange fortsetzen, bis mir die Tinte ausging) hier mitteilen, obwohl es viele Dinge wiederholt, die schon berichtet sind.

Achtes Kapitel

Robinsons Tagebuch (30. September 1659 bis 30. April 1660). Das Erdbeben

Tagebuch

30. September 1659. Ich armer, unglückseliger Robinson Crusoe habe bei einem fürchterlichen Sturm Schiffbruch erlitten und bin auf diese traurige Insel geraten, der ich den Namen „Die Insel der Verzweiflung" gegeben habe. Alle meine Schiffsgefährten sind ertrunken, und ich selbst bin nur mit Not dem Tode entronnen.

Nachdem ich gelandet war, habe ich den Rest des Tages dazu verwendet, meine trostlose Lage zu erwägen und darüber nachzudenken, daß ich weder Nahrung, Wohnung, Kleidung, Waffen noch irgendeinen Zufluchtsort habe. Es gebrach mir an jedem Trost, und ich sah nichts als Verderben um mich her. Ich erwartete, entweder von den wilden Tieren gefressen oder von wilden Menschen ermordet zu werden oder Hungers sterben zu müssen. Als die Nacht kam, erstieg ich einen Baum, aus Furcht vor den Bestien. Es regnete die ganze Nacht hindurch, dennoch aber erfreute ich mich eines gesunden Schlafs.

1. Oktober. Am Morgen sah ich mit großer Verwunderung, daß das Schiff von der Flut dem Ufer weit näher getrieben war, als es am vorigen Tage gelegen hatte. Es war mir ein Trost, es aufrecht stehen und unzertrümmert zu sehen; denn ich hoffte, wenn der Wind sich lege, könnte ich an Bord gehen, um Lebensmittel und sonstige notwendige Gegenstände zu holen. Andererseits erneuerte aber der Anblick auch meinen Schmerz um den Verlust der Kameraden, die, so schien es mir, wenn sie an Bord geblieben wären, das Schiff hätten retten können oder wenigstens nicht ertrunken wären. Wäre die Mannschaft gerettet worden, so hätten wir vielleicht aus den Trümmern des Schiffes uns ein Boot bauen und in diesem irgendein anderes Fleckchen Erde erreichen können. Ich verbrachte einen großen Teil des Tages damit, mich durch solche Gedanken zu quälen. Endlich aber, als ich das Schiff beinahe auf dem Trockenen liegen sah, ging ich über den Strand so nahe wie möglich heran, schwamm dann bis zu ihm hin und begab mich an Bord. Auch an diesem Tage regnete es unaufhörlich, dabei war es jedoch gänzlich windstill.

Vom 1. bis 24. Oktober. Alle diese Tage verwandte ich nur zu verschiedenen Fahrten nach dem Schiff, aus dem ich, jedesmal die Zeit der Flut benutzend, auf Flößen ans Land brachte, was ich nur vermochte. Auch in dieser Zeit währte der Regen, wiewohl zuweilen von schönem Wetter unterbrochen, fort. Es scheint dies die regnerische Jahreszeit zu sein.

24. Oktober. Mein Floß schlug um und mit ihm meine ganze Ladung. Doch geschah es im seichten Wasser, und da die Gegenstände schwer waren, bekam ich viele von ihnen während der Ebbe wieder.

25. Oktober. Es regnete die ganze Nacht und den ganzen Tag hindurch; einige Male traten auch starke Windstöße ein. Während eines solchen brach das Schiff in Stücke, und es war nichts mehr davon zu sehen außer dem Rumpf, und auch den erblickte ich nur bei niedrigem Wasser. Ich verbrachte den Tag damit, meine Habe in Sicherheit zu bringen, damit sie der Regen nicht verderbe.

26. Oktober. Heute wanderte ich fast den ganzen Tag am Strande umher, um einen Platz für meine Niederlassung zu finden. Besonders war ich darauf bedacht, mich für die Nacht vor den Angriffen der wilden Tiere und Menschen zu sichern. Gegen Abend fand ich einen geeigneten Platz unter einem Felsen und bezeichnete einen Halbkreis für meine Wohnung, die ich mit einem Wall, gleichsam wie eine Festungsmauer, aus einer doppelten Reihe von Palisaden zu umgeben beschloß, die ich innen mit Taustücken und außen mit Rasen auszufüttern gedachte.

Vom 26. bis 30. Oktober. Ich plagte mich sehr ab, indem ich all meine Habseligkeiten in die neue Wohnung brachte. Unterdessen regnete es eine Zeitlang heftig.

Am 31. Oktober ging ich des Morgens mit einem Gewehr auf der Insel umher, um zu jagen und das Land auszukundschaften. Ich erlegte eine Ziege, und das Junge folgte mir in meine Wohnung, wo ich es später schlachten mußte, da es nicht fressen wollte.

1. November. Ich schlug mein Zelt unter dem Felsen auf und schlief dort die Nacht zum erstenmal. Ich habe es so groß als möglich gemacht, um meine Hängematte darin an Pfählen aufhängen zu können.

Am 2. November trug ich alle meine Kisten und Bretter und die Holzstücke, aus denen ich die Flöße verfertigt hatte, zusammen und bildete aus ihnen, etwas weiter nach innen von der für die Umfriedung bezeichneten Linie, eine Art Zaun um mich her.

3. November. Ich ging mit dem Gewehr aus und schoß zwei entenartige Vögel, die mir eine vortreffliche Mahlzeit lieferten. Am Nachmittag machte ich mich daran, mir einen Tisch zu verfertigen.

4. November. Die Frühstunden verwendete ich dazu, meine Arbeitszeit regelmäßig einzuteilen. Die Morgenzeit bestimmte ich zu einem zwei- bis dreistündigen Ausgang mit dem Gewehr, vorausgesetzt, daß es nicht regnet. Hierauf will ich bis etwa elf Uhr arbeiten und dann verzehren, was ich gerade Eßbares habe. Von zwölf bis zwei Uhr gedenke ich mich zum Schlafe niederzulegen, da das Wetter ungemein heiß ist, der Abend soll dann wieder für die Arbeit bestimmt sein. Die Arbeitszeit an diesem und den nächsten Tagen verwendete ich gänzlich auf die Anfertigung meines Tisches, denn es ging mir anfangs noch langsam mit der Arbeit. Zeit und Not machten mich jedoch bald darauf zu einem vortrefflichen Naturhandwerker, wie es in gleicher Lage wohl jedem andern auch geschehen wäre.

5. November. An diesem Tag ging ich mit der Flinte und meinem Hunde aus und erlegte eine wilde Katze. Ihr Fell war sehr schön, aber das Fleisch ungenießbar. Ich zog ihr, wie ich es mit allen erlegten Tieren zu tun pflege, das Fell ab und bewahrte es auf. Als ich am Strande zurückging, sah ich mancherlei Seevögel, die ich nicht kannte. Erstaunt und fast erschrocken war ich über den Anblick mehrerer Robben, die — während ich sie anstarrte, ohne gleich daraufzukommen, was sie eigentlich für Tiere seien — ins Meer eilten und mir für diesmal entrannen.

6. November. Nach meinem Morgenspaziergang beende ich den Bau des Tisches, doch nicht zu meiner Zufriedenheit; bald jedoch lernte ich solche Arbeiten besser machen.

7. November. Jetzt hat sich dauernd schönes Wetter eingestellt. Den 7., 8., 9., 10. und einen Teil des 12. (der 11. war ein Sonntag) verwendete ich dazu, mir einen Stuhl zu verfertigen. Mit großer Mühe brachte ich es zu einer Form; aber sie gefiel mir nicht, obgleich ich sie während der Arbeit mehrere Male wieder zerbrach und die Holzstücke von neuem zusammensetzte.

Anmerkung. Nach kurzer Zeit versäumte ich die Sonntage einzuhalten, da ich vergessen hatte, die Einschnitte an meinem Pfosten zu machen, und daher bald nicht mehr die Tage unterscheiden konnte.

13. November. Heute regnete es, was mich ungemein erfrischte und auch die Erde abkühlte. Ein Gewitter aber, das den Regen begleitete, erschreckte mich furchtbar, indem es mich um mein Pulver besorgt machte. Sobald das Unwetter vorüber war, beschloß ich, meinen Pulvervorrat in möglichst viele und kleine Partien zu verteilen und ihn so außer Gefahr zu bringen.

14., 15. und 16. November. Diese drei Tage verwendete ich dazu, kleine viereckige Schachteln und Kästchen zu fertigen, deren jede ein bis zwei Pfund Pulver faßte. In diesen hob ich meinen Pulvervorrat auf, und zwar jeden Behälter möglichst entfernt von den anderen. An einem dieser Tage schoß ich einen großen Vogel, der mir vortreffliche Speise lieferte, mir aber unbekannt war.

17. November. Heute begann ich hinter meinem Zelt in den Felsen zu graben, um mir größere Bequemlichkeit zu verschaffen.

Anmerkung. Dreierlei entbehrte ich sehr bei dieser Arbeit, nämlich eine Hacke, eine Schaufel und einen Schubkarren oder Korb. Daher unterbrach ich meine Arbeit und überlegte, wie ich diesem Mangel abhelfen könnte. Statt der Hacke bediene ich mich der eisernen Brechstangen, die sich, obwohl sie schwer waren, doch dazu eigneten. Eine Schaufel oder ein Spaten waren mir dagegen so unerläßlich nötig, daß ich ohne sie nichts anfangen konnte. Doch sah ich vorläufig durchaus nicht ab, wie ich mir solch ein Ding verschaffen sollte.

18. November. Am nächsten Tage fand ich beim Durchstreifen des Waldes einen Baum von der Art, die in Brasilien wegen der Härte ihres Holzes Eisenbaum genannt wird. Von diesem hieb ich, wobei ich aber beinahe meine Axt verdorben hätte, mit großer Mühe ein Stück ab und brachte es, gleichfalls unter großer Anstrengung, da es sehr schwer war, nach Hause. Die ungemeine Härte des Holzes erforderte lange Zeit, bis ich es in Spatenform gestaltet hatte. Der Handgriff war so wie bei uns in England, die breite Seite am Fuß entbehrte jedoch der eisernen Bekleidung. Dennoch leistete er mir gute Dienste. Ich vermißte nun noch einen Korb oder einen Schubkarren.

Einen Korb vermochte ich durchaus nicht zustande zu bringen, da es mir an Zweigen fehlte, die sich zur Flechtarbeit eigneten; wenigstens hatte ich bis jetzt noch keine solche gefunden. Was dagegen den Schubkarren angeht, so glaubte ich wohl, alle seine Teile herausbringen zu können, bis auf das Rad. Wie ich damit zu Rande kommen sollte, davon hatte ich nicht die geringste Ahnung. Ebenso unmöglich war mir aber auch, die eiserne Hülse anzufertigen, in der die Achse laufen mußte. Ich gab daher das ganze Unternehmen auf und machte mir, um die Erde aus meiner Höhle zu schaffen, eine Art Lehmkübel, wie ihn die Maurer zum Fortschaffen des Mörtels benutzen. Dies war weniger schwierig als die Anfertigung des Spatens, und dennoch nahmen mich beide Arbeiten und der vergebliche Versuch, einen Schubkarren zu verfertigen, vier volle Tage in Anspruch, natürlich abgerechnet meine Morgenspaziergänge mit dem Gewehr, die ich nur ausnahmsweise unterließ und von denen ich selten heimkehrte, ohne etwas Eßbares erbeutet zu haben.

23. November. Nach Anfertigung dieser Werkzeuge nahm ich meine frühere Arbeit wieder auf und verwendete achtzehn Tage vollständig auf Erweiterung und Vertiefung meiner Höhle, damit diese meine Habe bequemer fassen könne.

Anmerkung. Mein Hauptzweck bei diesem Unternehmen war, einen Raum zu bekommen, der mir als Magazin, Küche, Eßzimmer und Keller diente. Für gewöhnlich wohnte ich nämlich in meinem Zelt, nur während der feuchten Jahreszeit nötigte mich der heftige Regen, da ich sonst völlig durchnäßt worden wäre, es zu verlassen. Dies bewog mich später, den ganzen Platz vor der Felswand mit Pfählen in der Form von Dachsparren zu bedecken. Diese stützten sich gegen den Felsen, und ich bedeckte sie mit Zweigen und breiten Baumblättern wie mit einem Strohdach.

10. Dezember. Ich glaubte schon, meine Höhle vollendet zu haben, als plötzlich eine große Menge Erde von der Decke an der einen Seite herabstürzte, was mich nicht wenig erschreckte. Und zwar mit Recht, denn wäre ich gerade unter jener Stelle gewesen, so hätte ich keinen Totengräber mehr nötig gehabt. Dies Mißgeschick verursachte mir wieder eine große Menge Arbeit, da ich die abgefallene Erde wieder entfernen und, was wichtiger war, die Decke der Höhle zu stützen hatte, damit ich ihr Herunterfallen nicht mehr zu fürchten brauchte.

11. Dezember. Ich machte mich gleich heute an diese Aufgabe und richtete unter dem Gewölbe zwei Pfeiler, die ich mit zwei Querbalken kreuzte, auf. Am nächsten Tag war ich hiermit zu Ende, fügte dann aber noch weitere Pfeiler und Bretter dazu und hatte so binnen einer Woche das Dach befestigt, und die reihenweise eingeschlagenen Pfosten dienten mir zugleich dazu, meine Wohnung in einzelne Räume abzuteilen.

17. Dezember. Von diesem Tage bis zum 20. gab ich mich damit ab, Fächer an der Wand einzurichten und Nägel in die Pfosten zu schlagen, um alles daran aufzuhängen, was sich dazu eignete. Jetzt fing ich endlich an, in meiner Behausung einigermaßen Ordnung zu haben.

20. Dezember. Ich trug alles in den Keller, was dahin gehörte, und schlug kleine Bretter wie ein Gesimse auf, um meine Lebensmittel darauf zu legen. Als jedoch meine Bretter zur Neige gingen, machte ich mir noch einen zweiten Tisch, um allerlei auf ihn stellen zu können.

24. Dezember. Es regnete den ganzen Tag und die ganze Nacht, und ich konnte daher nicht ausgehen.

25. Dezember. Unaufhörlicher Regen.

26. Dezember. Der Regen hatte aufgehört. Die Erde war stark abgekühlt und die Temperatur sehr angenehm.

27. Dezember. Ich erlegte eine junge Ziege und lähmte eine andere, die ich fing und an einem Strick nach Hause führte; hier verband und schiente ich ihr das gebrochene Bein. Notabene. Ich sorgte für das Tier so, damit es am Leben blieb. Das Bein heilte und wurde so gerade wie vorher. Durch mein Füttern machte ich das Tier zahm, es weidete auf dem kleinen grünen Platz vor meiner Tür und lief niemals fort. Jetzt kam mir zum erstenmal der Gedanke, Tiere aufzuziehen und zu zähmen, um davon zu leben, wenn ich einmal meinen Schießbedarf verbraucht hätte.

28. bis 31. Dezember. Große Hitze und völlige Windstille, so daß ich nur am Abend zur Jagd ausgehen konnte. Die Tage verbrachte ich damit, alle meine Sachen zu ordnen.

1. Januar. Immer noch große Hitze. Doch ging ich in der Frühe und abends mit meinem Gewehr aus, die übrige Zeit lag ich still zu Hause. An diesem Abend ging ich tiefer hinein in die Täler, die nach dem Mittelpunkt der Insel hin liegen, und fand dort eine Menge Ziegen, denen ich aber, weil sie so scheu waren, nicht beikommen konnte. Ich beschloß daher zu ver-

suchen, ob es nicht gelingen werde, sie mit dem Hunde zu jagen.

2. Januar. Sogleich am nächsten Tag stellte ich diesen Versuch an. Ich hatte mich jedoch verrechnet, denn die Ziegen kehrten sich alle mit den Hörnern gegen den Hund, und er hütete sich wohl, ihnen nahe zu kommen.

3. Januar. Heute begann ich, mein Gebiet einzuzäunen, und machte, da ich noch immer in der Furcht lebte, von jemandem angegriffen zu werden, die Umhegung so dick, fest und stark als nur möglich.

Notabene. Da ich die Umzäunung früher beschrieben habe, so übergehe ich die Eintragung darüber in meinem Tagebuch. Es genügt zu bemerken, daß ich in nicht weniger Zeit als vom 3. Januar bis zum 14. April mit ihrer Vollendung beschäftigt war, wiewohl sie nur zweiundzwanzig Yards in der Länge (von einem Ende des Felsens bis zum andern gemessen) und sieben Yards in der Tiefe (von der Türe der Höhle als dem Mittelpunkt aus gerechnet) maß.

Diese ganze Zeit über arbeitete ich sehr angestrengt, wobei mir jedoch der Regen viele Tage, ja einigemal ganze Wochen hindurch hinderlich war. Doch hielt ich mich nicht für vollkommen sicher, bis ich die Einhegung vollendet hatte. Man glaubt kaum, welch eine unbeschreibliche Arbeit sie mir machte; besonders war dies der Fall mit dem Herbeischaffen der Pfähle aus dem Walde und ihrem Einschlagen in die Erde.

Als der Wall fertig war, hielt ich ihn für so dicht, daß, wenn Besucher auf die Insel kommen sollten, sie nichts einer menschlichen Wohnung Ähnliches dort entdecken würden. Daß ich mit dieser Ansicht recht hatte, wird sich später bei einer merkwürdigen Gelegenheit zeigen.

Auch während dieser Beschäftigung machte ich täglich meinen Jagdausflug in die Wälder, das heißt, so oft es der Regen zuließ. Hierbei entdeckte ich häufig erfreuliche Dinge. Besonders gehört dahin, daß ich eine Art wilder Tauben fand, die nicht wie die Waldtauben auf Bäumen, sondern wie die Haustauben in Felslöcher bauten. Ich nahm einige Junge mit mir und bemühte mich, sie aufzuziehen. Als sie jedoch älter wurden, flogen sie sämtlich fort, da ich ihnen nicht ausreichendes Futter geben konnte. Indes fand ich oft solche Nester und holte mir dann die Jungen heraus, die ich mir sehr wohl schmecken ließ.

Bei der Bewirtschaftung meines Hauswesens fühlte ich aufs neue, daß mir verschiedene Dinge doch noch sehr abgingen. Einige darunter glaubte ich niemals herstellen zu können, und bei mehreren ist das auch wirklich der Fall gewesen. Zum Beispiel brachte ich es durchaus nicht fertig, eine Tonne zu bauen. Ich hatte mehrere kleine Fässer, wie schon oben erwähnt, aber obwohl ich viele Wochen darauf verwendete, gelang es mir doch nicht, nach ihrem Modell ein neues zu machen. Weder vermochte ich den Boden gehörig einzulassen, noch konnte ich die Dauben so nahe aneinanderfügen, daß sie wasserdicht wurden. Ich gab daher die ganze Sache auf. Ferner vermißte ich Kerzen im höchsten Grade. Sobald es dunkel wurde, was gewöhnlich um sieben Uhr geschah, mußte ich zu Bett gehen. Jetzt wünschte ich mir oft den Klumpen Bienenwachs zurück, aus dem ich mir bei meiner Flucht von Afrika Kerzen verfertigt hatte, aber der war längst nicht mehr vorhanden.

Um jenem Mangel abzuhelfen, fand ich kein anderes Mittel, als daß ich, sooft ich eine Ziege erlegt hatte, das Fett sammelte und mir mit einem kleinen Gefäß von Lehm, das ich in der Sonne trocknete und mit einem Docht aus Werg versah, eine Lampe verfertigte. Sie leuchtete, wenn auch nicht ganz, doch fast so hell wie eine gewöhnliche Kerze. Während dieser Beschäftigung fiel mir, als ich einmal unter meinen Sachen kramte, ein Säckchen wieder in die Hand, das, wie früher bemerkt wurde, mit Korn zum Füttern des Geflügels gefüllt war. Der geringe Rest des Korns war von den Ratten im Schiff gefressen worden, und ich hatte nur Hülsen und Staub in dem Säckchen bemerkt; da ich dieses zu einem andern Zweck benutzen wollte (ich glaube bei der Verteilung des Pulvers), so hatte ich die Kornhülsen an die Seite meiner kleinen Festung unter dem Felsen ausgeschüttet. Ich hatte diesen Kehricht kurz vor dem Regen, dessen ich oben gedachte, weggeworfen. Ich hatte mich mit keinem Gedanken mehr daran erinnert, als ich etwa einen Monat später einige grüne Halme aus dem Boden ragen sah, die ich anfangs für eine nicht bemerkte Pflanze hielt. Aber wie war ich erstaunt, als ich kurze Zeit darauf zehn bis zwölf Ähren daraus sich entwickeln sah, die ich als vollkommen gute, grüne Gerste der europäischen oder vielmehr der englischen Art erkannte.

Ich vermag meine Empfindungen bei dieser Entdeckung nicht

zu beschreiben. Bisher hatte ich überhaupt keine religiöse Weltanschauung gehabt; nur wenige Ideen dieser Art waren in meinem Kopf vorhanden gewesen; alles, was mir widerfahren, hatte ich als Zufall oder wie man so obenhin spricht, als Gottesfügung angesehen. Um die Zwecke der Vorsehung und ihrer Anordnung der Dinge der Welt war ich gänzlich unbekümmert gewesen.

Als ich jedoch nun in einem Klima, von dem ich wußte, daß es sich nicht für Getreide eigne, Gerste wachsen sah, ohne eine Ahnung zu haben, wie sie dahin gekommen sein könne, wurde ich betroffen, und ich begann zu glauben, Gott habe durch ein Wunder diese Ähren sprießen lassen, ohne daß ein Samenkorn vorhanden gewesen sei, und zwar lediglich, damit sie in dieser trostlosen Einöde mir zur Nahrung dienten.

Dieser Gedanke bewegte mir das Herz zu Tränen, und ich fing an, mich seligzupreisen, daß um meinetwillen solch ein Naturwunder geschehen sei. Noch mehr stieg meine Überraschung, als ich in der Nähe, dem Fels entlang, auch noch andere Halme erblickte, die ich von meinem Aufenthalt in Afrika her als Reis erkannte. Da ich nicht zu glauben wagte, diese seien auch nur zu meiner Erhaltung von der Vorsehung hierhergebracht, sondern im Gegenteil überzeugt war, daß sich dergleichen noch mehr hier befinde, suchte ich auf dem ganzen mir bekannten Teil der Insel in allen Ecken und unter jedem Felsen nach weiteren Ähren, aber ich entdeckte keine. Endlich fiel mir ein, daß ich ja den Sack mit dem Hühnerfutter an jener Stelle ausgeschüttet hatte, und nun begann die Sache ihr Wunderbares zu verlieren. Ich muß bekennen, auch meine Dankbarkeit für die göttliche Fügung fing an, durch die Entdeckung, daß das Ganze ein gewöhnliches Ereignis sei, sich zu mindern, wiewohl ich für ein Ereignis, das ja geradeso seltsam und unerwartet wie ein Wunder war, nicht minder hätte dankbar sein sollen. War es denn nicht wirklich ein Werk der Vorsehung, daß zehn oder zwölf Getreidekörner unversehrt geblieben waren, als die Ratten alles übrige vernichteten; und ebenso, daß ich diese Körner gerade an der bestimmten Stelle ausschütten mußte, während sie, hätte ich sie irgendwo anders ausgestreut, in dieser heißen Jahreszeit hätten verdorren und umkommen müssen.

Wie man sich denken kann, bewahrte ich die Ähren, sobald sie reif geworden (gegen Ende Juni), sorgfältig auf. Ich beschloß, die darin enthaltenen Körner wieder auszusäen, und hoffte dadurch bald eine hinreichende Menge Frucht zu erhalten, um Brot daraus bereiten zu können. Jedoch durfte ich erst im vierten Jahre mir erlauben, von diesem Korn zu essen, und selbst dann nur sparsam, wie ich seinerzeit berichten werde. Ich verlor nämlich die ganze erste Aussaat, weil ich nicht die geeignete Zeit beobachtet und sie unmittelbar vor den trockenen Monaten ausgestreut hatte, so daß sie nicht aufkam oder wenigstens nicht in erwünschter Menge Frucht trug.

Außer der Gerste fand ich, wie erwähnt, auch zwanzig bis dreißig Reishalme, die ich mit gleicher Sorgfalt aufhob und in gleicher Weise benutzte. Ich entdeckte nämlich eine Methode, die Körner zu kochen, statt das Mehl davon zu backen, wiewohl mir auch das letztere später gelang. Doch ich will jetzt wieder zu meinem Tagebuch zurückkehren.

Diese drei oder vier Monate hindurch arbeitete ich überaus angestrengt, um meine Einzäunung fertig zu bekommen. Am 14. April vollendete ich sie. Um in sie zu gelangen, bediente ich mich nicht einer Türe, sondern stieg mit einer Leiter über die Einfriedigung, damit man von der Außenseite meiner Behausung nichts von dieser gewahr werden sollte.

16. April. Heute wurde ich mit der Leiter fertig. Sooft ich diese benutzt hatte, zog ich sie mir nach und legte sie im Innern der Umfriedigung nieder, so daß ich, wenn ich mich in meiner Wohnung befand, gegen außen ganz abgeschlossen war.

Schon am nächsten Tage aber, nachdem ich die Einfriedigung vollendet, wäre fast meine ganze Arbeit über den Haufen geworfen worden und ich selbst beinahe umgekommen. Die Sache verhielt sich folgendermaßen. Ich war hinter meinem Zelte gerade am Eingang in die Höhle beschäftigt, als mich ein unerwartetes Ereignis furchtbar erschreckte. Ich sah nämlich die Erde, welche die Decke meiner Höhle bildete, mit einem Male sich loslösen und von dem Gipfel des Hügels über mir herabstürzen. Zwei der Pfähle, mit denen ich die Wölbung meiner Höhle gestützt hatte, krachten mit fürchterlichem Lärm zusammen. Ich war aufs äußerste bestürzt, hatte jedoch keine Ahnung von der wirklichen Ursache, indem ich glaubte, meine Höhlendecke stürze wieder in derselben Weise ein, wie es mit einem Teil von ihr schon einmal geschehen war. Aus Furcht, lebendig begraben zu werden, rannte ich nach meiner Leiter und glaubte mich nicht eher im Sicheren und vor dem herabstürzenden Felsen geschützt, als bis ich über meinen Zaun geklettert war.

Kaum hatte ich den Fuß auf den Boden gesetzt, als ich bemerkte, daß ein schreckliches Erdbeben die Ursache der Erschütterung war. Der Erdboden, auf dem ich stand, wurde nämlich dreimal in Zwischenräumen von je acht Minuten durch solche Stöße erschüttert, daß sie das festeste Gelände umgeworfen hätten. Ein großes Stück der Felsspitze, die ungefähr eine halbe Meile von mir entfernt über das Ufer ragte, stürzte mit einem so entsetzlichen Getöse, wie ich es im Leben nicht gehört, in das Meer. Auch dieses befand sich in heftiger Bewegung, und wie mir schien, waren die Stöße unter dem Wasser noch stärker als auf der Insel.

Ich erschrak so sehr, denn ich hatte dergleichen nie erlebt, auch niemals davon erzählen hören, daß ich wie tot vor Bestürzung war. Die Erderschütterung machte mir Magenbeschwerden, als ob ich seekrank wäre. Erst der Lärm des herabstürzenden Felsens erweckte mich wieder aus meiner Betäubung, und ich glaubte jetzt nichts anderes, als der Hügel werde zusammensinken und mein Zelt nebst meiner ganzen Habe begraben, ein Gedanke, der mir abermals das Herz erbeben machte.

Nachdem aber der dritte Stoß vorüber war und ich einige Zeit nichts verspürte, begann ich wieder Mut zu schöpfen. Dennoch aber wagte ich noch nicht wieder über meine Einzäunung zu steigen, aus Furcht, verschüttet zu werden. Ich saß still und trostlos auf der Erde, ohne zu wissen, was ich anfangen sollte. Diese ganze Zeit über kam mir nicht der geringste religiöse Gedanke in den Sinn. Nur das gewöhnliche „Gott sei mir gnädig" ging über meine Lippen, und auch das wiederholte ich nicht mehr, sobald das Ereignis vorüber war.

Während ich so saß, sah ich, wie der Himmel sich mit Wolken überzog, als ob ein Regen drohe. Nach und nach erhob sich der Wind, und in weniger als einer halben Stunde ein fürchterlicher Sturm. Die See war plötzlich mit Schaum bedeckt, die Brandung tobte am Ufer, starke Bäume wurden entwurzelt. Erst nach drei Stunden begann der Sturm abzuflauen, und nach zwei weiteren Stunden wurde es dann vollkommen windstill und fing an, stark zu regnen. Diese ganze Zeit über saß ich niedergeschlagen und furchtsam auf der Erde. Plötzlich aber fiel mir ein, daß dieser Wind und Regen wohl die gewöhnlichen Folgen des Erdbebens sein mochten und daß dieses daher aufgehört habe. Jetzt erst erwachten meine Lebensgeister wieder. Der Regen trieb mich in meine Behausung zurück, wo ich mich im Zelt niedersetzte, bis mich der heftige Regen in die Höhle zu gehen zwang, obgleich ich noch immer nicht von der Furcht befreit war, sie werde mir über dem Kopfe zusammenstürzen.

Dort zwangen mich die Regengüsse, rasch eine Arbeit in Angriff zu nehmen. Ich erkannte nämlich die Notwendigkeit, eine Rinne zu machen, damit das Wasser einen Ausweg aus der Höhle nehmen konnte. Als ich nach einiger Zeit bemerkte, daß keine weiteren Erderschütterungen eintraten, fing ich an, ruhiger zu werden. Um mich, was mir sehr not tat, einigermaßen wieder zu Kräften zu bringen, ging ich an mein kleines Proviantmagazin und nahm einen Schluck Rum, wobei ich jedoch wie immer sparsam verfuhr, da ich, wie mir wohl bewußt war, außer diesem Vorrat keinen weiteren hatte. Es regnete die ganze Nacht und einen großen Teil des Tages hindurch, so daß ich nicht ausgehen konnte. Als ich wieder einige Fassung gewonnen hatte, dachte ich darüber nach, was

ich jetzt anfangen sollte. Ich erwog, daß, wenn die Erde öfter
solchen Erschütterungen ausgesetzt sei, ich in der Höhle nicht
wohnen bleiben könne, sondern darauf sinnen müsse, mir auf
einem freien Platz eine Hütte zu bauen und sie wiederum, um
mich vor wilden Menschen und Tieren zu schützen, mit einer
Einfriedigung zu versehen. Denn ich glaubte, wenn ich hier
wohnen bliebe, würde ich früher oder später sicher lebendig
begraben werden.

Aus diesen Gründen beschloß ich denn, mein Zelt von seinem
jetzigen Platze unter dem Felsvorsprung, von dem ich fürchtete, er werde bei der nächsten Erschütterung sicherlich auf
jenes stürzen, zu entfernen. Die beiden nächsten Tage, den
19. und 20. April, verwendete ich auf die Entdeckung eines

Platzes, auf den ich meine Wohnung verlegen wollte. Die Furcht, verschüttet zu werden, ließ mich nicht ruhig schlafen. Fast ebenso stark war aber auch die Angst davor, im Freien, ohne eine Schutzwehr irgendwelcher Art, zu schlafen, und als ich mich umschaute und bemerkte, wie alles um mich wieder in bester Ordnung war und wie wohlgeborgen und sicher ich jetzt wohnte, kam mich doch eine große Abneigung an, meinen Aufenthalt zu wechseln.

Ich bedachte daneben auch, wieviel Zeit mich dieser Wechsel kosten würde und daß ich einstweilen, bis ich mir einen neuen Zufluchtsort verschafft hätte, ja doch auf gut Glück bleiben müsse, wo ich war. Mit dieser Erwägung suchte ich mich vorläufig zu beruhigen und beschloß nur, mit möglichster Eile mir eine neue Umhegung anzulegen und dann mein Zelt da hineinzubringen, vorläufig aber zu bleiben, wo ich mich befand.

22. April. Am nächsten Morgen überlegte ich, wie ich meinen Vorsatz ausführen sollte. Es mangelte mir jetzt sehr am nötigen Werkzeug. Ich hatte zwar drei große Äxte und eine Menge kleiner Beile (die wir an Bord gehabt hatten, um sie den Wilden zu verkaufen), aber durch das Behauen des vielen harten Holzes waren diese voll Scharten und stumpf geworden. Nun besaß ich wohl auch den Schleifstein, aber ich vermochte ihn nicht ordentlich in Bewegung zu setzen. Diese Sache kostete mich so viel Nachdenken, als ein Staatsmann nur auf eine wichtige politische Angelegenheit oder ein Richter auf Abfassung eines Urteils über Leben und Tod verwenden kann. Endlich brachte ich denn auch ein Schleifrad fertig, das ich mit einer Schnur durch Treten bewegen und dabei die Hände frei behalten konnte.

Notabene. Ich hatte in England nie ein solches Ding gesehen oder mich wenigstens nicht darum gekümmert, wie es gemacht wird; obwohl ich später sah, daß man dergleichen dort sehr häufig benützt. Meine Maschine nahm daher bis zu ihrer Vollendung eine volle Woche Arbeitszeit in Anspruch.

28. und 29. April. Diese beiden Tage verwendete ich vollständig dazu, meine Werkzeuge zu schärfen, wobei sich meine Schleifmaschine bestens bewährte.

30. April. Da ich schon seit einiger Zeit bemerkt hatte, daß mein Brot stark zur Neige ging, schränkte ich mich, wenn schon mit schwerem Herzen, von jetzt an auf ein einziges Stück Zwieback für jeden Tag ein.

Neuntes Kapitel

Robinsons Tagebuch (1. Mai bis 27. Juni 1660). Robinson holt noch
mehr Sachen vom Schiffswrack. Robinsons Traum und Krankheit

1. Mai. Als ich morgens während der Ebbe das Meer überschaute, sah ich am Strande etwas ungewöhnlich Hervorra-
gendes, das wie eine Tonne aussah. Als ich näher kam, fand
ich ein Fäßchen und einige Stücke von dem Schiffswrack, die
während des letzten Sturmes an Land getrieben waren. Indem
ich nach dem Schiffsrumpf selbst hinüberblickte, schien mir
dieser höher aus dem Wasser hervorzuragen als früher. Bei der
Untersuchung des Fäßchens fand ich, daß es Pulver enthielt,
das aber naß geworden und dann steinhart zusammengebacken
war. Ich rollte das Faß vorläufig höher ans Ufer und ging dann
auf dem Sande so nah als möglich an das Wrack, um zu
untersuchen, ob etwa von ihm noch mehr zu holen sei. Als ich
zu dem Schiff kam, fand ich, daß es seine Lage auffallend
verändert hatte. Das Vorderteil, das früher vom Sand verschüttet gewesen war, hatte sich sechs Fuß in die Höhe ge-
hoben, und das Heck, das bald, nachdem ich es das letztemal
durchstöbert, durch die Gewalt der Wellen zertrümmert und
von dem übrigen Schiff losgerissen war, lag umgestürzt auf
der Seite. Da jetzt ein Sandhügel an der Stelle aufgetürmt
war, wo ich früher eine Viertelmeile schwimmen mußte, um
an das Wrack zu kommen, vermochte ich nun während
der Ebbe trocknen Fußes bis zu ihm zu gelangen. Anfangs
befremdete mich diese Wahrnehmung, bald aber erkannte
ich, daß die Veränderung durch das Erdbeben bewirkt sein
mußte. Durch dessen Gewalt war auch das Schiff noch
mehr als früher zertrümmert worden, so daß täglich
allerlei Dinge, durch die See abgelöst und durch Wind und
Wellen allmählich fortgeschwemmt, ans Land getrieben wurden.
Diese Dinge zogen meine Gedanken von dem Plane, meine
Wohnung zu verändern, wieder ab, und ich beschäftigte mich
eifrig, besonders an diesem Tage, mit der Erwägung, auf
welche Weise ich in das Schiff eindringen könne. Ich fand
jedoch anfangs kein Mittel, da die ganze Innenseite des Schiffes
mit Sand bedeckt war. Da ich aber schon gelernt hatte, nicht
zu verzweifeln, beschloß ich, was ich nur vom Schiff lostrennen

konnte, mir zu holen, weil ich überzeugt war, es in der einen oder anderen Weise verwerten zu können.

3. Mai. Zunächst durchschnitt ich mit meiner Säge einen Balken, der, wie es mir schien, einen Teil des Quarterdecks zusammenhielt. Als ich ihn in Stücke gesägt, beseitigte ich, so gut es gehen wollte, den Sand von dem Teil, der am höchsten lag, wurde aber durch die steigende Flut genötigt, meine Arbeit für diesmal zu unterbrechen.

4. Mai. Ich fischte heute mit der Angel, erbeutete aber keinen eßbaren Fisch. Schon war ich der Beschäftigung müde und stand im Begriff zurückzukehren, als ich einen jungen Delphin fing. Ich hatte mir nämlich aus Taugarn eine lange Schnur gemacht und damit, wiewohl ich keinen Angelhaken besaß, häufig genug daran gefangen, wenigstens so viel, als ich für meine Mahlzeit brauchte. Um sie verspeisen zu können, pflegte ich sie an der Sonne zu trocknen.

5. Mai. Am Wrack gearbeitet. Ich sägte noch einen zweiten Balken ab, machte drei große Fichtenbretter vom Deck los, band sie zusammen und ließ sie durch die Flut an den Strand treiben.

6. Mai. Heute arbeitete ich abermals am Schiffsrumpf, zog mehrere eiserne Bolzen und anderes Eisenwerk heraus, kam aber so ermüdet von der schweren Arbeit zurück, daß ich beschloß, die Sache aufzugeben.

7. Mai. Wiederum war ich zum Wrack gegangen, doch nicht in der Absicht, daran zu arbeiten. Ich fand, daß es durch sein eigenes Gewicht auseinandergebrochen war, nachdem ich die Querbalken herausgesägt hatte. Es lagen jetzt mehrere Stücke des Rumpfes abgerissen umher, und ich vermochte nun in das Innere des Schiffes zu sehen, das aber fast ganz mit Wasser und Sand angefüllt war.

8. Mai. Ich ging wiederum zu dem Schiffe und nahm diesmal ein Brecheisen mit, um das Deck aufzubrechen, das jetzt ganz frei von Wasser und Sand dalag. Zwei Planken, die ich losgerissen, wurden durch die Flut gleichfalls ans Ufer geschwemmt. Das Brecheisen ließ ich für den nächsten Tag im Wrack zurück.

9. Mai. Auch heute begab ich mich zu dem Schiffsrumpf und bahnte nun mit dem Eisen einen Weg in das Innere, wobei ich auf mehrere Tonnen stieß, die ich frei machte, ohne sie jedoch öffnen zu können. Auch fand ich eine Rolle englischen Bleis, die aber zu schwer war, als daß ich vermocht hätte, sie fortzuschleppen.

10. bis 14. Mai. An allen diesen Tagen ging ich zu dem Wrack und holte mir nach und nach eine große Menge Bretter und Balkenwerk sowie etwa zwei Zentner Eisen.

15. Mai. Ich hatte zwei Beile mitgenommen, um zu versuchen, ob ich nicht ein Stück von der Bleirolle abtrennen könne, indem ich die Schneide des einen auf die Bleirolle setzte und sie mit dem Gewicht des andern hineintrieb. Da das Blei jedoch einundeinhalb Fuß tief im Wasser war, gelang mir das nicht.

16. Mai. Während der Nacht hatte es stark gestürmt, und das Wrack schien am Morgen durch die Gewalt der Wellen noch mehr zertrümmert als vorher. Ich hatte mich an diesem Tage lange in den Wäldern herumgetrieben, um mir eine Mahlzeit von Tauben zu verschaffen, da die steigende Flut mich hinderte, an das Wrack zu gehen.

17. Mai. Heute gewahrte ich einige Schiffstrümmer, welche die Wellen, etwa zwei Meilen von mir entfernt, ans Land getrieben hatten. Ich begab mich dahin und erkannte sie als ein Stück

des Vorderteils, doch waren sie zu schwer, und ich konnte sie deshalb nicht fortbringen.

24. Mai. An jedem der vergangenen Tage arbeitete ich an dem Schiff und löste mit schwerer Mühe mit Hilfe des Brecheisens so viel ab, daß bei der ersten starken Flut einige Tonnen und zwei Matrosenkisten fortgeschwemmt wurden. Aber der Wind wehte vom Lande her, und so gelangte diesen Tag nichts ans Ufer, außer einigen Stücken Holz und einem Faß mit brasilianischem Schweinefleisch, das aber durch Salzwasser und Sand verdorben war.

Ich trieb dieselbe Arbeit bis zum 15. Juni jeden Tag, wenn ich nicht gerade für meinen Lebensunterhalt zu sorgen hatte, was ich aber stets zur Zeit der Flut tat, um beim Beginn der Ebbe frei zu sein. Ich hatte mir nach und nach Bretter, Planken und Eisenwerk genug verschafft, um damit ein stattliches Boot bauen zu können, wenn ich es nur verstanden hätte. Auch von der Bleirolle hatte ich allmählich in einzelnen Stücken beinahe einen Zentner schwer herübergebracht.

16. Juni. Ich fand heute am Strand eine große Schildkröte. Es war die erste, die ich seit meiner Anwesenheit auf der Insel sah, was nur an zufälligem Mißgeschick lag. Denn wenn ich von ungefähr einmal auf die andere Seite des Ufers gekommen wäre, hätte ich täglich, wie ich später sah, Schildkröten zu Hunderten bekommen können. Jedoch wäre mir das vielleicht teuer zu stehen gekommen.

17. Juni. Als ich die Schildkröte zu kochen versuchte, fand ich in ihrem Leibe etwa sechzig Eier, das Fleisch schien mir das saftigste und wohlschmeckendste, das ich im Leben genossen, nachdem ich auf meiner trostlosen Insel seit meiner Ankunft nur Ziegen- und Vogelfleisch gegessen hatte.

18. Juni. Es regnete den ganzen Tag, und ich blieb daher zu Hause. Der Regen schien mir diesmal eine ungewöhnliche Kälte zu verbreiten, und es überkam mich ein unter diesem Breitengrad ungewöhnliches Frösteln.

19. Juni. Ich fühlte mich sehr unwohl und fror so, als ob es ganz kaltes Wetter gewesen wäre.

20. Juni. Die ganze letzte Nacht tat ich kein Auge zu und litt an heftigen Kopfschmerzen und Fieberhitze.

21. Juni. Ich war sehr krank. Der Gedanke an meine traurige Lage und an meine gänzliche Hilflosigkeit machte mich zu Tode betrübt. Zum erstenmal seit dem Sturm von Hull betete

ich zu Gott, freilich ohne zu wissen, was und warum ich es sagte, denn meine Gedanken waren in vollständiger Verwirrung.

22. Juni. Heute fühlte ich mich ein wenig besser, war aber immer noch in schrecklicher Furcht vor einer schweren Krankheit.

23. Juni. Es ging mir wieder sehr schlecht. Kälte und Fieberschauer quälten mich, und dann trat heftiges Kopfweh ein.

24. Juni. Mein Zustand schien sich heute bedeutend der Besserung zu nähern.

25. Juni. Wiederum suchte mich ein heftiger Anfall heim. Der Fieberschauer hielt sieben Stunden an. Frost und Hitze wechselten, dann trat gelinder Schweiß ein.

26. Juni. Ich befand mich heute wohler. Um mir etwas Eßbares zu verschaffen, nahm ich das Gewehr und erlegte auch, obgleich ich mich sehr schwach fühlte, eine Ziege, brachte sie mit vieler Mühe nach Hause, röstete mir ein Stückchen Fleisch davon und verzehrte es. Gern hätte ich mir Fleischbrühe gekocht, allein es mangelte mir an einem Gefäß dazu.

27. Juni. Der Fieberanfall war wieder so heftig, daß ich den ganzen Tag über ohne zu essen und zu trinken im Bette bleiben mußte. Fast wäre ich vor Durst umgekommen, aber ich war zu schwach, aufzustehen und mir einen Trunk Wasser zu holen. Ich betete wieder zu Gott, aber ich war ganz wirr im Kopfe und wußte überdies auch nicht recht, was ich sagen sollte. Ich rief nur immer: „Herr, sieh mich an! Gott sei mir gnädig und erbarme dich meiner!" Das tat ich, glaube ich, gegen drei Stunden lang, bis der Fieberanfall nachließ und ich in einen festen Schlaf verfiel, aus dem ich erst tief in der Nacht erwachte. Dennoch fühlte ich mich weit kräftiger, aber doch noch immer schwach genug, und besonders litt ich entsetzlichen Durst. Gleichwohl, da ich kein Wasser in der Nähe hatte, mußte ich still liegenbleiben bis zum Morgen, wo ich denn auch wieder einschlief.

Während dieses letzten Schlafes hatte ich folgenden schrecklichen Traum: Ich glaubte, außerhalb meiner Einfriedigung auf dem Platze zu sitzen, wo ich während des Sturmes nach dem Erdbeben gesessen hatte. Dort sah ich aus einer großen schwarzen Wolke einen Mann, von hellen Flammen umgeben, welche die Erde erleuchteten, herabsteigen. Der Glanz, der ihn umgab, war so stark, daß ich es kaum ertragen konnte, nach ihm hinzusehen. Sein Aussehen war unaussprechlich schreckenerregend. Als er den Boden betrat, schien mir die Erde wie bei dem Erdbeben zu erzittern, und Blitze durchzuckten die Luft. Auf der Erde angekommen, trat er auf mich zu, einen langen Speer in der Hand, als ob er mich töten wolle. Er redete mich in einiger Entfernung von dem Gipfel einer kleinen Anhöhe aus mit fürchterlicher Stimme an, doch verstand ich nur folgendes:

„Dies alles hast du geschaut, ohne dich zur Buße bewegen zu lassen, darum sollst du sterben!" Mit diesen Worten glaubte ich, er erhöbe die Lanze, um mich zu durchbohren.

Niemand wird erwarten, daß ich fähig sei, das Entsetzen, das meine Seele bei dieser Vision erfüllte, zu schildern. Ich meinte sogar im Traume, das Entsetzliche könne nur ein Traum sein; aber selbst als ich erwacht war und erkannte, daß ich nur geträumt hatte, war meine Angst über alle Beschreibung groß.

Leider fehlte es mir an aller Religion. Was ich durch die vortreffliche Unterweisung meines Vaters davon gelernt hatte, war mir in dem ununterbrochenen, achtjährigen Seeleben und dem beständigen Verkehr mit ebenso gottlosen Menschen, wie ich war, abhanden gekommen. Ich erinnere mich nicht, daß ich während dieser ganzen Zeit meine Gedanken ein einziges Mal zu Gott erhoben oder über meinen Wandel nachgedacht hätte. Eine gewisse Stumpfheit des Herzens, eine Gleichgültigkeit gegen alles Bessere und eine völlige Unempfindlichkeit gegen das Böse hatten ganz und gar Besitz von meiner Seele genommen. Ich war ein so verhärtetes, gedankenloses, elendes Geschöpf, als nur je eines unter Seeleuten zu finden war. Weder von der Furcht Gottes in Gefahren noch vom Dankgefühl gegen Gott nach der Errettung hatte ich die geringste Ahnung.

Man wird dies nach dem, was ich von meiner Geschichte berichtet habe, um so eher glauben, wenn ich hinzufüge, daß während jener wechselvollen Reihe von Unglücksfällen, die ich bis dahin erlebt hatte, mir nicht ein einziges Mal der Gedanke gekommen war, daß diese durch die Hand Gottes herbeigeführt und die gerechte Strafe für meine Sünden seien. Die Strafe nämlich, entweder wegen des Ungehorsams gegen meinen Vater oder wegen meiner gegenwärtigen Sünden, die groß genug waren, oder endlich die Züchtigung für den gesamten Verlauf meines nichtswürdigen Lebens.

Auch während ich mich noch auf der unheilvollen Reise an den öden Küsten von Afrika befand, war es mir nicht einmal eingefallen, Gott um einen Fingerzeig zu bitten, wohin ich mich wenden solle, oder seinen Schutz gegen gefräßige Tiere und grausame Menschen anzuflehen. Ich hatte weder an Gott noch an eine Vorsehung gedacht, sondern nur wie ein rohes Tier nach meinen natürlichen Eingebungen gehandelt, indem ich nur dem Folge leistete, was mich der gesunde Menschenverstand lehrte, und auch diesem folgte ich nicht immer. Ebenso war mir, nachdem der portugiesische Kapitän mich gerettet, in sein Schiff aufgenommen, gut behandelt und sich barmherzig und gerecht gegen mich gezeigt hatte, dennoch nicht das geringste Dankgefühl in die Seele gekommen. Als ich dann wieder Schiffbruch erlitten und an dieser Insel die Gefahr des Ertrinkens ausgestanden hatte, war ich abermals weit davon entfernt gewesen, Gewissensbisse zu fühlen oder mein Unglück als ein gerechtes Gericht anzusehen. Nur das wiederholte ich oft bei mir, daß ich ein Unglücksvogel und zu einem ununterbrochenen Elend geboren sei.

Freilich, das muß ich mir nachsagen, daß ich, als ich zuerst ans Land gekommen war und alle meine Schiffsgefährten ertrunken, mich selbst aber gerettet sah, eine Art von Entzücken und einige Regungen der Seele empfunden hatte, die unter Gottes gnädigem Beistand zu wirklicher Dankbarkeit sich hätten entwickeln können. Aber das hatte geendet, wie es angefangen, nämlich in einer flüchtigen Freude gewöhnlicher Art. Ich war nur voll Freude gewesen, daß ich am Leben geblieben, und hatte nicht im geringsten die große Güte der Hand, die mich erhalten und vor allen andern ausgezeichnet hatte, bedacht. Es war eben bloß die gemeine Art von Wohlempfinden gewesen, die Seeleute regelmäßig fühlen, wenn sie aus einem Schiffbruch glücklich ans Land gekommen sind, und die sie in der nächsten Bowle Punsch für immer ertränken. So war es auch während der ganzen bisherigen Zeit meines einsamen Lebens in mir geblieben. Sogar als ich später aufmerksam darüber nachgedacht hatte, wie ich auf diese schreckliche Insel verschlagen war und außer dem Bereiche der Menschheit ohne Hoffnung auf Rettung lebte, war doch, sobald sich mir nur die Aussicht zeigte, am Leben zu bleiben und nicht vor Hunger umzukommen, all meine Betrübnis verschwunden; ich fing an, ganz ruhig zu sein, machte mich sofort an die Arbeit, um mein Dasein zu fristen, und war weit entfernt von dem Gedanken, daß Gott sein Gericht an mir vollzogen und seine Hand über mich ausgestreckt habe.

Erst das Aufgehen des Kornes hatte, wie ich in meinem Tagebuch erwähnte, einen kleinen Eindruck auf mich bewirkt und mich nachdenklich gemacht, solange ich es für etwas Wunderbares hielt. Aber sobald dies aufhörte, war auch jene Wirkung wieder vollkommen verraucht. Sogar das Erdbeben hatte, als der erste Schreck vorüber war, keine dauernde Einwirkung bei mir hinterlassen, obwohl nichts furchtbarer ist und uns nichts so unmittelbar auf die unsichtbare Macht hinweist, die allein solches vermag. Ich dachte jetzt ebensowenig an Gott und daran, daß mein gegenwärtiges Elend von ihm geschickt sei, wie in der glücklichsten Zeit meines Lebens. Nun aber, nachdem ich erkrankt war und sich die Aussicht auf langsame Todesqual mir vor Augen stellte, als mein Lebensmut unter der Last der schweren Leiden anfing zu sinken und meine Natur durch das heftige Fieber erschöpft war, begann mein Gewissen, das so lange geschlafen hatte, aufzuwachen, und Vorwürfe über meine Vergangenheit, in der ich so offenbar Gottes Gericht über mich heraufbeschworen, wurden in mir laut. Diese Gedanken lagen besonders am zweiten oder dritten Tag meiner Krankheit schwer auf mir. Die Gewalt des Fiebers und die Gewissensbisse preßten mir einige Worte aus, die wie ein Gebet zu Gott lauteten, wiewohl sie weder Wünsche noch Hoffnungen aussprachen. Sie waren vielmehr der bloße Ausdruck meiner Furcht und Verzweiflung. Meine Gedankenverwirrung und die Angst, in so elender Lage umkommen zu müssen, veranlaßten Empfindungen in meiner Seele, die sich in allerlei Worten Luft machten, wie etwa: „Gott, welch ein erbärmliches Geschöpf bin ich! Wenn ich krank werde, muß ich sicherlich hilflos verschmachten." Tränen brachen aus meinen Augen, und die Worte meines Vaters kamen mir ins Gedächtnis, insbesondere seine Prophezeiung, daß, wenn ich seinem Rate nicht folge, Gottes Segen mir fehlen und ich einmal Zeit haben würde, über meine Torheit nachzudenken, wenn niemand vorhanden wäre, mir Beistand zu leisten. „Jetzt", rief ich laut, „haben sich diese Worte bewahrheitet, und Gottes Strafe ist über mich gekommen. Ich habe der Vorsehung, die mich gnädig in eine Lebenslage versetzt hatte, in der ich glücklich und zufrieden leben konnte, Trotz geboten. Ich wollte nicht sehen, was mir verliehen war an göttlichem Segen; nun trauern meine Eltern über meine Torheit, und ich trauere über die Folgen meiner Torheit. Ich habe den Beistand derer, die mir alles im Leben leicht gemacht hätten, zurückgewiesen und bin nun ohne Hilfe, ohne Trost, ohne Rat." Dann rief ich: „Herr, hilf mir, denn ich bin in großem Elend!" Dies war, wenn ich so sagen darf, das erste Gebet, das ich seit vielen Jahren aussprach. Doch ich kehre wieder zu meinem Tagebuch zurück.

Zehntes Kapitel

*Robinsons Tagebuch (28. Juni bis 30. September 1660). Seine
Genesung. Er baut sich ein Landhaus*

28. Juni. Da ich durch den Schlaf, den ich genossen, einigermaßen gekräftigt und der Fieberanfall gänzlich vorüber war,
stand ich auf. Trotz des Entsetzens, das mir mein Traum
eingeflößt hatte, dachte ich doch daran, daß mein Fieber am
nächsten Tag wiederkehren könnte und daß es Zeit sei, mich
für eine etwaige Krankheit mit Erfrischungen zu versehen. Ich
füllte daher vor allem einen großen Krug voll Wasser und
stellte ihn auf meinen Tisch, so daß ich ihn von meinem Bett
aus erreichen konnte. Um die Kälte des Wassers etwas zu
mildern, schüttete ich einen halben Schoppen Rum dazu und
mischte es untereinander, dann holte ich mir ein Stück Ziegenfleisch, röstete es auf Kohlen, konnte aber nur wenig davon
essen. Ich machte einen Gang, fühlte mich aber sehr schwach,
und das Herz war mir schwer in der Furcht vor der Wiederkehr
des Fiebers. Mein Nachtessen bereitete ich mir aus drei
Schildkröteneiern, die ich in der Asche röstete, und dies war
der erste Bissen, den ich, solange ich mich erinnern konnte,
unter Anrufung von Gottes Segen verzehrte.
Nach der Mahlzeit versuchte ich abermals einen Spaziergang
zu machen, war aber so kraftlos, daß ich kaum meine Flinte
tragen konnte, ohne die ich nie ausging. Ich setzte mich daher
nach wenigen Schritten auf die Erde nieder und blickte nach
der See hinaus, die in völliger Ruhe vor mir lag. Jetzt stiegen
allerlei Gedanken in mir auf. Zum Beispiel: „Wie wunderbar ist doch diese Erde und dies Meer! Wer hat sie geschaffen? Wer bin ich, und wer sind alle diese anderen Geschöpfe
auf Erden, und von wannen sind sie gekommen? Gewiß
gibt es eine verborgene Macht, die Wasser und Land, Himmel und Luft gebildet hat. Aber wo ist sie?" Und nun ergab sich die natürliche Antwort: „Gott hat alles dies geschaffen!"
„Nun denn", sagte ich zu mir, „wenn Gott dies alles hervorgebracht hat, so regiert er auch alles, und nichts in dem
weiten Umfang seiner Werke kann seiner Allwissenheit entgehen." Und weiter: „Wenn nichts ohne sein Wissen geschieht,
so weiß er auch, daß ich hier in dieser schrecklichen Lage bin,

und wenn alles auf seine Anordnung eintrifft, so hat er auch das alles über mich verhängt."

Daran reihte sich unmittelbar die Frage: „Warum hat Gott dies so gefügt? Womit habe ich ein solches Geschick verdient?" Da aber schrak mein Gewissen alsbald wie vor einer Gotteslästerung zurück, und ich glaubte eine Stimme zu hören, die mir zurief: „Elender, fragst du noch, was du verschuldet hast? Schau zurück auf dein schändlich vergeudetes Leben, und frage dich lieber, was du verbrochen hast! Frage, warum du nicht längst vernichtet bist. Warum du nicht auf der Reede von Yarmouth ertrunken, nicht in dem Seegefecht mit dem Mann von Saleh getötet, nicht von den Bestien an der afrikanischen Küste gefressen worden oder hier ertrunken bist, als alle deine Gefährten untergingen. Willst du noch fragen, was du gesündigt hast?"

Diese Gedanken überfielen mich mit einer solchen Gewalt, daß ich wie niedergedonnert in düsterem Sinnen nach meiner Behausung zurückschlich. Ich hatte keine Lust zu schlafen, sondern saß in meinem Stuhl, nachdem ich beim Dunkelwerden meine Lampe angezündet hatte.

Jetzt fiel mir ein, daß die Brasilianer sich in fast allen Krankheiten des Tabaks als eines Heilmittels bedienten und daß ich in einer meiner Kisten ein Stück einer Tabaksrolle aufbewahrte, das völlig zubereitet war, sowie ein anderes, noch in grünem und unfertigem Zustand.

Die Erinnerung hieran, die mir ohne Zweifel der Himmel selbst eingegeben, trieb mich zu jener Kiste, in der ich ein Labsal für Leib und Seele fand. Ich öffnete sie, nahm den Tabak und, da die wenigen Bücher, die ich gerettet hatte, auch dort lagen, auch eine der schon erwähnten Bibeln heraus, in der zu lesen ich früher weder Zeit noch Lust gehabt hatte. Beides legte ich auf meinen Tisch.

Da ich nicht wußte, wie der Tabak anzuwenden sei, machte ich verschiedene Versuche, um zu sehen, ob er mir auf eine oder die andere Weise helfen könne. Zunächst kaute ich ein Stück eines Blattes, fühlte mich aber davon, da der Tabak noch grün und kräftig und ich nicht daran gewöhnt war, wie betäubt. Außerdem weichte ich einige Stückchen etliche Stunden in Rum auf in der Absicht, davon einen Schluck beim Schlafengehen zu nehmen. Endlich verbrannte ich eine Portion auf Kohlen und hielt meine Nase in den Dampf, solange ich es aushalten konnte.

In den Pausen bei dieser Beschäftigung griff ich nach der Bibel und fing an, darin zu lesen. Doch war mir der Kopf von dem Tabaksrauch zu verwirrt, um lange dabeizubleiben. Als ich das Buch aufs Geratewohl geöffnet, fiel mir die Stelle zuerst ins Auge: „Rufe mich an in der Not, so will ich dich erretten, und du sollst mich preisen."

Diese Worte paßten so sehr für meine Lage, daß sie einen gewissen Eindruck auf mich machten, jedoch war dieser jetzt noch nicht so tief als der, den dieselben Worte später in mir hervorriefen. Denn das Wort „Errettung" schien mir noch, sozusagen, ohne Sinn für mich; die Erlösung aus meiner Einsamkeit dünkte mich so fern und so unmöglich, daß ich — gleich den Kindern Israel, die, als ihnen Fleisch verheißen wurde, sprachen: Kann Gott uns einen Tisch in der Wüste decken? — sagte: „Kann mich denn Gott selbst wohl aus dieser Einöde erretten?" Da die folgenden Jahre hindurch sich auch wirklich kein Hoffnungsschimmer in dieser Hinsicht zeigte, so kehrte jener Gedanke noch oft in mir wieder. Gleichwohl aber gaben mir jene Worte von jetzt an Veranlassung zu häufigem Nachdenken.

Weil es inzwischen spät geworden war und die Betäubung durch den Tabak mich schläfrig gemacht hatte, ging ich, nachdem ich meine Lampe hatte brennen lassen, zu Bett. Ehe ich mich aber niederlegte, tat ich, was ich in meinem ganzen

Leben nicht getan hatte: Ich kniete nieder und betete zu Gott, daß er seine Verheißung an mir erfüllen und mich erretten möge, wenn ich ihn anriefe in der Not.

Hierauf trank ich den Rum, in dem ich den Tabak eingeweicht hatte, der Trank war jedoch so scharf und bitter, daß ich ihn fast nicht hinunterzubringen vermochte. Kaum zu Bett gestiegen, fiel ich in einen tiefen Schlaf und erwachte erst gegen drei Uhr des folgenden Nachmittags. Ja, zuweilen bilde ich mir noch bis auf den heutigen Tag ein, damals auch den ganzen anderen Tag und die nächste Nacht hindurch geschlafen zu haben. Denn wie sich einige Jahre später zeigte, fehlte mir ein Tag in meiner Zeitrechnung, ohne daß ich wußte, wohin er gekommen war. Sei dem aber, wie ihm wolle, ich fühlte mich beim Erwachen ungemein gestärkt und meinen Lebensmut frisch gekräftigt. Als ich aufgestanden war, konnte ich besser gehen als früher und verspürte Hunger. Auch blieb ich am nächsten Tage, dem 29. Juni, vom Fieber frei und erholte mich von da an ganz allmählich.

Am 30. Juni hatte ich gleichfalls einen fieberfreien Tag und ging daher mit dem Gewehr aus, entfernte mich jedoch absichtlich nicht weit. Ich schoß einige Seevögel von der Art der Baumgänse und brachte sie heim. Da ich jedoch keine große Lust verspürte, sie zu verzehren, begnügte ich mich wieder mit einigen Schildkröteneiern, die mir trefflich mundeten. Am Abend wiederholte ich das Mittel, das mir am vorigen Tag gut bekommen zu sein schien. Ich nahm wieder etwas von dem Rum, in dem ich Tabak geweicht hatte, jedoch weniger als das erstemal, unterließ auch, den Tabak zu kauen und den Rauch einzuatmen. Doch fühlte ich mich am andern Morgen (es war der 1. Juli) nicht so wohl, als ich gehofft, hatte auch einen neuen Fieberanfall, doch war er nicht stark.

2. Juli. An diesem Tage wandte ich den Tabak wieder auf die drei schon erwähnten Weisen an und betäubte mich wie früher, indem ich diesmal die Menge des Aufgusses verdoppelte.

3. Juli. Das Fieber kehrte von jetzt an nicht wieder, obwohl ich erst nach mehreren Wochen ganz wieder zu Kräften kam. Während ich mich erholte, kehrten meine Gedanken immer wieder zu den Worten der Schrift zurück: „So will ich dich erretten!" Die Unmöglichkeit meiner Befreiung bedrückte mir das Gemüt schwer, wiewohl ich doch immer wieder auf eine solche harrte. Da aber fiel mir plötzlich ein, daß ich ja über

dieser großen Betrübnis die mir wirklich schon zuteil gewordene Rettung vergessen hatte.

Ich fragte mich: „Bist du nicht schon wie durch ein Wunder von deiner Krankheit erlöst? Aus der trostlosesten Lage, in der jemand sein kann? Und hast du dafür deinen schuldigen Dank gezollt? Gott hat dich gerettet, und du hast ihn nicht dafür gepriesen. Wie darfst du auf eine größere Errettung hoffen?" Dies bewegte mir das Herz so sehr, daß ich alsbald niederkniete und Gott laut für meine Genesung dankte.

4. Juli. Am Morgen nahm ich die Bibel und fing an, aufmerksam im Neuen Testament zu lesen. Ich machte mir zu Vorschrift, von jetzt an jeden Abend und jeden Morgen eine Weile darin zu lesen, ohne mich jedoch dabei an eine bestimmte Kapitelzahl zu binden, sondern nur so lange, als meine Gedanken dabei haften würden. Nicht lange, nachdem ich diese Tätigkeit begonnen, fühlte ich eine tiefe und aufrichtige Betrübnis über die Verworfenheit meines vergangenen Lebens. Mein Traum wurde wieder in mir lebendig, und die Worte: „dies alles hat dich nicht zur Buße geführt", traten mir vor die Seele. Ich hatte Gott ernstlich angefleht, daß er mir Reue ins Herz gebe, als ich zufällig an demselben Tag auf die Schriftstelle stieß:

„Den hat Gott durch seine rechte Hand erhöhet zu einem Fürsten und Heiland, zu geben Israel Buße und Vergebung der Sünden."

Ich legte das Buch fort, und Herz und Hand in einer Art freudigen Entzückens zum Himmel erhebend, rief ich laut: „Jesus, du Sohn Davids, Jesus, du erhöheter Fürst und Heiland, gib mir ein bußfertiges Herz!"

Das war das erstemal im Leben, daß ich mit Wahrheit behaupten konnte, gebetet zu haben. Denn ich hatte aus dem tiefsten Gefühle meiner Lage und in einer Hoffnung zu Gott gerufen, die auf seine Verheißung gegründet war, und von jetzt an faßte ich auch den Glauben, daß Gott mich erhören würde.

Ich verstand jetzt die früher erwähnten Worte: „Rufe mich an in der Not, so will ich dich erretten", in einem andern Sinn als dàmals, wo ich dabei nur an die Erlösung aus meiner Gefangenschaft dachte; denn wie groß auch die Insel war, auf der ich lebte, so war sie doch für mich ein Gefängnis im schlimmsten Sinne des Wortes. Nun aber, jene Stelle anders verstehend, suchte ich, in Furcht und Schrecken über die

Sünden meiner vorigen Tage, nur Befreiung von dem Gewicht der Schuld, die auf meiner Seele lag. Mein einsames Leben bekümmerte mich nun nicht mehr. Ich bat nicht um Errettung und dachte nicht an Erlösung aus demselben, es schien mir nichts im Vergleich zu jenem Elend. Und dies sei für alle meine Leser gesagt, daß, wenn sie zur Erkenntnis der Wahrheit gekommen sind, sie die Erlösung von der Sünde als einen viel größeren Segen empfinden werden als die Befreiung aus der Trübsal.

Doch ich wende mich nun wieder zu meinem Tagebuch. Meine Lage war zwar jetzt so elend wie früher, aber sie bedrückte meine Seele weit weniger. Meine Gedanken richteten sich durch Gebet und Lesen in der Schrift auf Dinge höherer Art. Ich fühlte einen Trost in mir, wie ich ihn vorher nie empfunden, und jetzt kehrte auch meine volle Kraft und Gesundheit zurück. Ich entschloß mich, mir alles, was ich bedurfte, durch Arbeit zu verschaffen und von nun an ein möglichst regelmäßiges Leben zu führen.

Vom 4. bis 14. Juli verwendete ich meine Zeit zu neuen, ausgedehnteren Gängen mit meinem Gewehr. Es ist kaum zu glauben, wie elend ich mich fühlte und wie schwach ich geworden war. Die Heilmittel, die ich gebraucht hatte, waren gewiß niemals vorher von jemandem gegen das Fieber angewendet worden, und ich kann das Experiment auch niemandem empfehlen. Denn obgleich es mich von dem Fieber befreit hatte, war ich doch auch wieder dadurch sehr geschwächt worden, und litt noch geraume Zeit hindurch infolgedessen an Nervenzucken und Zittern. Ich erkannte jetzt auch, daß es meiner Gesundheit sehr nachteilig war, während der Regenzeit auszugehen, besonders wenn der Regen von Wind und Sturm begleitet war. Sodann bemerkte ich, daß der im September und Oktober fallende Regen bei stürmischem Wetter mir viel gefährlicher war als Sturm und Regen, wenn sie in der trockenen Zeit auftraten.

Ich befand mich jetzt schon über zehn Monate auf meiner einsamen Insel. Eine Möglichkeit, aus meiner trostlosen Lage befreit zu werden, schien mir nicht mehr vorhanden, weil ich fest glaubte, es habe noch nie ein menschliches Wesen außer mir einen Fuß auf diese Erde gesetzt.

Da ich jetzt meine Behausung hinlänglich gesichert zu haben glaubte, spürte ich ein lebhaftes Verlangen, die Insel genauer kennenzulernen und zu untersuchen, welche für mich noch unbekannten Erzeugnisse darauf zu finden seien. Ich begann diese Nachforschung am 15. Juli. Zunächst begab ich mich nach der kleinen Bucht, in die ich meine Flöße gesteuert hatte. Nachdem ich zwei Meilen aufwärts gegangen war, sah ich, daß die Flut nicht höher stieg und daß da nur ein kleiner fließender Bach war mit frischem und gutem Wasser; aber da es jetzt gerade trockene Jahreszeit war, so befand sich an einigen Stellen kaum ein wenig Wasser darin, oder es fehlte wenigstens eine sichtbare Stömung. An den Ufern des Baches traf ich auf liebliche, grasreiche Wiesen, und an den höher gelegenen Uferstellen, die das Wasser vermutlich nie erreichte, grünten zahlreiche Tabaksblätter auf starken und hohen Stengeln. Auch andere, mir aber unbekannte Pflanzen, die vielleicht, ohne das ich es wußte, besonders gute Eige schaften besaßen, fanden sich dort. Ich suchte nach der Cassavawurzel, die den Indianern in diesen Gegenden überall statt des Brotes dient, aber es war keine zu sehen. Dagegen bemerkte ich große Aloestauden und etwas wildes, aus Mangel an Pflege verkümmertes Zuckerrohr.

Für diesmal begnügte ich mich mit diesen Entdeckungen und kehrte heim, indem ich überlegte, auf welche Art es mir gelingen könnte, die etwaige Brauchbarkeit einer oder der anderen Pflanzenfrucht zu entdecken. Mein Nachdenken war jedoch ergebnislos. Ich hatte mich während meines Aufenthalts in Brasilien zuwenig mit der Beobachtung der Pflanzenwelt abgegeben, um aus dieser jetzt irgendwelchen Nutzen ziehen zu können.

Am nächsten Tage, dem 16. Juli, schlug ich wieder denselben Weg ein. Etwas weiter als früher vordringend, stieß ich auf das Ende des Baches und der Wiesen, und die Gegend fing an, waldiger zu werden. Hier fand ich verschiedene Früchte, besonders eine Menge Melonen und Weintrauben. Die Reben rankten sich von Baum zu Baum, und die Beeren waren gerade in voller Reife. Diese überraschende Entdeckung erfreute mich sehr, doch warnte mich vor dem zu reichlichen Genuß die Erinnerung daran, daß während meines Aufenthalts an der Barbarenküste einige englische Sklaven infolge übermäßigen Essens von Weintrauben an der Ruhr und dem Fieber gestorben waren. Gleichwohl machte ich mir die Trauben vortrefflich zunutze. Ich hob sie nämlich, an der Sonne getrocknet, als

Rosinen auf, die mir für die Zeit, wenn es keine Trauben mehr geben würde, als eine angenehme Speise dienen sollten.

Da ich den ganzen Abend an jenem Platze verweilt hatte, konnte ich nicht mehr zu meiner Behausung zurückkehren. Zum erstenmal, seit ich auf meiner Insel war, schlief ich sozusagen außer dem Hause, das heißt, ich erstieg wieder, wie in der ersten Nacht nach meiner Ankunft auf der Insel, einen Baum und ruhte dort vortrefflich. Am anderen Morgen setzte ich meinen Weg fort, und zwar nach meiner Berechnung etwa vier Meilen das Tal entlang, das sich zwischen zwei Hügelreihen nordwärts erstreckte. Am Ende meiner Wanderung kam ich zu einer Lichtung, von der aus die Gegend sich westlich auszudehnen schien. Ein frischer Quell, der seitwärts von mir aus einem Hügel drang, nahm seinen Weg nach Osten zu. Die Landschaft bot einen üppig blühenden, saftig grünen Anblick dar und erschien mir wie ein wohlgepflegter Garten. Ich stieg ein wenig an der Seite dieses üppigen Tales hinab und überblickte es mit einer Art wehmütiger Freude in dem Gedanken, daß dies alles mir gehöre, daß ich unbestrittener Herr und König dieses Landes sei und daß, wenn ich es in eine bewohnte Gegend verwandeln könnte, es ein Erbe repräsentieren würde, so groß wie nur irgendein Lord in England es besitzen mag.

Ringsumher standen Kokosnußbäume in Menge, auch Orangen-, Limonen- und Zitronenbäume, aber alle wild und gegenwärtig nur mit wenigen Früchten behangen. Indes schmeckten die grünen Limonen, die ich brach, nicht nur vortrefflich, sondern später verschaffte mir der Saft, den ich mit Wasser mischte, auch ein sehr gesundes, kühles und labendes Getränk. Ich hatte nun alle Hände voll zu tun, um Früchte zu sammeln und nach Hause zu bringen, da ich beabsichtigte, mir einen Vorrat von Trauben, Limonen und Zitronen für die Regenzeit, die ich nahe wußte, zu sammeln. Zu diesem Zweck häufte ich eine große Menge Trauben auf, sammelte eine kleinere an einem anderen Platze und einen guten Teil Limonen in einem dritten Haufen. Einige Früchte nahm ich sogleich mit nach Hause, den Rest gedachte ich in einem Beutel oder Sack später zu holen. Nach dreitägiger Abwesenheit zu meiner Wohnung zurückgelangt, fand ich, daß die Trauben, die ich bei mir trug, unterwegs verdorben waren, ihre eigene Schwere hatte die Beeren zerdrückt, während die wenigen Limonen, die ich mitgenommen, sich unversehrt erhalten hatten.

Am nächsten Tage, dem 19. Juli, ging ich, mit zwei kleinen Säcken versehen, aus, um meine Ernte zu holen. Aber wie erstaunte ich, als ich zu meinen aufgehäuften Trauben kam, die, während ich sie gepflückt, so voll und schön gewesen waren, sie zerstreut, zerrissen und zum Teil verzehrt zu finden. Ich schloß daraus, daß das Unheil von wilden, mir unbekannten Tieren angerichtet sei. Da ich somit die Unmöglichkeit einsah, die Trauben hier aufgehäuft liegenzulassen, und da ich sie auch nicht in meinen Säcken mitnehmen konnte, weil sie in dem einen Fall gefressen, im anderen verdorben wären, verfiel ich auf ein anderes Mittel. Nachdem ich nämlich eine große Menge Trauben gesammelt hatte, hing ich sie an Baumzweigen auf, um sie in Sicherheit von der Sonne trocknen zu lassen. Von den Zitronen und Limonen nahm ich hingegen so viel mit, als ich nur tragen konnte.

Auf dem Heimweg betrachtete ich mit großer Freude die Fruchtbarkeit des Tales und die Lieblichkeit der Gegend, die auch vor Stürmen geschützt und mit Wasser und Holz reichlich versehen war. Jetzt machte ich mir Vorwürfe, daß ich meine Behausung törichterweise an einer Stelle aufgeschlagen hatte, die in der ungünstigsten Gegend der Insel gelegen war, und begann ernstlich an eine Wohnungsveränderung zu denken und mich nach einem Platze in diesem reizenden, fruchtbaren Teil der Insel umzusehen, der gleiche Sicherheit böte wie der, auf dem meine jetzige Wohnung erbaut war.

Dieser Gedanke ging mir sehr im Kopfe herum und reizte mich eine Weile ganz außerordentlich. Bei näherer Betrachtung aber erwog ich, daß ich jetzt auf der Seeseite wohnte, wo mindestens die Möglichkeit vorhanden war, daß sich ein mir erwünschtes Unheil ereignen und ein gleiches Mißgeschick wie das meinige auch andere Unglückliche dort ans Land geraten lassen könnte. Wie unwahrscheinlich das auch sein mochte, so hieß doch, mich in den Hügeln und Wäldern inmitten der Insel anzusiedeln, auf meine Erlösung geradezu Verzicht leisten, und so kam ich denn auch zur Einsicht, daß ich deshalb auf keinen Fall meine Wohnung verändern dürfe. Da ich aber förmlich verliebt in jene Gegend war, brachte ich dort einen großen Teil meiner Zeit während des Restes des Monats Juli zu. Ich baute mir eine Art kleine Laube, die ich in einiger Entfernung mit einem starken Zaun, so hoch, als ich mit den Armen reichen konnte, umgab. Dort schlief ich zuweilen mehrere Nächte hintereinander, indem ich den Zaun, wie in meiner alten Wohnung, mit einer Leiter überkletterte. So konnte ich mir denn einbilden, jetzt ein Landhaus und ein Haus an der Küste zu besitzen.

Jene Arbeiten nahmen mich bis Anfang August in Anspruch. Kaum hatte ich die Einfriedigung vollendet und fing an, mich der Früchte meiner Arbeit zu erfreuen, als die Regenzeit mich fest in meiner zuerst gewählten Behausung einschloß. Denn wiewohl ich mir in der zweiten von dem Stück eines Segels gleichfalls ein Zelt errichtet hatte, fehlte mir dort doch der Schutz eines Hügels, um die Stürme abzuhalten, sowie auch eine Höhle, um darin bei ungewöhnlich starkem Regen Schutz zu suchen.

Am 3. August schienen mir die aufgehängten Trauben hinlänglich trocken; sie waren auch wirklich zu trefflichen Rosinen geworden. Ich fing an, sie von den Bäumen abzunehmen, und das war gut, denn der Regen würde sie sonst bald verdorben und mich um den besten Teil meines Winterunterhalts gebracht haben. Nachdem ich nämlich über zweihundert große Trauben eingeheimst und in meine Höhle geschafft hatte, begann der Regen und dauerte vom 14. August bis Mitte Oktober fort. Einige Male war er so heftig, daß ich mehrere Tage hindurch meine Höhle gar nicht verlassen konnte.

Während dieser Zeit wurde ich durch einen Familienzuwachs sehr überrascht. Ich hatte eine Weile in Sorgen über eine meiner Katzen gelebt, die verschwunden gewesen war, so daß ich geglaubt hatte, sie sei umgekommen. Nachdem sie geraume Zeit nichts hatte von sich hören und sehen lassen, kam sie plötzlich gegen Ende August mit drei Jungen heim. Dies befremdete mich sehr. Zwar hatte ich einmal eine wilde Katze geschossen, aber wie mir schien, war diese von der europäischen Art ganz verschieden gewesen, und ich hatte daher geglaubt, die hier einheimische Art würde sich mit jener nicht paaren. Die Kätzchen glichen aber ganz der Mutter, und da meine beiden Katzen Weibchen waren, fand ich das sehr seltsam. Durch diese drei Katzen wurde ich später so mit Katzen überschwemmt, daß ich sie wie Ungeziefer oder wilde Tiere töten und mit aller Anstrengung von meiner Wohnung verscheuchen mußte.

Vom 14. bis 26. August fortwährender Regen. Ich konnte nicht ausgehen und suchte mich nur möglichst vor der Nässe zu schützen. In dieser Eingeschlossenheit ging mir die Nahrung zur Neige; ich wagte mich daher zweimal hinaus, schoß den einen Tag eine Ziege und fand am anderen eine große Schildkröte, die mir einen wahren Leckerbissen bot. Meine Mahlzeiten hatte ich jetzt folgendermaßen geregelt: Zum Frühstück genoß ich einige Rosinen, als Mittagessen ein Stück gedörrtes Ziegenfleisch oder etwas geröstete Schildkröte. Zum Kochen fehlte mir zu meinem größten Bedauern ein dazu taugliches Gefäß. Mein Abendessen bestand regelmäßig aus einigen Schildkröteneiern.

Während jener, durch den Regen bewirkten Gefangenschaft arbeitete ich täglich mehrere Stunden daran, meine Höhle zu erweitern. Ich gelangte dabei bis zur entgegengesetzten Außenseite des Hügels und legte mir auf dieser eine Tür an, durch die ich nun aus und ein gehen konnte. Es war mir zwar nicht ganz wohl zumute bei dem Gedanken, so offen und frei dazuliegen. Früher war ich vollkommen abgeschlossen gewesen, während jetzt alles, was Lust hatte, zu mir gelangen konnte. Jedoch hatte ich bis dahin kein lebendes Wesen auf der Insel bemerkt, das ich zu fürchten brauchte; denn die größten Tiere, die ich bisher gesehen, waren Ziegen gewesen.

30. September. Es war jetzt ein Jahr seit meiner Ankunft vergangen, wenigstens fand ich beim Zusammenzählen der Einschnitte an meinem Pfahl, daß ich nun schon 365 Tage auf der Insel gelebt hatte. Ich fastete diesen Jahrestag über und verwendete ihn zu frommen Übungen. Ich warf mich nieder in aufrichtiger Demut, bekannte meine Sünden vor Gott, erkannte sie an als gerechtes Gericht über mich und flehte zu ihm, er möge um Jesu Christi willen mir gnädig sein. Nachdem ich zwölf Stunden ohne die geringste Erfrischung geblieben war, verzehrte ich nach Sonnenuntergang ein Stück Zwieback und eine Traube mit getrockneten Beeren und legte mich dann zu Bett, nachdem ich den Tag mit einem Gebete, wie ich ihn begonnen, auch beschlossen hatte. Bisher war nicht ein einziger Sonntag von mir gefeiert worden, da ich anfangs aus Mangel an religiöser Stimmung unterlassen hatte, die Wochen zu bezeichnen, und daher später die Tage nicht mehr zu unterscheiden vermochte. Nun aber teilte ich bei der Berechnung der Tage nachträglich das verflossene Jahr in Wochen und zeichnete den siebenten Tag als Sonntag aus. Bald darauf nahm ich wahr, daß meine Tinte zur Neige ging, und ich nahm

mir daher vor, von nun an nur noch die bemerkenswertesten Ereignisse meines einsamen Lebens aufzuzeichnen.

Jetzt, wo ich allmählich die Regelmäßigkeit im Eintreten der trockenen und nassen Jahreszeit erkannt hatte, war ich auch imstande, für jede die richtigen Vorkehrungen zu treffen. Wie ich jedoch alle meine Erfahrungen teuer erkaufen mußte, war es auch mit derjenigen der Fall, von der ich jetzt berichten will, ja, sie war eine der entmutigendsten unter allen.

Wie erwähnt, hatte ich die wenigen, so wunderbar aufgesprossenen Gersten- und Reisähren aufbewahrt. Weil ich glaubte, es sei jetzt nach dem Regen, als die Sonne sich südlich von mir entfernte, Zeit, die Körner zu säen, grub ich, so gut es mit meinem hölzernen Spaten gehen wollte, ein Stück Land um und streute das Korn in zwei Abteilungen darauf. Da ich nicht vollkommen sicher war, ob jetzt die geeignete Zeit sei, verbrauchte ich zunächst nur zwei Drittel des Korns und behielt etwa eine Handvoll von jeder Sorte zurück. Das gereichte mir später zu großem Trost, denn nicht ein einziges Korn ging auf, da die trockenen Monate folgten und die Erde des Regens entbehrte, auch kein Düngemittel das Wachstum unterstützte. Erst in der feuchten Jahreszeit entwickelte sich meine Aussaat, wie wenn sie erst kurz zuvor geschehen sei. Als ich mein Korn nicht wachsen sah, suchte ich eine feuchte Stelle des Bodens auf, um einen weiteren Versuch zu machen. Ich grub ein Stück Land in der Nähe meiner Laube um und säte den Rest meines Kornes dort im Februar, kurz vor der Frühlings-Tagundnachtgleiche, aus. Da die regnerischen Monate März und April folgten, ging es denn dort auch üppig auf und gab reichlichen Ertrag. Weil ich aber nur wenig Korn gehabt hatte, betrug meine ganze Ernte auch nur etwa eine halbe englische Metze von jeder Sorte. Doch war ich durch diese Erfahrung gewitzigt, kannte jetzt die zur Aussaat geeigneten Zeiten und wußte, daß ich jährlich zweimal säen und ernten konnte.

Während mein Korn wuchs, machte ich eine kleine Entdeckung, die mir später nützlich wurde. Sobald der Regen vorüber war und das Wetter sich aufheiterte, was gegen den November hin geschah, besuchte ich nämlich meine Laube nach monatelanger Abwesenheit wieder. Ich fand alles dort, wie ich es verlassen. Die von mir angelegte Doppelhecke war nicht nur fest und unversehrt, sondern es waren auch die Pfähle, die ich von benachbarten Bäumen abgehauen hatte, ausgeschlagen und hatten hohe Zweige getrieben, wie es die Weidenbäume im ersten Jahre, nachdem sie geköpft sind, zu tun pflegen. Die Baumart, von der ich die Pfähle genommen, kannte ich nicht. Ich war sehr angenehm überrascht, die jungen Stämme grünen zu sehen, beschnitt sie und suchte sie zu möglichst gleichmäßiger Höhe zu gestalten. Es ist kaum glaublich, wie schön sie binnen drei Jahren heranwuchsen. Denn wiewohl der Kreis, den sie beschrieben, gegen fünfundzwanzig Yards im Durchmesser hielt, bedeckten sie ihn doch vollständig und gewährten so viel Schatten, daß ich mich fast die ganze trockene Jahreszeit hindurch unter ihm aufzuhalten pflegte.

Dies veranlaßte mich, weitere Pfähle zu fällen und mir eine ähnliche Einfriedigung auch um meine erste Wohnung anzulegen. Ich schlug die Palisaden etwa acht Yards entfernt von der füher angelegten Einzäunung und in einer Doppelreihe ein, sie wuchsen prächtig heran und gewährten meiner Wohnung nicht nur Schatten, sondern dienten mir, wie ich zu gegebener Zeit erzählen werde, auch zur Verteidigung.

Elftes Kapitel

Robinson verlegt sich aufs Korbflechten. Sein Streifzug durch die Insel. Sein Papagei

Ich beobachtete, daß das Jahr hier nicht, wie in Europa, in Sommer und Winter, sondern in regnerische und trockene Zeiten zerfiel. Das Verhältnis stellte sich so: Die Hälfte des Februar, der März und der halbe April gehörten zur Regenzeit, da dann die Sonne der Tagundnachtgleiche nahe war. Der halbe April, der Mai, Juni, Juli und der halbe August, wenn die Sonne nördlich vom Äquator stand, waren trocken. Die zweite Hälfte des August, der September und der halbe Oktober gehörten wieder zur Regenzeit, dagegen zählten zur trockenen Periode der Rest des Oktober, der November, Dezember, Januar und die erste Hälfte des Februar, wenn die Sonne südlich vom Äquator stand.

Zuweilen dauerte die Regenzeit länger oder kürzer, je nachdem der Wind wehte. Nachdem ich die üblen Wirkungen meiner Ausgänge in der nassen Periode erkannt hatte, trug ich Sorge dafür, mich stets mit den nötigen Vorräten zu versehen, um während der regnerischen Monate zu Hause bleiben zu können. Diese Zeit verwendete ich sehr zweckmäßig, um mich mit allerlei Dingen auszurüsten, deren Herstellung nur durch schwere und langwierige Arbeit zu bewirken war. So machte ich namentlich verschiedene Versuche, einen Korb zustande zu bringen. Alle Zweige aber, mit denen ich es probierte, waren unbrauchbar wegen ihrer großen Sprödigkeit. Jetzt erwies es sich für mich als sehr vorteilhaft, daß ich als Knabe in meiner Vaterstadt oft mit großem Vergnügen dem Hantieren eines Korbmachers zugeschaut hatte. Ich war damals, wie es bei Jungen öfter vorkommt, sehr dienstfertig gewesen, dem Korbmacher zu helfen, und hatte mir daher vollkommene Kenntnis seiner Methode angeeignet, so daß mir jetzt nur das Material fehlte. Da fiel es mir ein, daß die Zweige des Baumes, von dem ich meine Pfähle geholt, vielleicht so geschmeidig seien wie in England die Weidenruten.

Daher begab ich mich sogleich am nächsten Tag zu meinem sogenannten Landhaus, schnitt einige dünnere Zweige ab und fand sie zu meinem Zweck so geeignet, als ich es nur wünschen konnte. Ich versah mich daher am nächsten Tage mit einem

Beil und holte mir eine große Menge von ihnen, legte sie zum Trocknen innerhalb meiner Einfriedigung nieder und brachte sie, als sie brauchbar waren, in meine Höhle. Hier fertigte ich mir während der nächsten Regenzeit eine Menge von Körben, teils um Erde oder anderes darin zu tragen, teils um allerlei darin aufzubewahren. Meine Arbeit geriet zwar nicht sehr schön, aber ihre Resultate waren doch vollkommen zweckentsprechend. Später trug ich Sorge, immer einen Vorrat von Körben zu haben, und fertigte mir, sobald die früheren abgenutzt waren, eine Anzahl neue. Dabei kam es mir besonders darauf an, die Körbe möglichst stark und tief zu machen, um darin statt in Säcken mein Korn aufbewahren zu können, wenn ich davon einmal einen großen Vorrat haben sollte.

Nachdem ich diese eine schwierige Aufgabe mit unendlichem Zeitaufwand glücklich gelöst hatte, dachte ich daran, mich mit zwei anderen nötigen Gegenständen, wenn möglich, zu versehen. Ich besaß nämlich kein Gefäß, um Flüssigkeiten darin aufzubewahren, außer zwei beinahe noch ganz mit Rum gefüllten Fäßchen und einigen Glasflaschen, die teils die gewöhnliche Form hatten, teils viereckig waren.

Zur Benutzung beim Kochen hatte ich nichts als einen aus dem Schiff geretteten großen Kessel, der zur Bereitung von Fleischbrühe und zum Kochen kleinerer Stückchen Fleisch zu umfangreich war. Das zweite, wonach ich großes Verlangen trug, war eine Tabakspfeife. Obschon mir anfangs die Verfertigung einer solchen ganz unmöglich schien, gelang es mir endlich doch, eine solche zu erfinden. Die Anlegung meiner Doppelreihe von Pfählen und die Korbmacherarbeit beschäftigten mich den ganzen Sommer, das heißt die ganze trockene Jahreszeit hindurch.

Ich sprach schon von meiner großen Lust, die ganze Insel kennenzulernen, und daß ich schon früher an dem Bache herauf bis an die Stelle, wo ich meine Laube angelegt, und weiterhin, wo ich den Ausblick nach der See auf der andern Seite der Insel hatte, gekommen war. Jetzt beschloß ich, einmal meinen Weg ganz bis zur Küste hinüber zu wandern, und machte mich denn auch mit meiner Flinte, einem Beil, meinem Hund und mit einer größeren Menge Pulver und Blei als gewöhnlich sowie mit zwei Zwiebäcken und einem großen Bündel Rosinen in meinem Sack auf die Wanderung. Nachdem ich das Ende des Tales, in dem sich meine Laube befand, passiert hatte, bekam ich bald das Meer in Sicht. Da es ein außerordentlich heller Tag war, entdeckte ich plötzlich in der Ferne Land, konnte aber nicht unterscheiden, ob es eine Insel oder Festland war. Es lag hoch und streckte sich von Westen nach Westsüdwesten in langer Ausdehnung hin. Nach meiner Berechnung mußte es mindestens fünfzehn bis zwanzig Meilen von meiner Insel entfernt sein.

Es war mir unbekannt, was für ein Stück Erde das sein mochte, nur so viel glaubte ich zu wissen, daß es zu Amerika gehöre und allen meinen Beobachtungen nach in der Nähe der spanischen Besitzungen liegen müsse. Vielleicht mochte es von Wilden bewohnt sein, und wenn ich dort ans Land geraten wäre, hätte ich mich wohl noch in schlimmerer Lage befunden als hier. Dieser Gedanke söhnte mich noch mehr aus mit der Fügung der Vorsehung, die, wie ich jetzt einzusehen begann, alles aufs beste ordnete. Meine Seele wurde nun ruhiger, und ich quälte mich nicht mehr mit fruchtlosen Wünschen, anderswo zu leben.

Übrigens sagte ich mir, daß, wenn jenes Land wirklich zur spanischen Küste gehörte, sich früher oder später sicherlich in seiner Nähe ein Schiff zeigen werde. War das erstere aber nicht der Fall, so konnte jene Küste nur von den zwischen den spanischen Kolonien und Brasilien hausenden Wilden bewohnt sein, welche die Schlimmsten von allen, nämlich Kannibalen oder Menschenfresser sind und alle menschlichen Geschöpfe, die in ihre Hände fallen, ermorden und verzehren.

Unter solchen Gedanken schritt ich gemächlich weiter. Wie ich bemerkte, war die Inselseite, auf der ich mich jetzt befand, weit anmutiger als die meinige. Es gab hier blumengeschmückte Wiesen, und schönes Gehölz fand sich in Menge. Ich erblickte eine große Anzahl Papageien, und es überkam mich stark die Lust, einen zu fangen, um ihn zu zähmen und sprechen zu lehren. Nach mehreren vergeblichen Versuchen gelang es mir auch, eines jungen Tieres dieser Vogelart habhaft zu werden, das ich mit einem Stock vom Baume schlug und, nachdem es sich erholt hatte, nach Hause trug. Es währte mehrere Jahre, bis dieser Papagei sprechen lernte, endlich aber brachte ich ihm bei, mich ganz verständlich bei meinem Namen zu rufen. Ein Vorfall, der sich hieran knüpfte, soll, obwohl er an sich unbedeutend ist, später zum Ergötzen des Lesers mitgeteilt werden.

Ich war sehr befriedigt von meiner Wanderung. In den Tälern hatte ich Hasen, wenigstens hielt ich einige mir begegnende Tiere für solche, und Füchse angetroffen. Doch unterschieden sie sich wesentlich von denen, die mir anderwärts vorgekommen waren, und lieferten mir auch kein Nahrungsmittel, wiewohl ich einige davon erlegte. Übrigens litt ich jetzt auch an Lebensmitteln keinen Mangel, denn ich war mit solchen von vortrefflicher Qualität versehen und besonders mit dreierlei Fleischarten: Ziegen, Tauben und Schildkröten. Die Rosinen dazu gerechnet, hätte selbst der Markt von Leadenhall, in Anbetracht meiner Gesellschaft wenigstens, keine besseren Tafelfreuden liefern können als diese. So hatte ich, wie traurig meine Lage auch sein mochte, doch Grund genug zur Dankbarkeit. Litt ich doch so wenig Mangel an Unterhalt, daß ich eher im Überfluß und sogar von recht nahrhaften Leckerbissen lebte.

Während meiner Entdeckungsreise machte ich nicht viel über zwei Meilen am Tage, dennoch kehrte ich stets durch viele Umwege, die ich einschlug, um Entdeckungen zu machen, müde genug zu dem Platze zurück, den ich ein für allemal zu meinem Nachtlager bestimmt hatte. Ich schlief dort entweder auf einem Baum oder bildete mir eine Einfriedigung, indem ich rings um mich her Pfähle einsteckte oder solche von einem Baum zum andern legte. So konnten wilde Tiere nicht in meine Nähe kommen, ohne daß ich aufwachte.

Wieder an das Meeresufer gelangt, sah ich mit Erstaunen, daß ich auch dieser Gegend gegenüber mein Quartier auf der ungünstigsten Seite der Insel genommen hatte. Denn hier war der Strand mit unzähligen Schildkröten bedeckt, während ich deren auf der anderen Seite binnen anderthalb Jahren nur drei gefunden hatte. Auch eine große Menge von Vögeln gab es hier, von denen mir einige bisher noch nicht zu Gesicht gekommen waren. Manche darunter lieferten leckere Mahlzeiten; dem Namen nach erkannte ich darunter nur die sogenannten Fettgänse.

Wiewohl es eine Leichtigkeit gewesen wäre, von diesen soviel mir beliebte zu schießen, begnügte ich mich, da ich mit Pulver und Blei sehr haushälterisch umging, lieber damit, mir eine Ziege zu erlegen, die mir längere Zeit Unterhalt gewährte. Obgleich auch von diesen Tieren hier eine Menge, und zwar eine noch größere als auf meiner Inselseite, vorhanden war, hielt es doch schwerer als dort, an sie heranzukommen, da sie wegen der Ebenheit und Flachheit der Gegend mich immer sehr bald bemerkten.

Dieser ganze Teil der Insel behagte mir, wie gesagt, weit besser als der, in dem ich mich niedergelassen hatte. Aber dennoch fühlte ich nicht die geringste Lust, meine Wohnung zu verlassen, denn durch die Gewohnheit war diese mir lieb geworden, und es dünkte mich die ganze Zeit meiner Wanderung hindurch, als ob ich in der Fremde sei. Ich ging an der Küste ungefähr zwölf Meilen ostwärts, pflanzte dort einen großen Pfahl zum Merkzeichen am Strande auf und beschloß dann, heimzukehren. Meinen nächsten Ausflug gedachte ich die andere Seite der Insel entlang zu machen und so in die Runde zu gehen, bis ich wieder an jenem Pfahl ankäme. Diesmal schlug ich einen andern Rückweg ein, in der Überzeugung, daß ich leicht den Überblick über die Insel behalten und nach meiner ersten Wohnung nicht fehlgehen könne. Ich hatte mich jedoch getäuscht, denn nach zwei bis drei Meilen befand ich mich in einem großen Tale, das aber so dicht von mit Wäldern bedeckten Hügeln umgeben war, daß ich mich über den einzuschlagenden Weg nur durch die Beobachtung des Sonnenstandes zu orientieren vermochte. Um das Mißgeschick zu steigern, wurde das Wetter während der drei oder vier Tage, die ich in diesem Tale zubrachte, neblig, so daß ich die Sonne nicht zu sehen bekam und so lange mißmutig herumirrte, bis ich mich notgedrungenerweise wieder nach der Seeseite hin wendete, meinen Pfahl aufsuchte und dann auf demselben Wege, den ich auf dem Hinweg gekommen war, heimkehrte. Da das Wetter ungemein heiß wurde und ich an meiner Flinte, dem Schießbedarf und dem Beil schwer zu tragen hatte, legte ich den Weg nach Hause nur in kleinen Tagesmärschen zurück.

Zwölftes Kapitel

Robinsons Rückkehr zu seiner Burg am Meer. Seine innere Wandlung. Seine landwirtschaftlichen Nöte und Sorgen

Auf meiner Heimwanderung fing mein Hund ein Zicklein, das ich ihm, als es noch am Leben war, entriß. Es wandelte mich große Lust an, es mit nach Hause zu nehmen, da ich schon darüber nachgedacht hatte, ob es nicht gelingen könne, ein oder zwei Ziegenlämmer zu fangen und mir so für die Zeit, wenn mein Pulver und Blei verbraucht war, eine Zucht von zahmen Tieren anzulegen. So machte ich denn dem kleinen Geschöpf ein Halsband und führte es an einer Leine, die ich mir aus etwas Taugarn, wovon ich beständig ein wenig bei mir trug, verfertigte, bis zu meiner Laube, wo ich es einschloß und zurückließ. Denn ich brannte vor Ungeduld, nach mehr als einmonatiger Abwesenheit wieder nach Hause zu kommen.

Ich kann nicht beschreiben, mit welcher Freude ich meine alte Behausung begrüßte und mich in meine Hängematte schlafen legte. Die kleine Reise, auf der ich wie ein Nomade gelebt hatte, war mir so wenig angenehm gewesen, daß mein eigenes Haus, wie ich es nannte, mir jetzt als ein wohlgeordnetes Heimwesen erschien. Alles um mich her mutete mich so traulich an, daß ich mir vornahm, solange ich auf der Insel verweilen mußte, mich nicht wieder auf eine so weite Strecke zu entfernen.

Eine Woche hindurch pflegte ich jetzt der Ruhe, um mich von den Anstrengungen meiner Wanderung zu erholen. Den größten Teil dieser Zeit nahm mich ein wichtiges Geschäft in Anspruch. Ich fertigte nämlich für meinen Poll, der sich schon wie zu Hause bei mir fühlte und gar gut bekannt mit mir geworden war, einen Käfig an. Dann dachte ich an das arme Zicklein, das ich in meiner kleinen Umfriedigung eingesperrt hatte, und ging, um es zu holen und ihm zu fressen zu geben. Zwar fand ich es noch am alten Ort, aber es war halb verhungert. Ich schnitt Zweige von Sträuchern und Bäumen ab und warf sie ihm vor. Nachdem es gefressen, wollte ich es wie früher anbinden, um es nach Hause zu leiten. Aber es war durch den Hunger so zahm geworden, daß es nicht nötig schien, es zu fesseln, denn es folgte mir aus freien Stücken wie ein Hund. Ich fütterte es dann regelmäßig, und das Tierchen wurde so anmutig, zutraulich und zahm, daß es nun auch zu meiner Familie gehörte und nicht wieder von mir weichen wollte.

Jetzt war wiederum die Regenzeit der herbstlichen Tagundnachtgleiche gekommen, und ich beging den 30. September in derselben feierlichen Weise wie früher als den Jahrestag meiner Landung. Zwei Jahre waren seit dieser nun vergangen, und meine Aussicht auf Befreiung schien noch nicht größer als am ersten Tage. Ich verwendete den ganzen 30. September zu demütiger, dankbarer Erinnerung an die vielen wunderbaren Gnadenerweisungen, die mir in meiner Einsamkeit zuteil geworden waren und ohne die mein Elend unendlich viel größer gewesen wäre. Aus tiefstem Herzen dankte ich Gott, daß er mir die Augen darüber geöffnet hatte, wie ich in dieser Einsamkeit sogar glücklicher als inmitten menschlicher Gesellschaft und unter allen Freuden der Welt sein konnte, daß er mir die Entbehrungen meiner Lage und den Mangel an menschlichem Verkehr durch seine Gegenwart und durch seine Offenbarung reichlich ersetzt, mir Hilfe und Trost gewährt und mich ermutigt hatte, auf seine Vorsehung zu bauen und zu hoffen, daß er alle Zeit bei mir sein werde.

Allmählich kam mir zum Bewußtsein, um wieviel glücklicher mein jetziges Leben trotz aller seiner betrübenden Umstände war als das nichtswürdige, verworfene Dasein, das ich in früheren Tagen geführt hatte. Meine Sorgen und Freuden gestalteten sich von Grund aus um, sogar meine Wünsche änderten ihre Natur, meine Neigungen waren wie vertauscht, und ich fand jetzt mein Vergnügen in ganz anderen Dingen als jenen, in denen ich es nach meiner ersten Ankunft oder wenigstens noch vor zwei Jahren gesucht hatte.

Sonst, wenn ich umhergewandert war, auf der Jagd oder um das Land kennenzulernen, hatte oft eine plötzliche Angst meine Seele überfallen, und das Herz war mir beklommen. Der Gedanke an die Wälder, die Einöde, die mich umgab, und wie ich eingeschlossen war durch die ewigen Riegel und Schlösser des Ozeans, in einer öden Wildnis, ohne Hoffnung auf Erlösung, hatte mich da oft niedergebeugt. Mitten in der ruhigsten Stimmung war es oft wie ein Sturmwind über mein Gemüt gekommen, und händeringend hatte ich gar manches Mal wie ein Kind weinen müssen. Zuweilen hatte es mich mitten in der Arbeit überfallen, dann hatte ich mich sofort niedergesetzt und stundenlang seufzend auf die Erde geblickt. Und gerade dieser Zustand war der schlimmste, denn wenn mein Kummer sich in Tränen oder Worten Luft machen konnte, pflegte er sich bald zu mildern.

Jetzt aber fing ich an, mich in andern Stimmungen zu ergehen. Ich las täglich in Gottes Wort und wendete seine Tröstungen auf meine gegenwärtige Lage an. Eines Morgens, da ich sehr traurig war, fiel mir die Bibelstelle in die Augen: „Ich will dich nicht verlassen noch versäumen." Sofort fiel mir auf, daß diese Worte wie für mich geschrieben seien. Weshalb wären sie auch sonst wohl gerade in dem Augenblick mir aufgestoßen, als ich mich über meine Lage grämte und klagte, daß ich ein von Gott und Menschen Verlassener sei? „Nun denn", sagte ich mir jetzt, „wenn Gott dich nicht verlassen will, was kann dir dann geschehen, und was liegt daran, wenn auch die ganze Welt dich verläßt, da du doch siehst, daß, wenn du auch die ganze Welt gewännest und solltest Gottes Gnade und Segen dafür entbehren, dein Schade unvergleichlich größer wäre!"

Von diesem Augenblick an kam ich zu der Erkenntnis, daß ich in dieser Einsamkeit seliger sein konnte, als ich vermutlich in irgendeiner andern Lebenslage gewesen wäre. Nun dankte ich sogar Gott dafür, daß er mich hierhergebracht hatte. Aber ich weiß nicht, wie es kam, daß ich bei diesem Gedanken erschrak und ihm nicht Worte zu geben wagte. „Wie kannst du so heucheln", sagte ich laut für mich hin, „und dich stellen, als ob du Gott für eine Lage dankbar seiest, in der zufrieden zu sein du dir zwar Mühe gibst, aus der du aber doch mit herzlichem Dank dich befreien lassen würdest." Wenn ich nun auch in solcher Weise mit meinem Dank innehielt, so sprach ich ihn doch um so aufrichtiger dafür aus, daß mir Gott die Augen geöffnet und mich mein früheres Leben im richtigen Lichte hatte sehen, betrauern und bereuen lassen. Niemals öffnete oder schloß ich die Bibel, ohne Gott für die segensreiche Fügung zu danken, der meinen Freund in England, ohne daß ich ihm Auftrag dazu gegeben, veranlaßt hatte, sie unter meine Habe zu packen, und daß Gott mir beigestanden, daß ich sie später aus dem Schiffswrack hatte retten können.

In solcher Gemütsstimmung begann ich mein drittes Jahr. Wenn ich im Verlaufe des zweiten hinsichtlich meiner Arbeiten den Leser auch nicht mit so viel Einzelheiten ermüdet habe wie in der Erzählung des ersten Jahres, so wird man doch im allgemeinen bemerkt haben, daß ich selten müßig gewesen war. Ich hatte meine Zeit regelmäßig eingeteilt und für gewisse tägliche Beschäftigungen fest bestimmt. Dazu gehörten vor allem mein Gottesdienst und das Bibellesen, das ich eine Zeitlang täglich dreimal vornahm; zweitens mein Ausgang mit dem Gewehr nach Lebensmitteln, was mich gewöhnlich drei Morgenstunden in Anspruch nahm, wenn es nicht gerade regnete; drittens die Einteilung und Zubereitung dessen, was ich erlegt oder gefangen hatte. Auch darüber ging ein großer Teil des Tages hin. Es ist übrigens dabei nicht zu vergessen, daß um Mittag, wenn die Sonne im Zenit stand, das Übermaß der Hitze mich am Ausgehen hinderte. Ich konnte daher nur etwa vier Abendstunden zur übrigen Arbeit benutzen. Zuweilen vertauschte ich auch die Zeit der verschiedenen Geschäfte, arbeitete am Morgen und ging dafür am Nachmittag auf die Jagd.

Neben der Kürze der Zeit, die ich auf die Arbeit verwenden konnte, muß man die ungemeine Mühseligkeit der letzteren in Anschlag bringen und bedenken, wie viele Stunden durch Mangel an Werkzeug, an Hilfe, an Geschick bei allem, was ich in Angriff nahm, verlorengingen. So brachte ich zum Beispiel volle zweiundvierzig Tage damit zu, ein Brett für ein langes Gestell herzurichten, das ich für meine Höhle brauchte. Zwei Zimmerleute mit dem gehörigen Werkzeug und einem Sägebock hätten in einem halben Tag aus demselben Baum sechs solcher Bretter schneiden können.

Das Verfahren, das ich bei jener Arbeit einschlug, war folgendes: Zunächst war ich genötigt, einen großen Baum zu fällen, da mein Brett eine ansehnliche Breite haben mußte. Damit hatte ich drei Tage zu tun, und zwei weitere nahmen die Entfernung der Zweige und die Gestaltung des Stammes zu einem einzigen Block in Anspruch. Mit unglaublicher Arbeit hackte und hämmerte ich an den beiden Seiten des Baumes, bis er begann, sich leicht genug bewegen zu lassen. Hierauf machte ich ihn auf der einen Seite von einem Ende bis zum andern eben und glatt und nahm dann dieselbe Arbeit auf der anderen Seite vor, bis das Brett etwa drei Zoll dick war. Jedermann kann sich vorstellen, wieviel Mühe diese Tätigkeit erforderte, aber Fleiß und Geduld ließen mich dieses wie viele andere Dinge endlich doch fertigbringen.

Es waren jetzt die Monate November und Dezember herangekommen, und ich hoffte, bald eine Ernte von meinem Reis und Korn zu gewinnen. Das Feld, das ich damit besät, war nicht groß, da, wie schon bemerkt, meine Aussaat von jeder Kornart — weil ich die frühere Ernte ganz eingebüßt — nicht mehr als eine halbe Metze betragen hatte. Diesmal aber versprach der Ertrag reichlich zu werden. Da aber sah ich plötzlich mein Getreidefeld von allerlei Feinden bedroht, die ich nur mit Mühe von ihm fernhalten konnte. Vor allem durch die Ziegen und hasenähnlichen Tiere, die Geschmack an den Halmen gefunden hatten und Tag und Nacht daran fraßen, so daß viele Halme nicht zu Ähren aufgehen konnten.

Hierfür sah ich kein anderes Mittel der Abhilfe, als daß ich mit großer Arbeit und Eile eine Einfriedigung um das Stück Land zog. Innerhalb dreier Wochen war das kleine Feldstück vollkommen eingehegt, und da ich bei Tage mehrmals einige von den Tieren schoß und des Nachts meinen Hund, den ich an einen der Pfähle band, wo er die ganze Nacht hindurch bellte, zum Wächter setzte, so zogen sich die Feinde binnen kurzer Zeit zurück, und das Korn wuchs hoch heran, stand gut und begann zusehends zu reifen.

Wie mir aber früher die vierfüßigen Tiere Schaden getan hatten, solange das Korn grün war, so drohten ihm jetzt, als es Ähren trug, die Vögel. Als ich das Feld besuchte, um zu sehen, wie es gedeihe, fand ich eine Menge gefiederten Volkes ringsherum, das nur auf den Augenblick zu warten schien, bis ich mich entfernt hatte. Sofort gab ich, da ich mein Gewehr bei mir trug, Feuer unter den Schwarm, und alsbald erhob sich mitten aus dem Korn eine Wolke von Vögeln, die ich vorher gar nicht gesehen hatte. Dies verdroß mich sehr, denn ich sah voraus, daß binnen wenigen Tagen meine ganze Hoffnung zunichte sein würde sowie daß ich es niemals bis zu einer ordentlichen Ernte bringen und später in Mangel geraten würde. Daher beschloß ich, mein Korn, wenn möglich, zu retten, und wenn ich es auch Tag und Nacht bewachen sollte. Zuerst untersuchte ich den angerichteten Schaden und fand, daß die Vögel eine Menge Körner bereits gefressen hatten. Da diese aber noch zu grün waren, belief sich der Verlust nicht sehr hoch, und wenn ich den Rest rettete, so konnte die Ernte wohl immer noch gut werden.

Während ich bei dieser Gelegenheit, neben dem Feld stehend, mein Gewehr lud, sah ich die Diebe rings auf allen Bäumen sitzen, als ob sie nur auf mein Weggehen warteten. Deshalb tat ich, als ob ich mich entfernen wollte, und kaum war ich ihnen aus dem Gesicht gekommen, als sie auch schon, einer nach dem andern, wieder ins Korn fielen. Das reizte mich so, daß ich nicht Geduld hatte zu warten, bis sich noch mehrere eingefunden hätten. Ich wußte, daß jedes Korn, das sie jetzt fraßen, mich sozusagen um eine zukünftige Metze bringen würde. Daher schlich ich mich an die Hecke und tötete diesmal drei. Das war auch für meinen Zweck vorläufig genug.

Ich machte es mit den Erlegten, wie man es in England mit den berüchtigten Dieben machte; das heißt, ich hängte sie auf zum abschreckenden Beispiel für die anderen. Man sollte kaum denken, daß dies eine solche Wirkung hervorbrachte, wie es in der Tat der Fall war. Denn die Vögel blieben von nun an nicht nur von meinem Korn weg, sondern zogen auch gar bald ganz aus dieser Gegend der Insel, und ich habe, solange die Vogelscheuchen hingen, niemals wieder einen der gefiederten Diebe in der Nähe meines Feldes bemerkt. Wie man sich denken kann, war ich sehr erfreut darüber; gegen Ende Dezember, in der zweiten Herbstzeit des Jahres, heimste ich dann mein Korn ein.

Da mir bei dieser Arbeit der Mangel einer Sichel oder Sense sehr fühlbar wurde, blieb mir nichts anderes übrig, als mir, so gut es ging, eine solche aus einem der breiten Säbel anzufertigen, die ich unter den Waffen aus meinem Schiffe gerettet hatte. Übrigens war meine erste Ernte nur mäßig, und das Schneiden machte mir daher keine große Mühe. Ich vollzog es auf meine besondere Weise, indem ich nur die Ähren abschnitt und sie in einem großen Korb, den ich mir geflochten hatte, nach Hause brachte. Dann entkörnte ich sie mit den Händen und gewann dabei nach meinem Überschlag (ich mußte nur mit dem Auge schätzen, da ich kein Maß hatte) nur etwa zwei Scheffel Reis und über zweieinhalb Scheffel Gerste. Trotzdem diente diese Ernte mir zur großen Ermutigung, da ich hoffte, mir nun mit Gottes Hilfe in Zukunft auch Brot verschaffen zu können. Dabei zeigten sich aber neue Schwierigkeiten. Ich wußte nämlich weder wie ich das Korn zerquetschen und Mehl daraus bereiten noch wie ich dieses von der Kleie reinigen solle und ebensowenig wie ich dann aus dem Mehl Brotteig gewinnen und diesen backen könne. Diese Zweifel, vereint mit dem Wunsche, einen reichlichen Vorrat zu besitzen, um für meinen künftigen Unterhalt Sorge zu tragen, veranlaßten mich, die jetzige Ernte noch nicht anzugreifen, sondern sie abermals ganz zur Aussaat aufzubewahren. Ich nahm mir vor, inzwischen all mein Nachdenken und meine ganze Tätigkeit auf das große Werk der Brotbereitung zu verwenden. Jetzt konnte ich in Wahrheit sagen, daß ich für mein tägliches Brot arbeite. Es ist fast wundersam, und wenige Menschen haben wohl je darüber nachgedacht, wieviel Dinge notwendig sind, um nur den einen Artikel, Brot, bis zur Vollendung zu bringen. Mir aber, der ich auf den rohen Zustand der Natur angewiesen war, kam dieses, seit ich die erste Handvoll Korn geerntet hatte, in entmutigender Weise zu täglich klarerem Bewußtsein.

Zunächst hatte ich weder einen Pflug, die Erde zu ackern, noch einen Spaten, sie umzugraben. Diesem Mangel half ich jedoch, wie erzählt, ab, indem ich mir einen hölzernen Spaten machte. Allein mit diesem ging die Arbeit auch nur hölzern vonstatten, und wiewohl seine Anfertigung mich manchen Tag gekostet hatte, nutzte er sich, weil er keinen eisernen Beschlag hatte, rasch ab, und ich brachte die Arbeit mit ihm auch ungenügend zustande. Indes schickte ich mich auch hierin mit Geduld.

Sodann, als das Korn gesät war, fehlte es mir an einer Egge. Ich half mir, indem ich, über das Land gehend, einen großen und schweren Baumzweig nachschleifte und die Erde also mehr kratzte als eggte. Dann brauchte ich, sobald das Korn hervorgewachsen war, gleichfalls, wie schon erwähnt ist, eine Menge von Dingen, um es einzuzäunen, zu schneiden, zu trocknen, einzubringen, zu dreschen, von der Spreu zu trennen und es dann aufzubewahren. Ferner hätte ich auch eine Mühle nötig gehabt, um es zu mahlen; Siebe, um das Mehl zu reinigen; Hefe und Salz, um einen Brotteig daraus zu machen, und einen Backofen, um es zu backen.

Obwohl ich alle diese Dinge entbehrte, war mir das Korn doch von unschätzbarem Vorteil. Die Mühsamkeit und Langwierigkeit der Arbeit hatte, abgesehen davon, daß sie nicht zu ändern war, insofern für mich keine Bedeutung, als ich ja mit meiner Zeit nicht so sparsam zu sein brauchte. Ich hatte einen Teil des Tages für jene Arbeiten ein für allemal bestimmt, und da ich willens war, vorläufig nichts von dem Korn für Brot zu verwenden, so konnte ich während der nächsten sechs Monate meine ganze Tätigkeit und Erfindungsgabe zur Beschaffung von Gerätschaften benutzen, die für die spätere Verwendung meines Getreides nötig waren.

Dreizehntes Kapitel

Robinson als Töpfer und Bäcker

Da ich jetzt Samen genug besaß, um mehr als einen Morgen Land damit zu bestellen, mußte ich mir zunächst ein größeres Stück Erde bearbeiten. Vorher brauchte ich über eine Woche zur Anfertigung eines Spatens, der aber, wie gesagt, doch nur ein trauriger Notbehelf wurde und doppelte Anstrengung bei der Arbeit nötig machte. Nachdem ich auch damit zustande gekommen war, streute ich meinen Samen in zwei große, flache Landstücke, die meinem Hause zunächst gelegen waren und mir tauglich schienen. Ich umgab sie mit einer dichten Hecke von demselben Strauchwerk, das ich schon früher angepflanzt hatte und das, wie ich wußte, von raschem Wachstum war, so daß ich binnen Jahresfrist auf eine starke lebendige Hecke rechnen konnte, die nur geringer Ausbesserung bedurfte. Ich brauchte zu dieser Arbeit nicht weniger als drei volle Monate, weil der größte Teil dieser Zeit in die Regenperiode fiel, in der ich nicht oft ausgehen konnte.

Während des Regens unterhielt ich mich zu Hause bei der Arbeit damit, daß ich meinen Papagei sprechen lehrte. Es gelang mir bald, ihm seinen eigenen Namen beizubringen, so daß er ihn zuletzt ganz deutlich aussprach. „Poll" war das erste Wort, was ich auf der Insel aus einem andern als meinem eigenen Mund hörte.

Daneben verwendete ich meine Haupttätigkeit auf ein neues großes Unternehmen. Längst hatte ich nämlich auf Mittel und Wege gesonnen, mich mit einigen irdenen Gefäßen zu versehen, die ich schmerzlich entbehrte. Ich war überzeugt, daß ich, sobald sich nur eine einigermaßen geeignete Art Ton finden ließe, daraus Töpfe formen könnte, die, in der Sonne des heißen Klimas getrocknet, hart und stark genug zur Benutzung, namentlich zur Aufbewahrung trocken zu haltender Sachen sein würden.

Da ich sie vor allem um Korn, Mehl, Teig und so weiter herzurichten und zu bereiten brauchte, so beschloß ich jetzt, einige solche möglichst große Gefäße im voraus anzufertigen, an die ich weiter keine Ansprüche stellte, als daß sie wie Krüge aufrecht stehen und das, was ich hineintun wollte, wohl verwahren könnten.

Der Leser würde mich bedauern oder mich wahrscheinlich
auslachen, wenn ich ihm erzählte, wie viele ungeschickte
Versuche ich hierbei unternahm, was für wunderliche, plumpe,
häßliche Dinger ich zustande brachte, wie viele davon zusam-
men- oder auseinanderfielen, weil der Ton nicht steif genug
war, um die Form zu halten; ferner, wie viele in der starken
Sonnenhitze sprangen und wie viele vom bloßen Anfassen
entzweigingen. Nachdem ich mit vieler Mühe den Ton gefunden, ihn ausgegraben, angefeuchtet nach Hause getragen und
verarbeitet hatte, gelang es mir, binnen ungefähr zweier
Monate nicht mehr als zwei große häßliche Dinger (Töpfe darf
ich sie nicht nennen) fertigzubringen.
Als die Sonne diese hart und trocken gebrannt hatte, flocht
ich sie in Körbe, damit sie nicht zerbrechen sollten. Den
kleinen Raum zwischen den Töpfen und dem Geflecht füllte
ich mit Reis- und Gerstenstroh aus und hoffte nun, diese
Gefäße würden Korn und Mehl aufbewahren können.
Während meine Arbeit mit den großen Töpfen mangelhaft
ausgefallen war, hatte ich bessern Erfolg bei der Verfertigung
von allerlei kleinem Geschirr, zum Beispiel runden Töpfchen,
flachen Schüsseln, Krügen und Tiegeln und was mir sonst
unter der Hand geriet. Die Sonnenglut brannte diese Sachen
außerordentlich fest.
Dies alles aber erfüllte noch nicht meinen Zweck, ein irdenes
Geschirr herzustellen, das Flüssigkeiten halten und dem Feuer
ausgesetzt werden konnte; dazu war keines von jenen Gefäßen
zu gebrauchen. Da begegnete es mir einige Zeit später, als ich
eines Tages ein ziemlich großes Feuer — das ich angezündet,
um mir Fleisch darauf zu braten — auslöschen wollte, daß ich
darin eine Scherbe von einem meiner irdenen Gefäße fand,
steinhart gebrannt und ziegelrot. Ich war sehr angenehm
überrascht durch diesen Anblick und sagte mir, daß, wenn ein
solches Stück von meinem Geschirr sich brennen ließe, dies
auch mit dem ganzen Geschirr möglich sein müsse.
Dies veranlaßte mich, nachzudenken, wie ich mein Feuer
einzurichten habe, um einige Töpfe daran zu brennen. Ich
hatte keine Ahnung von einem Brennofen, wie die Töpfer ihn
benutzen, oder vom Glasieren mit Blei, von dem ich ja eine
Menge besaß, die ich wohl hätte dazu verwenden können.
Lediglich zum Versuche stellte ich drei große Tiegel und zwei
oder drei Töpfe aufeinander und verteilte mein Brennholz

ringsherum, mit einem großen Haufen Asche als Unterlage; dann versah ich das Feuer von außen her und obenauf mit frischem Brennmaterial, bis ich die Töpfe innerhalb des Feuers durch und durch rotglühend werden sah, ohne daß sie zerplatzten. Als ihre Farbe hellrot geworden war, ließ ich sie in derselben Hitze noch vier oder fünf Stunden stehen, bis ich wahrnahm, daß einer von ihnen anfing zu schmelzen oder zu fließen, ohne jedoch entzweizuspringen. Denn der dem Ton beigemischte Sand schmolz durch die starke Hitze und wäre zu Glas geworden, wenn ich so fortgefahren hätte. Ich milderte daher das Feuer nach und nach, bis die Töpfe die rote Farbe verloren; nachdem ich die ganze Nacht dabei gewacht und dafür gesorgt hatte, daß das Feuer nicht so schnell nachließ, hatte ich am andern Morgen drei sehr gute, ich will nicht sagen schöne, Tiegel und zwei andere irdene Gefäße so hart gebrannt, als es nur zu wünschen war. Der eine davon erschien völlig glasiert durch den herausgeflossenen Sand.

Ich habe kaum nötig zu sagen, daß ich nach diesem Experiment keinerlei irdenes Geschirr zu meinem Gebrauch mehr entbehrte; es fiel aber, wie ich nicht verhehlen will, hinsichtlich der Form sehr unvollkommen aus.

Machte ich doch meine Gefäße ganz auf dieselbe Art, wie Kinder aus Sand Kuchen backen oder wie eine Köchin, die nie gelernt hat mit Teig umzugehen, eine Pastete formen würde.

Niemals aber hat wohl jemand eine größere Freude über einen unbedeutenden Gegenstand gehabt, als ich sie empfand, da es mir endlich gelungen war, einen irdenen Topf zu machen, der das Feuer ertragen konnte.

Ich konnte kaum die Zeit erwarten, daß mein Geschirr kalt geworden war und ich einen der Töpfe, halb mit Wasser gefüllt, wieder an das Feuer setzen und Fleisch darin kochen konnte, was ausgezeichnet gelang. Von einem Stück Fleisch einer jungen Ziege bereitete ich mir eine sehr gute Brühe, hatte aber freilich weder Hafermehl noch sonstige Zutaten, um sie so schmackhaft zu machen, wie ich sie wohl gerne gehabt hätte.

Meine Gedanken richteten sich nun zunächst auf einen steinernen Mörser und wie ich mir den verschaffen könnte, um das Korn darin zu zerstampfen. Denn daß mein einziges Paar Hände es bis zum Kunstwerk einer Mühle bringen werde, daran war nicht zu denken. Für diese aber einen Ersatz zu finden machte mir nicht geringe Schwierigkeit. Unter allen Handwerken der Welt war ich zu dem der Steinhauerei am wenigsten ausgerüstet. Es fehlten mir nicht weniger als alle Werkzeuge, um die Sache in Angriff zu nehmen. Manchen Tag wandte ich daran, einen Stein ausfindig zu machen, der groß genug zum Aushöhlen und zur Umgestaltung in einen Mörser wäre; aber ich fand durchaus nur solche, die in dem Felsen festsaßen und die ich auf keinerlei Weise ausgraben oder ausschneiden konnte. Auch waren die Felsen auf der Insel an sich nicht von hinreichender Härte. Sie bestanden vielmehr alle aus einer sandigen, bröckeligen Steinart, die weder die Wucht einer schweren Keule aushalten konnte noch geeignet war, das Korn darin, ohne es mit Sand zu vermengen, klein zu stoßen. Nachdem ich sehr viel Zeit mit dem Suchen verloren hatte, gab ich es auf und beschloß, mich nach einem harten Holzklotz umzusehen, den ich auch in der Tat viel leichter fand.

Als ich einen, den ich fortzubewegen vermochte, ausgesucht hatte, rundete ich ihn ab und formte ihn an der Außenseite mit Axt und Hacke. Dann arbeitete ich mit unendlicher Mühe durch Feuer eine Höhlung hinein, wie die Indianer in Brasilien ihre Boote auszuhöhlen pflegen. Hierauf fertigte ich mir eine große schwere Keule oder richtiger einen Schlegel von dem schon genannten Eisenholz an und verwahrte beides für die Zeit nach meiner nächsten Ernte, wo ich das Korn zu mahlen oder vielmehr es zu Mehl zu stoßen und dann Brot daraus zu backen gedachte.

Die nächste schwere Aufgabe bestand in der Beschaffung eines Siebes oder Beutels, um das Korn darin zu reinigen und es von den Hülsen zu befreien. Denn ohne einen solchen Gegenstand Brot herzustellen, hielt ich für unmöglich, wagte aber auch kaum auf ein Gelingen dieses Unternehmens zu hoffen. Ich hatte nicht das mindeste, womit es allenfalls zu bewerkstelligen gewesen wäre, zum Beispiel Gaze oder ähnliches feines, dünnes Zeug. Mehrere Monate hindurch wußte ich nicht, wie ich die Sache angreifen sollte, besonders deshalb, weil, was ich noch an Leinwand besaß, aus bloßen Lumpen bestand. Zwar hatte ich Ziegenhaare, aber ich wußte weder, wie man sie spinnen oder weben sollte, und hätte ich es auch verstanden, so fehlte mir doch jedes nötige Werkzeug dazu. Endlich fiel mir als einziges Mittel ein, daß sich unter den Matrosenkleidungsstücken, die ich aus dem Schiff gerettet hatte, auch einige Halstücher von Schirting oder Musselin befanden. Aus diesen verfertigte ich dann drei kleine Beutel oder Säckchen, die ihren Zweck leidlich erfüllten, und behalf mich damit mehrere Jahre hindurch. Wie ich es später anfing, werde ich zu gegebener Zeit berichten.

Nun mußte auch die Art des Backens selbst überlegt werden und wie ich es anstellen sollte, Brot zu bekommen, wenn ich erst das Korn hatte.

Erstens nämlich fehlte mir die Hefe; da es für diesen Mangel absolut keine Abhilfe gab, so machte ich mir darüber auch weiter kein Kopfzerbrechen. Aber auch um einen Ofen war ich sehr verlegen. Endlich verfiel ich auf folgenden Ausweg: Ich verfertigte einige sehr breite, aber flache irdene Gefäße, etwa zwei Fuß im Durchmesser und nicht mehr als neun Zoll hoch. Diese brannte ich im Feuer, wie ich es mit den anderen gemacht hatte, und stellte sie vorläufig beiseite. Als ich dann später ans Backen ging, zündete ich ein großes Feuer auf einem Herde an, den ich mit einigen viereckigen Ziegeln, gleichfalls aus eigener Fabrik, gebaut hatte, und bedeckte, sobald das Brennholz ziemlich zu Asche oder zu glühenden Kohlen verbrannt war, damit den Herd gänzlich und ließ sie da liegen, bis die Platte ganz heiß war. Dann fegte ich alle Asche ab und legte die Brote darauf, stülpte die irdenen Schüsseln darüber und häufte dann die Asche wieder von außen darum, um so die Hitze zusammenzuhalten und zu verstärken. Auf diese Weise buk ich mein Gerstenbrot so gut wie in dem besten Backofen der Welt und bildete mich nebenbei in ganz kurzer Zeit auch zum Konditor aus. Ich bereitete mir nämlich auch verschiedene Kuchen und Puddings aus Reis. Freilich Pasteten zu backen mußte ich bleibenlassen, da ich ja doch nichts gehabt hätte, um sie zu füllen, außer etwa Vögel und Ziegenfleisch.

Es ist wohl nicht wunderzunehmen, daß über all diese Dinge der größte Teil des dritten Jahres meines Aufenthalts verstrich, besonders wenn man bedenkt, daß ich zwischendurch auch meine erste Ernte und die Bestellung des Feldes zu besorgen hatte. Ich schnitt mein Korn zur rechten Zeit, brachte es so gut ich konnte ein und bewahrte es in den Ähren in meinen großen Körben auf, bis ich Zeit fand, es auszureiben. Ich hatte ja weder Tenne noch Flegel, um es regelrecht dreschen zu können.

Da jetzt meine Kornvorräte zuzunehmen begannen, wurde es

nötig, auch die Scheunen größer zu bauen. Ich brauchte einen besonderen Raum, um meinen Vorrat aufzuheben, denn das Korn hatte sich in dem Maße vervielfältigt, daß ich ungefähr zwanzig Scheffel Gerste und ebensoviel oder mehr Reis besaß. Von nun an beschloß ich, aus dem vollen damit zu wirtschaften, besonders da mein Brot jetzt schon seit einer ganzen Weile völlig aufgezehrt war. Ich nahm mir vor, darauf zu achten, wieviel ich in einem Jahre verbrauchen würde, um nur einmal jährlich säen zu müssen. Da sich hierbei ergab, daß die vierzig Scheffel Gerste und Reis viel mehr waren, als ich in einem Jahre verzehren konnte, beschloß ich, alle Jahre dieselbe Menge wie das letztemal zu säen, in der Hoffnung, daß dies hinreichen würde, mich reichlich mit Brot und dergleichen zu versorgen.

Vierzehntes Kapitel

Robinson macht sich ein Boot, einen Anzug, eine Mütze und einen Schirm und fügt sich in sein Schicksal

Während der ganzen Zeit, in der diese Angelegenheiten mich beschäftigten, schweiften, wie man sich denken kann, meine Gedanken auch oftmals nach dem fernen Lande hinüber, das ich von der andern Seite der Insel entdeckt hatte. Ich wünschte im stillen an jener Küste zu sein, die ich für festes Land und für eine bewohnte Gegend hielt und von wo aus ich mich auf eine oder die andere Art weiterzubefördern und vielleicht endlich Mittel und Wege zur Flucht zu finden hoffte. An die Gefahren, die mir dabei drohen würden, dachte ich gar nicht. Wie leicht hätte ich den Wilden in die Hände fallen können, und zwar solchen, die ich Ursache hatte für schlimmer zu halten als die Löwen und Tiger in Afrika. Wäre ich einmal in ihre Gewalt geraten, dann war tausend gegen eins zu wetten, daß sie mich töten, vielleicht gar auffressen würden; denn ich hatte gehört, daß die Bewohner der karibischen Küste Kannibalen oder Menschenfresser waren, und nach meiner Berechnung der Breitengrade wußte ich mich nicht weit von dieser Küste entfernt. Aber auch wenn keine Kannibalen dort lebten, mußte ich doch annehmen, daß mich die Bewohner jener Gegend wahrscheinlich töten würden. Hatten sie es doch mit vielen Europäern, die in ihre Hände gefallen, so gemacht, sogar wenn diese in Menge zusammen gewesen waren. Um wieviel mehr drohte das mir einzelnem, der ich mich wenig oder gar nicht verteidigen konnte. Alle diese ernstlich zu erwägenden Bedenken, die später auch wirklich in meiner Seele auftauchten, flößten mir anfangs gar keine Besorgnis ein, und mein Sinn stand sehnsüchtig danach, auf das andere Ufer hinüberzugelangen.

Wie sehr wünschte ich jetzt meinen Knaben Xury und das Langboot mit dem Gieksegel herbei, in dem ich über tausend Meilen an der afrikanischen Küste entlanggefahren war. Doch das blieb eine vergebliche Sehnsucht. Da kam mir eines Tages der Einfall, mich einmal wieder nach dem Boot von unserem Schiffe umzusehen, das, wie ich seinerzeit erzählt habe, vom Sturm weit auf das Ufer hinaufgetrieben war, als wir Schiffbruch erlitten hatten. Es befand sich auch noch beinahe an derselben Stelle, aber nicht ganz in der früheren Lage; die Gewalt von Wind und Wellen hatte es fast völlig umgekehrt und gegen einen hohen, sandigen Uferrand getrieben, wo es, mit dem Boden nach oben gewandt, aber nicht mehr wie anfangs von Wasser umgeben, lag. Wenn ich Arbeitskräfte genug gehabt hätte, um es wieder instand zu setzen und es flottzumachen, so würde das Boot noch ganz brauchbar gewesen sein, und es wäre mir dann ein leichtes gewesen, darin nach Brasilien zurückzukehren. Obgleich ich nun hätte voraussehen können, daß ich ebensogut die Insel selbst fortzubewegen vermocht hätte, als das Boot aufzurichten und auf seinen Bauch zu stellen, so ging ich dennoch in den Wald, schnitt Hebebäume und Rollen und brachte sie an das Boot, um zu versuchen, was ich ausrichten könnte. Dabei meinte ich, wenn ich es nur umkehren könnte, sei der Schaden, den es erlitten, nicht schwer auszubessern, und ich würde dann leicht damit in See gehen können.

Ich sparte keine Mühe an diesem fruchtlosen Stück Arbeit und verwendete, glaube ich, vier bis fünf Wochen darauf. Als ich es endlich unmöglich fand, das Boot mit meinen geringen Kräften zu heben, verfiel ich darauf, den Sand wegzuschaufeln, um es zu unterminieren und dadurch zu Fall zu bringen, und stellte Holzklötze auf, um es zu stützen und seinem Fall die nötige Richtung zu geben.

Nachdem ich aber damit zustande gekommen war, zeigte es sich mir unmöglich, das Fahrzeug wieder aufzurichten oder darunter zu gelangen, und viel weniger noch, es vorwärts nach dem Wasser hin zu bewegen. So sah ich mich denn gezwungen, die Sache aufzugeben. Trotzdem aber so die Hoffnung, die ich auf das Boot gesetzt hatte, vereitelt war, stieg mein Verlangen, mich auf das Meer zu wagen, je mehr die Möglichkeit dazu verschwand, statt daß es sich minderte. Mit der Zeit kam ich auf den Gedanken, ob es nicht möglich sei, mir selbst ein Kanu oder eine Piroge zu fertigen, wie sie die Eingeborenen jener Gegenden ohne Werkzeuge, ja, ich möchte fast sagen, ohne alle Arbeit aus großen Baumstämmen machen. Es schien mir das bei genauerer Überlegung nicht nur möglich, sondern sogar leicht, und ich freute mich sehr darauf, den Plan auszuführen.

Hatte ich doch dazu weit mehr Hilfsmittel als die Neger oder Indianer. Dabei bedachte ich aber ganz und gar nicht den besonderen Umstand, mit dem ich zu kämpfen haben würde, den Mangel an Kräften nämlich zum Transport des fertigen Kanus ins Wasser. Das mußte mir viel größere Schwierigkeiten machen als der Mangel an Werkzeugen den Indianern. Denn was nützte es mir, wenn ich, nachdem ich im Walde einen dicken Baum ausgesucht und mit vieler Mühe gefällt, ihn hierauf mit Hilfe meines Handwerkzeugs behauen und ihm an der Außenseite die richtige Form gegeben, ihn auch inwendig ausgehöhlt und so in ein Boot verwandelt hatte, dieses nach aller Mühe an seiner Stelle liegenlassen mußte und nicht imstande war, es flottzumachen! Bevor ich das Boot zu bearbeiten anfing, hatte ich nicht im mindesten darüber nachgedacht; denn sonst hätte sich mir ja sofort die Frage aufgedrängt, wie ich es ins Meer schaffen solle. Nein, meine Gedanken waren so eingenommen von der beabsichtigten Seereise, daß ich nicht einen Augenblick überlegte, in welcher Weise ich das Ding vom Lande wegbekommen könnte. Und doch lag es in der Natur der Sache, daß es mir leichter sein mußte, das Boot fünfundvierzig Meilen weit im Wasser als auch nur ebensoviel Schritte auf dem Land, nämlich von der Stelle aus, wo es lag, bis ans Ufer fortzubringen. Ich machte mich an die Anfertigung meines Fahrzeugs in so wahnwitzigem Eifer, als ob mir mein bißchen Menschenverstand abhanden gekommen wäre. Aber ich schnitt diese Frage ein für allemal durch die alberne Antwort ab: ‚Mache nur erst das Boot fertig, das übrige wird sich dann finden.‘ So begann ich denn in leichtsinniger Hast mein Werk. Zunächst fällte ich eine Zeder. Es ist sehr fraglich, ob Salomon zum Bau des Tempels in Jerusalem einen so prachtvollen Stamm, wie der meinige war, zu verwenden gehabt hat. Dieser maß an seinem untern Ende, dicht an der Wurzel, fünf Fuß, zehn Zoll im Durchmesser und zweiundzwanzig Fuß, weiter nach oben immer noch vier Fuß, elf Zoll; am oberen, noch mehr verjüngten Teil gliederte er sich in Äste. Mit unbeschreiblicher Mühe hatte ich diesen Baum umgehauen; zwanzig Tage lang hieb und hackte ich dann an ihm herum, und vierzehn weitere Tage erforderte das Beseitigen der Äste und Zweige und der ganzen ungeheuren Krone, was ich mit Axt und Beil bewerkstelligte. Dann verwendete ich einen ganzen Monat darauf, ihn so zu behauen, daß er Form und richtige Verhältnisse annahm und eine Art von Kiel bekam, damit er aufrecht, wie es sich gehört, schwimmen konnte. Weitere drei Monate kostete es mich, das Innere zu höhlen und zu einem richtigen Boote auszuarbeiten. Dies letztere brachte ich ohne Feuer, lediglich mit Hammer und Meißel, wenn auch nur mit großer Mühe zustande, und so hatte ich denn endlich eine sehr hübsche Piroge fertiggebracht, die sechsundzwanzig Personen fassen konnte, also auch hinlänglich groß genug war, mich und mein Hab und Gut aufzunehmen.

Als das Werk vollendet dastand, freute ich mich außerordentlich darüber. Das Boot war viel größer, als ich je ein aus einem Baumstamm gefertigtes Kanu gesehen hatte, und manchen sauren Hieb hatte es mich gekostet, das kann ich versichern. Hätte ich es nun auch in das Wasser zu schaffen vermocht, so bezweifle ich gar nicht, daß ich die wahnsinnigste und unausführbarste Reise, die je unternommen worden, darin angetreten hätte. Alle meine Versuche aber, es an das Wasser zu bringen, schlugen fehl, obgleich ich auch hierauf Mühe genug verwendete. Das Boot lag nur etwa hundert Schritte vom Ufer entfernt, aber gleich die erste Schwierigkeit bestand darin, daß die Insel nach der Flußmündung hin eine Anhöhe bildete. Um dies Hindernis zu beseitigen, entschloß ich mich, die Erde abzugraben und auf solche Weise einen Abhang herzustellen. Ich begann die unendlich mühselige Arbeit mit Feuereifer. Wer läßt sich auch eine Mühe verdrießen, wenn die Freiheit damit zu erwerben steht! Als jedoch diese Aufgabe gelöst und die erste Schwierigkeit behoben war, befand ich mich um nichts weiter als vorher, denn ich konnte jetzt mein Kanu ebensowenig von der Stelle bewegen wie früher das Boot. Nun maß ich die Entfernung aus und beschloß, einen Kanal zu graben, um, da ich mein Boot nicht nach dem Wasser zu schaffen vermochte, das Wasser nach dem Boote hinzuleiten. Auch dieses Werk fing ich mutig an, jedoch als ich näher darüber nachdachte und ausrechnete, wie tief und breit ich graben mußte, und wie ich die ausgegrabene Erde fortschaffen sollte, fand ich, daß ich mit den beiden, mir einzig zu Gebot stehenden Händen zehn bis zwölf Jahre nötig haben würde, ehe ich damit fertig sein könnte. Denn die Küste lag so hoch, daß der Kanal am oberen Ende wenigstens zwanzig Fuß tief werden mußte. Endlich, wenn auch mit großem Widerstreben, gab ich den Versuch auf.

Ich war herzlich bekümmert darüber, und jetzt erst sah ich ein, wie töricht es ist, ein Werk zu beginnen, ehe man die Kosten veranschlagt und seine Fähigkeit, es durchzuführen, gehörig geprüft hat.

Mitten in diesen Arbeiten ging das vierte Jahr meines Aufenthalts auf der Insel zu Ende. Ich feierte den Jahrestag mit derselben Andacht und gleicher Sammlung des Gemüts wie die früheren Male. Denn durch fortwährendes Studium und ernstliches Forschen in Gottes Wort und mit Hilfe seiner Gnade war ich zu einer viel tieferen religiösen Kenntnis als früher gelangt. Ich sah jetzt alle Dinge anders als sonst. Die Welt betrachtete ich jetzt als etwas mir Fernliegendes, das mich nichts anging, davon ich nichts zu erwarten hatte und wonach mich nicht verlangte. Ich hatte jetzt nichts mehr mit ihr zu schaffen, noch war es wahrscheinlich, daß ich es je wieder haben würde. Darum stellte ich sie mir vor, wie wir es vielleicht im Jenseits tun werden, als einen Ort, an dem wir gelebt, den wir aber verlassen haben, und wohl konnte ich sagen wie der Erzvater Abraham zum reichen Manne: „Zwischen mir und Euch ist eine große Kluft aufgetan."

Vor allen Dingen war ich hier abgesondert von aller Bosheit der Welt. Für mich gab es weder Fleischeslust noch Augenlust, noch Eitelkeit des Lebens. Ich begehrte nichts, denn ich besaß alles, was ich genießen konnte.

Ich war Herr der ganzen Insel; wenn es mir beliebte, konnte ich mich König oder Kaiser des Landes nennen, das ich in Besitz genommen hatte. Es gab keinen Rivalen, keinen Prätendenten neben mir, keinen, der meine Herrschaft angefochten oder geteilt hätte. Ich hätte ganze Schiffsladungen voll Korn produzieren können, aber ich vermochte sie nicht nutzbar zu machen, und darum säte ich nur ebensoviel aus, als mein eigener Bedarf erforderte. Auch Wasser- und Landschildkröten hatte ich in Menge, aber mehr als von Zeit zu Zeit eine einzige konnte ich nicht verwenden. Ich besaß Bauholz genug, um eine ganze Flotte von Schiffen damit zu bauen, und Trauben genug, um mit ihnen diese Flotte, sei es als Wein, sei es als Rosinen, befrachten zu können. Jedoch was half mir das, was ich nicht nützen konnte? Ich hatte genug zu essen, um meine Lebensbedürfnisse zu befriedigen, was sollte ich mit dem übrigen machen? Wenn ich mehr Tiere tötete, als ich verzehren konnte, so mußte das Fleisch von dem Hund oder den Würmern gefressen werden. Säte ich mehr Korn, als ich gebrauchen konnte, so verdarb es; die Bäume, die ich fällte, blieben liegen und verfaulten; ich konnte sie zu nichts anderem als zu Brennholz verwenden, und auch das brauchte ich nur, um meine Speisen zu bereiten.

Kurz, Natur und Erfahrung lehrten mich bei genauer Betrachtung, daß alle guten Dinge dieser Welt nicht mehr Wert für uns haben, als insoweit wir sie gebrauchen können. Wieviel wir auch immer anhäufen mögen, um es anderen zu geben, wir genießen nur geradesoviel, als wir selbst nötig haben und nicht mehr. Der habgierigste, gewinnsüchtigste Geizhals in der Welt würde vom Laster der Begehrlichkeit geheilt worden sein, wenn er an meiner Stelle gewesen wäre; denn ich besaß ja unendlich viel mehr, als ich je verwenden konnte. Es blieb mir nichts zu wünschen übrig, außer einigen Kleinigkeiten, die mir allerdings sehr willkommen gewesen wären. Ich war, wie ich früher erwähnt habe, im Besitz eines Beutels voll Geld, das aus Silber und Gold ungefähr im Wert von sechsunddreißig Pfund Sterling bestand. Aber du lieber Gott, da lag nun das schlechte, erbärmliche, unnütze Zeug; ich hatte keinerlei Art Verwendung dafür, und oft dachte ich bei mir, wie gern ich eine Handvoll davon für eine Anzahl Tabakspfeifen oder für eine Handmühle, um mein Korn damit zu mahlen, geben würde. Ja, das Ganze hätte ich mit Freuden hingegeben für ein wenig englischen Runkel- oder Mohrrübensamen oder für ein Häuflein Erbsen und Bohnen oder eine Flasche voll Tinte.

Wie jetzt die Sachen standen, hatte ich nicht den geringsten Vorteil oder Gewinn von jenem Mammon. Er lag im Kasten und verrostete durch die Feuchtigkeit der Höhle in der nassen Jahreszeit. Und hätte ich den Kasten voller Diamanten gehabt, so wäre es nicht anders gewesen; sie hätten keinen Wert für mich gehabt, weil ich sie nicht brauchen konnte.

Mit der Zeit war mein Leben viel freudiger geworden als im Anfange, sowohl das leibliche wie das geistige. Ich setzte mich oftmals mit Dankbarkeit zu Tisch und bewunderte die göttliche Vorsehung, die mir so den Tisch in der Wüste gedeckt hatte. Ich lernte mehr die Lichtseite meiner Lage ansehen und weniger bei der Schattenseite verweilen, und das gewährte mir zuweilen so viel innere Freude, daß ich es gar nicht auszudrücken vermag. Diesen Umstand erwähne ich hier, um ihn unzufriedenen Leuten einzuprägen, die nicht behaglich genießen können, was Gott ihnen beschert hat, weil sie immer Dinge ansehen und begehren, die er ihnen versagt hat. Alle Unzufriedenheit über das, was uns fehlt, scheint mir aus unserm Mangel an Dankbarkeit für das, was wir haben, zu entspringen.

Noch eine andere Betrachtung war mir von großem Nutzen und würde das unzweifelhaft einem jeden sein, der in solche Trübsale wie die meinigen geraten ist. Ich verglich oft meinen jetzigen Zustand mit den Erwartungen, die ich anfangs davon gehegt hatte, oder vielmehr mit der Lage, in die ich unfehlbar geraten wäre, wenn nicht Gottes gütige Vorsehung es wunderbar gefügt hätte, daß das Schiff so nahe an meine Küste angetrieben wurde, wo ich es nicht nur hatte erreichen können, sondern auch alles, was ich daraus mitnehmen wollte, zu meiner Erleichterung und Bequemlichkeit sicher ans Land zu bringen vermocht hatte. Denn ohne dies hätte es mir ja an jedem Handwerkszeug zu meinen Arbeiten gefehlt, an jeder Waffe zu meiner Verteidigung und an Pulver und Blei, um mir Nahrung zu verschaffen.

Ganze Stunden, ich möchte sagen, ganze Tage verwendete ich darauf, mir in den lebhaftesten Farben auszumalen, was ich angefangen hätte, wenn ich nichts aus dem Schiffe gerettet hätte. Nichts als Fische und Schildkröten wären in diesem Falle zu meiner Nahrung vorhanden gewesen, und da ich diese erst nach längerer Zeit auffand, hätte ich wahrscheinlich schon früher verhungern oder, wäre das auch nicht geschehen, doch stets wie ein Wilder leben müssen. Wenn es mir zum Beispiel gelungen wäre, durch List eine Ziege oder einen Vogel zu töten, so hätte ich ja nicht gewußt, wie ich das Tier hätte aufschneiden oder abhäuten oder das Fleisch von dem Fell und den Eingeweiden trennen oder es zerlegen sollen. Es wäre mir nichts anderes übriggeblieben, als es mit den Zähnen zu zernagen und mit den Nägeln zu zerreißen wie ein wildes Tier.

Solche Erwägungen machten mich sehr erkenntlich für die Güte der Vorsehung und sehr dankbar in meiner gegenwärtigen Lage trotz all ihren Entbehrungen und all ihren Mißlichkeiten. Ich möchte das auch besonders denjenigen zur Nachahmung empfehlen, die geneigt sind, in ihrem Elend zu sagen: „Gibt es denn noch andere Leiden, die so groß sind wie die meinigen?" Mögen sie einsehen, wieviel schlimmer es oft andere haben und sie selbst es haben könnten, wenn der

Himmel es für gut befunden hätte. Wieder ein anderer Gedanke, der auch dazu beitrug, mein Herz mit Trost zu erfüllen, war der, daß ich meine Lage mit jener verglich, die ich verdient hatte und in die von der Hand Gottes versetzt zu werden ich sonach hätte erwarten müssen. Ich hatte ein schreckliches Leben geführt, völlig ohne Gotterkenntnis und ohne Gottesfurcht. Von Vater und Mutter war ich zwar gut unterwiesen worden, auch hatten sie nicht unterlassen, mir schon frühzeitig eine heilige Scheu vor Gott und einen Begriff von meinen Pflichten und von dem, was der Zweck meines Daseins von mir forderte, beizubringen. Aber, ach, ich war so früh in das Leben und Treiben der Seeleute geraten, das ja vor allen anderen gottlos zu sein pflegte (obgleich ja der Seemann gerade immerfort die Allmacht Gottes in den Schrecken der Natur unmittelbar vor Augen hat), daß das bißchen Religion, was ich bisher noch gehabt hatte, von meinen Genossen vollends aus mir herausgelacht wurde. Dazu hatte sich die mir zur Gewohnheit gewordene Verachtung der Gefahr und des Todes gesellt und später der gänzliche Mangel an Gelegenheit, mit irgendeinem anderen Wesen meinesgleichen zu verkehren und irgend etwas Gutes oder zum Guten Führendes zu hören.

So weit entfernt von allem Guten war ich gewesen, so ohne jeden Begriff von dem, was ich war und was ich sein sollte, daß ich bei den wunderbarsten Errettungen, die ich erfahren, wie zum Beispiel bei meiner Flucht von Saleh, bei meiner Aufnahme auf dem portugiesischen Schiff, bei dem Gelingen meiner Unternehmungen in Brasilien, bei dem Eintreffen meiner Ladung aus England und so weiter, nicht ein einziges Mal ein „Gott sei Dank" auch nur gedacht, geschweige denn ausgesprochen hatte. Auch in der allergrößten Not war es mir nie eingefallen, ihn anzurufen oder auch nur zu sagen: „Herr, erbarme dich meiner!" Nein, nicht einmal den Namen Gottes hatte ich in den Mund genommen, es sei denn, um dabei zu fluchen oder ihn zu lästern.

Viele Monate hindurch war meine Seele schwer bekümmert gewesen, wenn ich über mein früheres böses und verstocktes Leben nachgedacht, wenn ich um mich geblickt und die besondere Fügung betrachtet hatte, die seit meiner Ankunft an diesem Ort über mir waltete, und wenn ich erwog, wie reich mich Gott mit Wohltaten überschüttet hatte. Hatte er mich doch nicht nur gelinder gestraft, als meine Sünden verdienten, sondern auch noch überreichlich für mich gesorgt. Dieser Umstand bestärkte mich auch in der Hoffnung, daß meine Reue angenommen sei und daß Gott mir Gnade geschenkt habe. Solche Betrachtungen führten mich nicht allein zu einer völligen Ergebung in den Willen Gottes und alle seine Schickungen, sondern sogar zu einer aufrichtigen Dankbarkeit für meine gegenwärtige Lage. Ich erkannte nun klar, daß ich mich nicht beklagen durfte, da mir ja das Leben geschenkt und ich nicht einmal nach Verhältnis meiner Sünden gestraft worden sei, daß ich so viele Wohltaten genieße, die ich an diesem Orte nicht erwarten durfte. Ich sagte mir, ich müsse allen Kummer fahrenlassen und mich vielmehr freuen und alle Tage für mein täglich Brot danken, das mir nur durch eine Menge von Wundern bereitet werden konnte. War denn nicht das Wunder, durch das ich gesättigt wurde, ebenso groß wie das, durch das Elias von den Raben gespeist ward; ja gehörte zu jenem nicht vielmehr eine ganze Reihenfolge von Wundern. Gab es im ganzen Bereich der unbewohnten Erde einen Ort, wo ich besser aufgehoben wäre als auf meiner Insel, wo ich zwar — und das war allerdings ein rechter Kummer — keine menschliche Gesellschaft, aber auch keine reißenden Tiere, keine gierigen Wölfe und Tiger gefunden, keine ungesunden oder giftigen Gewächse, deren Genuß mir schädlich werden konnte, keine Wilden, die mich umgebracht hätten, angetroffen hatte. Wie ich hier einerseits ein Leben des Elends führte, so war es andererseits doch auch wieder ein Leben der Gnade. Um es zu einem ganz glücklichen Leben zu machen, brauchte ich mich nur täglich durch die Erkenntnis der Güte Gottes und seiner Fürsorge für meine Bedürfnisse trösten zu lassen. Aber wirklich hörte ich, als ich in dieser Umgebung erst einige Fortschritte gemacht hatte, auf, traurig zu sein.

Während der langen Zeit, die ich jetzt schon auf der Insel weilte, waren viele von den Sachen, die ich zu meinem Gebrauch mit ans Land genommen hatte, entweder ganz oder wenigstens zum größten Teil aufgebraucht.

Meine Tinte hatte, wie ich früher bemerkte, schon seit einiger Zeit bis auf einen kleinen Rest, den ich nach und nach immer mehr mit Wasser verdünnte, bis man auf dem Papier kaum noch einen Schein von Schwärze wahrnehmen konnte, abgenommen. Solange sie vorhielt, benutzte ich sie, um die Tage des Monats, an denen mir irgend etwas Bemerkenswertes begegnete, aufzuzeichnen. Als ich diese Daten mit meiner Vergangenheit verglich, bemerkte ich ein merkwürdiges Zusammentreffen der Tage hinsichtlich der verschiedenen Schicksale, die mich betroffen hatten. Wäre ich zu abergläubischer Beobachtung besonderer glück- oder unglückbringender Tage geneigt gewesen, so hätte sich hier Anlaß zu großer Verstärkung dieser Neigung geboten. Zuerst hatte ich ausgerechnet, daß ich an demselben Monatstage, an dem ich meinem Vater und meinen Verwandten durchgegangen und nach Hull entlaufen war, um mich dort einzuschiffen, später von dem türkischen Piratenschiff gefangen und zum Sklaven gemacht worden war, und so hatte mein Leben der Sünde und mein Leben der Einsamkeit an einem Tage seinen Anfang genommen.

Das zweite, was außer der Tinte zu Ende ging, war mein Brot. Ich meine die Schiffszwiebäcke, die ich aus dem Schiffe gerettet hatte. Mit diesen hatte ich auf das allersparsamste gewirtschaftet und mir über ein Jahr lang nur einen Zwieback täglich gestattet. Trotzdem mußte ich mich noch beinahe ein Jahr ohne Brot behelfen, bis ich solches aus selbstgebautem Korn bekam.

Auch meine Kleidungsstücke fingen mächtig an, in die Brüche zu gehen. Von Wäsche besaß ich schon seit einer ganzen Weile nichts als eine Anzahl gemusterter Hemden, die ich in den Kästen meiner Schiffsgenossen gefunden und sorgsam geschont hatte. Da ich oft wegen der Hitze nichts weiter als ein Hemd auf dem Leibe haben konnte, kam es mir sehr zustatten, daß ich unter den Sachen der Schiffsmannschaft beinahe drei Dutzend Hemden vorgefunden hatte. Auch einige dicke Wachtröcke der Matrosen waren noch vorhanden, aber die waren zu warm, um sie hier zu tragen. Allerdings glühte die Sonne oft so heiß, daß man meinen sollte, ich hätte überhaupt keine Kleidung nötig gehabt. Jedoch hätte ich nicht ganz nackend gehen können, selbst wenn ich es gewollt hätte. Abgesehen davon, daß mir der Gedanke daran, obgleich ich allein lebte, unerträglich war, bestand auch noch der andere Grund, daß ich die Sonnenhitze viel besser ertragen konnte, wenn ich etwas angezogen hatte. Die unmittelbare Hitze brannte mir die Haut wund, wenn ich hingegen ein Hemd trug, so brachte die Luft selbst einige Bewegung darunter hervor, und mir war somit mit dem Hemd noch einmal so kühl als ohne

dasselbe. Ebensowenig durfte ich jemals wagen, ohne Hut oder Mütze in die Sonnenhitze hinauszugehen, denn diese brannte mit solcher Heftigkeit, daß sie mir sofort Kopfschmerzen verursachte, wenn sie mir direkt auf den Kopf schien. Dagegen verschwanden die Schmerzen gleich wieder, sobald ich meinen Hut aufsetzte.

Unter diesen Umständen hielt ich es für nötig, die wenigen Lumpen, welche ich Kleider nannte, einigermaßen wieder instand zu setzen. Meine Westen hatte ich alle aufgetragen, daher beschloß ich zu versuchen, ob ich nicht aus den dicken Überröcken und aus dem, was ich sonst noch an Material besaß, mir Jacken anfertigen könnte. So machte ich mich nun ans Schneidern oder vielmehr ans Verpfuschen, denn ich brachte eine schreckliche Arbeit zustande. Dennoch gelangen mir drei neue Westen ganz ordentlich, und ich hoffte damit eine geraume Weile auszukommen. Was dagegen die Beinkleider betraf, so mußte ich mich damit vorderhand auf das allerdürftigste behelfen.

Ich habe früher erwähnt, daß ich die Felle aller vierfüßigen Tiere aufzubewahren pflegte. Ich hatte sie an Stangen aufgespannt in die Sonne gestellt. Hierdurch waren einige so trocken und hart geworden, daß sie nur wenig zu gebrauchen waren, andere aber schienen verwendbar zu sein. Das erste, was ich mir daraus machte, war eine große Mütze. Ich kehrte die rauhe Seite des Felles nach außen zum Schutz gegen den Regen, und das Ding gelang mir so gut, daß ich mir später einen ganzen Anzug aus Tierfellen verfertigte, das heißt eine Weste und kurze Hosen. Die letzteren waren an den Knien offen und gehörig weit, denn es kam mir mehr darauf an, kühl als warm gehalten zu werden. Ich darf nicht verschweigen, daß sie sich abscheulich ausnahmen. Denn war ich schon ein schlechter Zimmermann, so war ich doch noch ein schlechterer Schneider. Trotzdem konnte ich mich sehr gut damit behelfen. Ging ich aus und es fing an zu regnen, so ließ die rauhe Außenseite meiner Mütze das Wasser nicht eindringen, und ich blieb darin ganz trocken.

Ferner verwendete ich sehr viel Zeit und Mühe darauf, mir einen Sonnenschirm zu machen. Einen solchen wünschte und brauchte ich in der Tat sehr. In Brasilien hatte ich auch dergleichen fertigen sehen, dort dienen sie zum Schutze gegen die große Hitze, und hier kam mir die Hitze mindestens ebenso groß, wenn nicht größer, vor als dort, und die Insel lag ja auch dem Äquator näher. Da ich genötigt war, viel auszugehen, mußte mir ein Schirm nicht nur gegen die Sonne, sondern auch gegen den Regen von großem Nutzen sein. Ich gab mir die erdenklichste Mühe, und doch dauerte es sehr lange, bis ich ein solches Ding fertiggebracht hatte, das zusammenzuhalten versprach. Nachdem ich schon glaubte, das richtige Verfahren entdeckt zu haben, mißglückten noch zwei oder drei Versuche, bis einer gelang, der mich zufriedenstellte. Die größte Schwierigkeit hatte die Einrichtung, durch die ich das Ding zusammenlegen konnte, gemacht. Denn wenn ich ihn nur aufzuspannen, nicht aber auch zusammenzulegen und einzuziehen vermocht hätte, so würde ich ihn nicht anders als immer über dem Kopfe haben tragen können, und das ging doch nicht. Endlich gelang mir, wie gesagt, ein ziemlich zweckmäßiges Gestell, das ich mit Fellen, die Haare nach außen gewendet, überzog, so daß der Regen wie von einem schrägen Dach ablief. Auch gegen die Sonne gewährte dieser Schirm so hinreichend Schutz, daß ich jetzt in dem heißesten Wetter mit mehr Annehmlichkeit im Freien sein konnte als sonst bei kühlster Temperatur. Hatte ich ihn nicht nötig, so legte ich ihn zusammen und trug ihn unter dem Arme.

So lebte ich nun in der größte Zufriedenheit; meine Seele fand ihre Ruhe in der gänzlichen Ergebung in Gottes Willen, und ich überließ mich unbedingt den Fügungen seiner Vorsehung. Das war besser als menschlicher Umgang für mich, und sooft ich anfing, die Entbehrung eines Gesprächs zu beklagen, fragte ich mich alsbald, ob nicht der Verkehr mit meinen eigenen Gedanken, und sozusagen mit Gott selbst, dem größten Vergnügen, das menschliche Gesellschaft gewähren kann, vorzuziehen sei.

Fünfzehntes Kapitel

Robinsons Rundfahrt um seine Insel

Ich kann nicht sagen, daß in den nächstfolgenden fünf Jahren
irgend etwas Außergewöhnliches vorgefallen wäre. Ich lebte in
derselben Weise, in gleicher Lage und an demselben Orte
wie bisher fort. Abgesehen von der jährlich wiederkehrenden
Arbeit des Anbauens von Gerste und Reis und des Zubereitens
von Rosinen, von denen ich mir immer genug vorrätig hielt,
um für ein Jahr im voraus versorgt zu sein, und abgesehen von
dem täglichen Ausgang mit meiner Flinte, bestand meine
Beschäftigung hauptsächlich im Bau eines zweiten Kanus.
Endlich hatte ich denn auch eines fertiggebracht. Nachdem
ich einen sechs Fuß breiten und vier Fuß tiefen Kanal ge-
graben, gelang es auch, das Kanu fast eine Meile weit den Fluß
hinabzuschaffen. Jenes erste, das so unvernünftig groß geworden war, weil ich nicht vorher überlegt hatte, wie ich es
von der Stelle bewegen sollte, und von dem ich endlich eingesehen, daß ich es weder zum Wasser noch das Wasser zu ihm
bringen konnte, hatte ich liegenlassen müssen, wo es lag, als
eine Mahnung für mich, ein andermal klüger zu sein. Das war
ich denn auch das zweitemal wirklich gewesen.
Wenn ich auch keinen ganz passenden Baum hatte finden
können und keine dem Wasser näher gelegene Stelle als eine
beinahe eine halbe Meile davon entfernte, so hatte ich doch
bald gesehen, daß es diesmal gelingen würde und daß ich das
Unternehmen nicht wieder aufzugeben brauchte. Obgleich ich
fast zwei Jahre darauf verwendete, ließ ich es mich doch keine
Mühe verdrießen, in der Hoffnung, endlich ein Boot zu haben,
in dem ich mich auf die See begeben konnte. Als jedoch mein
kleines Kanu fertig war, fand sich, daß seine Größe durchaus
nicht genügte, um die Absicht, die mir beim ersten vor-
geschwebt hatte, auszuführen; ich meine die Fahrt nach dem
Festlande. Der Meeresarm, der mich von diesem trennte, war
über vierzig Meilen breit, daher machte die Kleinheit des
Fahrzeugs diesen Plan unmöglich, und ich dachte nicht weiter
daran.
Da ich das Boot aber nun einmal hatte, nahm ich mir vor,
darin eine Rundfahrt um die Insel zu unternehmen. Denn als
ich früher zu Lande, wie ich es beschrieben habe, auf der

andern Seite derselben gewesen war, hatten mir die bei dieser
Gelegenheit gemachten Entdeckungen die größte Lust erweckt, auch noch weitere Teile der Küste kennenzulernen.
Deshalb beschäftigte mich jetzt, wo ich im Besitze eines Bootes
war, kein anderer Gedanke, als eine Segelfahrt um die Insel
anzustellen. Zu diesem Zwecke, und um es an keiner Vorsicht
und Überlegung fehlen zu lassen, errichtete ich einen kleinen
Mast in meinem Boote und befestigte daran ein Segel, das ich
aus einem der alten Schiffssegel angefertigt hatte, von denen
ich einen großen Vorrat aufbewahrte.

Als Mast und Segel angebracht waren, probierte ich das Boot
und fand, daß es vortrefflich segelte. Dann brachte ich kleine
Kästen an beiden Enden des Fahrzeuges an, um notwendige
Gerätschaften, Lebensmittel, Schießbedarf und so weiter
darin trocken zu halten und vor dem Regen und dem Wellen-
schaum zu schützen. Ferner schnitt ich eine schmale lange
Höhlung in die innere Seite des Bootes, wohinein ich meine
Flinte legen konnte, und versah sie mit einer Klappe, um das
Gewehr vor der Nässe zu bewahren. Am Heck meines Fahr-
zeugs befestigte ich hierauf meinen Sonnenschirm auf dieselbe

Weise wie den Mast, damit er über meinem Kopfe aufgespannt gleich einem Zelte die Sonnenhitze von mir abhalten sollte.

Zunächst machte ich hin und wieder einen kleinen Ausflug in die See, wagte mich aber niemals weit hinaus und entfernte mich auch nicht sehr von der Flußmündung. Endlich aber beschloß ich, begierig den Umfang meines Reiches kennenzulernen, die Umsegelung zu unternehmen. Demgemäß verproviantierte ich mich für die Reise mit zwei Dutzend meiner Brote oder, richtiger gesagt, Gerstenkuchen, mit einem Topf voll gerösteter Reiskörner, von denen ich häufig zu essen pflegte, ferner mit einer kleinen Flasche Rum und der Hälfte einer erlegten Ziege. Auch Pulver und Blei nahm ich mit, um weitere Ziegen schießen zu können, und versah mich ferner mit zwei von den großen Überröcken, die ich, wie ich vorher erwähnte, aus den Koffern der Seeleute gerettet hatte. Auf einem Überrock wollte ich liegen, mit dem andern gedachte ich mich des Nachts zuzudecken.

Es war am 6. November im sechsten Jahre meiner Herrschaft oder, wenn man will, meiner Gefangenschaft, als ich diese Reise antrat. Diese dehnte sich viel länger aus, als ich erwartet hatte. Obgleich die Insel nicht sehr groß war, entdeckte ich, auf der östlichen Seite angekommen, eine lange Felsenkette, die sich ungefähr zwei Seemeilen weit in das Meer erstreckte und teils über, teils unter dem Wasser fortlief, an deren Ende eine Sandbank, ebenfalls eine halbe Meile lang, trocken zutage lag, so daß ich mich genötigt sah, diese Landspitze in einem weiten Umweg zu umschiffen. Anfangs, als ich diese Entdeckung machte, war ich schon im Begriff, die Unternehmung aufzugeben, da ich nicht wußte, wieweit ich genötigt wäre, in die See hinauszufahren, und ebensowenig, wie ich zurückkommen sollte. Ich ging deshalb vorläufig vor Anker; denn auch eine Art Anker hatte ich mir aus einem zerbrochenen Bootshaken, den ich vom Schiffe mitgebracht, verfertigt. Nachdem ich das Boot so befestigt hatte, nahm ich die Flinte, begab mich ans Land und erstieg einen Hügel, von dem ich eine Übersicht über jene Landzunge zu haben glaubte. Wirklich ermaß ich von dort ihre ganze Ausdehnung und beschloß nun, die Umfahrt zu wagen.

Von dem Hügel, auf dem ich stand, erblickte ich eine starke und wahrhaft reißende Strömung, die von Westen nach Osten verlief und ganz nahe an jene Landspitze herankam. Ich achtete um so mehr darauf, als ich Gefahr davon befürchtete; denn wenn ich in die Strömung geriet, konnte ich durch ihre Gewalt in die See hinausgetrieben werden und vielleicht nicht imstande sein, die Insel wieder zu gewinnen. In der Tat glaube ich, daß, wäre ich nicht vorher auf den Hügel gestiegen, es so gekommen wäre. Eine gleiche Strömung ging nämlich auf der anderen Seite der Insel, nur weiter vom Ufer entfernt, und ferner befand sich dicht an der Küste ein starker Strudel, so daß ich, wenn ich auch die Strömung gemieden hätte, unfehlbar in jenen geraten wäre.

Dort lag ich nun zwei Tage lang. Der Wind blies ziemlich frisch aus Ostsüdost, und da das gerade die der Strömung entgegenlaufende Richtung war, verursachte er eine starke Brandung gegen die Spitze. Es schien mir deshalb gefährlich, mich zu nahe an der Küste zu halten, teils wegen der Brandung, teils, wenn ich mich zu weit davon entfernte, wegen der Strömung.

Am Morgen des dritten Tages war das Meer ruhig. Der Wind hatte sich über Nacht gelegt, und so wagte ich mich denn hinaus. Aber wieder sollte ich ein warnendes Beispiel für unbesonnene und unwissende Seefahrer werden. Denn kaum war ich an der Spitze angelangt und nicht um eines Bootes Länge von der Küste entfernt, als ich mich auch schon in sehr tiefem Wasser und in einer so reißenden Strömung wie an einem Mühlenwehr befand. Mein Boot wurde mit solcher Gewalt fortgerissen, daß ich es trotz aller Anstrengung nicht einmal am Rande des Stromes halten konnte, sondern mich weiter und weiter von dem Strudel, der mir zur Linken blieb, abgetrieben sah. Kein Wind kam mir zu Hilfe, und mit meinem Rudern konnte ich so gut wie nichts ausrichten. Ich fing an, mich für verloren zu halten; denn weil die Strömung auf beiden Seiten der Insel ging, wußte ich, daß ihre Enden sich einige Seemeilen weiter vereinigen mußten, und glaubte deshalb unfehlbar umkommen zu müssen. Indem ich keine Möglichkeit sah, sie zu meiden, hatte ich nur die Aussicht auf den sicheren Tod, und zwar nicht durch das Wasser, denn das war ruhig genug, sondern durch den Hunger.

Allerdings hatte ich eine Schildkröte, die ich am Ufer gefunden und die so groß war, daß ich sie kaum aufzuheben vermochte, in das Boot geworfen. Auch einen großen Krug frischen Wassers besaß ich; aber was half das alles, wenn ich in den weiten Ozean getrieben wurde, wo sicherlich keine Küste, kein Festland und keine Insel im Umkreis von wenigstens tausend Meilen zu finden gewesen wären?

Da erkannte ich nun, wie leicht es für Gottes Vorsehung ist, die elendeste Lage, in der der Mensch sein kann, zu einer noch elenderen zu machen. Ich blickte jetzt nach meiner öden, einsamen Insel zurück als nach dem lieblichsten Ort der Welt, und alle Glückseligkeit, die mein Herz sich wünschte, bestand darin, nur wieder dort sein zu können. Ich streckte meine Hände mit sehnlichstem Verlangen danach aus: „O du glückliche Einöde!" sagte ich. „Soll ich dich nie wiedersehen? Wohin werde ich elendes Geschöpf geraten?" Dann machte ich mir Vorwürfe wegen meines undankbaren Gemütes und meiner früheren Klagen über meine Einsamkeit. Was hätte ich nicht jetzt darum gegeben, wieder dort am Lande zu sein! So sehen wir nie unsere Lage im rechten Licht, bis sie uns durch das Gegenteil erleuchtet wird, noch wissen wir das, was wir besitzen, eher zu schätzen, als bis wir es verloren haben.

Es ist unmöglich, die Bestürzung zu beschreiben, in die ich geriet, als ich mich von meiner geliebten Insel ab und beinahe zwei Seemeilen in den weiten Ozean getrieben sah. Ich verzweifelte völlig daran, jemals wieder mein Eiland zu erreichen. Nichtsdestoweniger jedoch arbeitete ich mich so lange ab, bis meine Kräfte beinahe erschöpft waren, indem ich das Boot soviel als möglich nach Norden, das heißt auf der dem Strudel zunächst liegenden Seite der Strömung, zu halten suchte. Endlich, um Mittag, als die Sonne gerade über meinem Haupte stand, kam es mir vor, als fühlte ich eine leichte Brise von Südsüdost her mir entgegenwehen. Das erleichterte mir das Herz ein wenig, und noch mehr erfreute es mich, als etwa eine halbe Stunde später ein hübscher kleiner Sturm zu sausen anfing. Mittlerweile war ich erschrecklich weit von der Insel weg geraten. Wäre nur die kleinste Wolke oder ein leichter Nebel mir in den Weg gekommen, so hätte es auf eine ganz unerwartete Weise um mich geschehen sein müssen; denn ich hatte keinen Kompaß an Bord und hätte daher nicht gewußt, wie ich nach der Insel zusteuern sollte, sobald sie mir nur ein einziges Mal aus dem Gesicht entschwunden wäre. Aber das Wetter blieb klar. Ich machte mich jetzt daran, meinen Mast wieder aufzurichten und das Segel auszubreiten, und hielt, so gut ich irgend konnte, die Richtung nach Norden, um nur aus der Strömung herauszukommen. Kaum hatte ich Segel und Mast in Ordnung, und kaum fing das Boot an, langsam dahinzugleiten, als ich an der Klarheit des Wassers bemerkte, daß eine Veränderung in der Strömung in der Nähe sein müsse. Denn wo der Strom reißend ging, war das Wasser trübe, wo dagegen das Wasser sich aufhellte, ließ die Stärke der Strömung nach. Gleich darauf bemerkte ich, etwa eine halbe Meile gen Osten, eine Brandung gegen einige Felsen. Die teilten den Strom, wie ich wahrnahm; und wie sein größerer Teil mehr nach Süden abfloß, so wurde der andere von dem Widerstande der Felsen zurückgeschlagen, bildete einen starken Strudel und strömte dann in raschem Fluß wieder nach Nordwesten zurück.

Nur wer weiß, was es heißt, wenn einem, der schon auf der Galgenleiter steht, ein Aufschub der Todesstrafe verkündet wird, oder wie einem zumute ist, der Räuberhänden, die ihm eben den Garaus machen wollten, entrinnt, oder wer sonst je in einer ähnlichen Lage gewesen ist, kann sich einen Begriff von der freudigen Überraschung machen, die ich jetzt erfuhr, und wie froh ich war, mein Boot in diesen Strudel leiten zu können. Da der Wind auch stärker zu wehen begann, breitete ich fröhlich meine Segel gegen ihn aus und lief lustig vor der Brise dahin, von dem starken Strom getragen. Der Strudel brachte mich noch ungefähr eine Seemeile auf meinem Rückwege weiter, direkt nach der Insel hin, jedoch etwa zwei Meilen nördlich von der Strömung, die mich vorher abgetrieben hatte, so daß, als ich mich der Insel näherte, die nördliche Küste derselben vor mir lag, das heißt, das entgegengesetzte Inselende von demjenigen, von dem ich abfuhr.

Ich legte etwas mehr als eine Seemeile mit Hilfe des Strudels zurück und bemerkte dann, daß er aufhörte und mir nicht weiter dienen konnte. Jetzt aber befand ich mich zwischen den beiden anderen großen Strömungen, der südlichen, die mich vom Lande abgetrieben hatte, und der nördlichen, die ungefähr eine Seemeile weiter auf der anderen Seite floß. Hier in der Mitte, im Schutze der Insel, fand ich das Wasser ganz still und nach keiner Seite fließend. Da der Wind mir noch immer günstig wehte, so steuerte ich weiter, direkt auf die Insel los, wenn ich gleich nicht so schnell vorwärts kam wie bisher. Etwa um vier Uhr nachmittags, als ich nur noch ungefähr eine Seemeile vom Lande entfernt war, entdeckte ich, daß die

Felsenspitze, die durch ihren südlichen Vorsprung, an dem sich die Strömung brach, mein Mißgeschick herbeigeführt hatte, noch einen zweiten Strudel nach Norden bildete. Ich fand denselben sehr stark, aber er floß nicht in derselben Richtung, in der mein Kurs ging, nämlich nach Westen, sondern er strömte fast direkt nach Norden. Da sich aber ein frischer Wind erhoben hatte, segelte ich über den Strudel weg, auf Nordwest haltend, und kam in einer Stunde der Insel bis auf etwa eine Meile nahe, wo ich nun im ruhigen Wasser sehr bald landen konnte.

Am Ufer angekommen, fiel ich auf die Knie nieder und dankte Gott für meine Errettung. Nun gab ich jeden Gedanken an ein Entkommen in meinem Boote auf. Ich stärkte mich mit den Nahrungsmitteln, die ich bei mir führte, brachte mein Boot ganz nahe am Ufer in einer kleinen Bucht, die ich dort entdeckt hatte, unter einigen Bäumen in Sicherheit und legte mich hierauf zum Schlafen nieder, denn ich war begreiflicherweise äußerst erschöpft von den Anstrengungen dieser Reise.

Jetzt geriet ich in nicht geringe Verlegenheit durch die Erwägung, welchen Rückweg ich mit meinem Boote einschlagen sollte. Ich war in zu großer Gefahr gewesen und wußte zu gut, was es damit auf sich habe, um daran zu denken, den Weg, den ich gekommen war, auch wieder zurück zu nehmen. Wie es auf der andern Seite aussah (ich meine an der Westküste), wußte ich nicht, hatte auch keine Lust, noch einmal solche Abenteuer zu bestehen. Daher beschloß ich, in westlicher Richtung an der Küste entlangzufahren und zu sehen, ob ich nicht irgendwo eine Bucht fände, wo ich mein Kanu in Sicherheit ankern und von wo ich es später wieder abholen konnte, wenn ich seiner bedurfte. Nach einer Fahrt von ungefähr drei Meilen längs der Küste kam ich denn auch an eine vorzügliche Einfahrt, die anfangs etwa eine Meile breit war, weiter ins Land hinein aber sich verengte, bis sie in einen ganz kleinen Fluß oder Bach auslief. Dort bildete sie einen sehr bequemen Hafen, und mein Boot lag darin wie in einem eigens zu diesem Zweck gebauten Dock. Nachdem ich angelegt und mein Fahrzeug ganz sicher befestigt hatte, ging ich ans Land, um mich umzusehen und auszuspähen, wo ich mich befände.

Hier bemerkte ich bald, daß ich nur ganz wenig über die Gegend hinausgelangt war, die ich schon früher bei Gelegenheit meiner Fußreise nach dieser Küste berührt hatte. Daher nahm ich weiter nichts aus meinem Boote mit als die Flinte und den Sonnenschirm, denn es war furchtbar heiß, und trat meine Wanderung an. Diese stach sehr angenehm von der Reise, die ich soeben beendigt hatte, ab. Am Abend erreichte ich meine alte Laube, wo ich alles so vorfand, wie ich es verlassen. Ich hielt nämlich in ihr immer gute Ordnung, weil ich sie, wie ich schon erwähnt, als meinen Landsitz betrachtete.

Nachdem ich über den Zaun gestiegen, legte ich mich in den Schatten nieder, um meine müden Glieder auszuruhen, und schlief ein. Aber wer, der diese Geschichte liest, kann sich meine Überraschung vorstellen, als ich durch eine Stimme aus dem Schlaf geweckt wurde, die mich wiederholt beim Namen rief: ,,Robin, Robin, Robin Crusoe, armer Robin Crusoe, wo bist du? Wo bist du gewesen?"

Zuerst, da ich wegen meiner großen Ermüdung vom Rudern am Vormittag und von dem weiten Wege am Nachmittag sehr fest eingeschlafen, wurde ich nicht gleich ganz wach, sondern glaubte zwischen Schlafen und Wachen nur zu träumen, daß jemand mit mir spräche. Als aber die Stimme fortfuhr, immerfort und in kläglichem Tone ,,Robin Crusoe, Robin Crusoe" zu wiederholen begann, erwachte ich endlich völlig und war anfangs nicht wenig erschreckt, so daß ich in äußerster Bestürzung in die Höhe fuhr. Jedoch erblickte ich, sobald ich die Augen aufgeschlagen hatte, auch schon meinen Poll, auf der Hecke sitzend, und wußte nun sofort, daß er es gewesen war, der mich angerufen hatte. Gerade in solchen traurig fragenden Ausrufen pflegte ich mit ihm zu sprechen und sie ihm zu lehren. Er hatte sie auch vollkommen gelernt, daß er oft, auf meinem Finger sitzend und seinen Schnabel dicht an mein Gesicht gelegt, ausrief: ,,Armer Robin Crusoe! Wo bist du? Wo bist du gewesen? Wie kommst du hierher?", und dergleichen mehr, was ich ihm beigebracht hatte. Indessen, wenn ich auch jetzt wußte, daß es nur der Papagei war und daß es wirklich niemand anders gewesen sein konnte, dauerte es doch eine ganze Weile, bis ich mich zu fassen vermochte. Es wunderte mich nämlich, daß das Tier hierhergekommen war. Sobald ich mich jedoch völlig überzeugt hatte, daß niemand anders als mein getreuer Poll in meiner Nähe sei, erholte ich mich von meinem Schrecken, streckte meine Hand aus und rief ihn bei seinem Namen. Hierauf kam das zutrauliche Tier angeflogen, setzte sich, wie es gewohnt war, auf meinen Daumen und fuhr fort, zu mir zu sprechen: „Armer Robin Crusoe, wie kommst du hierher? Wo bist du gewesen?", als ob er hoch erfreut wäre, mich wiederzusehen. Ich nahm ihn zu mir und begab mich dann nach Hause. Jetzt hatte ich für eine Zeitlang genug am Seefahren. Die Gefahr, in der ich geschwebt, gab mir für viele Tage Stoff zum stillen Nachdenken. Sehr froh wäre ich gewesen, wenn ich mein Boot wieder auf dieser Seite der Insel gehabt hätte, doch wußte ich nicht, wie ich es anfangen sollte, es herbeizuschaffen. Auf der Ostseite, der entlang ich gefahren war, durfte ich, wie ich wußte, nicht wagen, es zu holen. Mein Herz stockte, und das Blut gerann mir in den Adern, wenn ich nur daran dachte. Wie es auf der andern Seite der Insel aussah, war mir unbekannt. Aber wenn die Strömung mit derselben Gewalt östlich nach der Küste hin sich bewegte, wie sie an der andern Seite davon abtrieb, drohte mir ja dort gleiche Gefahr, mit dem Strome fort- und an der Insel vorbeigerissen zu werden, wie ich vorher davon abgetrieben worden war. Mit diesem Gedanken tröstete ich mich über den zeitweiligen Verlust des Bootes, das allerdings das Werk vieler, monatelanger Arbeit gewesen war und das ich mit so besonders großer Mühe und so bedeutendem Zeitaufwand in das Meer geschafft hatte.

Nachdem ich jenes Verlangen bezwungen hatte, führte ich fast ein Jahr lang ein sehr stilles, zurückgezogenes Leben. In meinem Gemüte war ich nun ganz mit meiner Lage ausgesöhnt und vollkommen gewillt, mich allen Anordnungen der Vorsehung zu fügen. Ich fühlte mich wirklich in jeder Hinsicht ganz glücklich, wobei ich jedoch das Gefühl der Einsamkeit nicht in Anschlag bringe.

Während dieser Zeit vervollkommnete ich mich in allen mechanischen Fertigkeiten, zu deren Übung mich meine Bedürfnisse genötigt hatten.

Ich glaubte, ich hätte jetzt vorkommendenfalls einen ganz leidlichen Zimmermann abgeben können, wobei natürlich zu bedenken ist, wie wenig Handwerkszeug mir zu Gebote stand.

Außerdem brachte ich es zu einer unerwarteten Verbesserung meines Tongeschirres. Seit ich darauf verfiel, den Ton mit einem Rad zu formen, ging die Herstellung meiner Gefäße viel

leichter vonstatten, und diese wurden jetzt rund und wohl-
gestaltet, während ich früher nur unförmliche Dinge zustande
gebracht hatte.

Nie aber, glaube ich, war ich stolzer auf meine Geschicklichkeit oder erfreuter über eine Erfindung, als da es mir gelang,
eine Tabakspfeife zu machen. Zwar stellte sie, fertig geworden,
nur ein sehr häßliches, plumpes Ding vor und bestand nur aus
gebranntem Ton wie die andern Töpferwaren, allein sie war
hart und fest und ließ den Rauch, ganz wie es sich gehört,
hindurchziehen. Wie groß war mein Entzücken darüber! Ich
hatte früher viel geraucht, auch waren Pfeifen auf dem Schiff
gewesen, aber ich hatte sie nicht mitgenommen, da mir damals
unbekannt war, daß es auf der Insel Tabak gab. Nachher, als
ich das Schiff aufs neue durchsuchte, hatte ich keine mehr
finden können.

Auch in Flechtarbeiten machte ich bedeutende Fortschritte
und verfertigte einen Überfluß von allen möglichen Körben. Sie
waren zwar nicht gerade schön, aber doch sehr angenehm und
bequem zur Aufbewahrung und zum Tragen vieler Sachen.

Wenn ich zum Beispiel eine Ziege getötet hatte, hing ich sie
an einem Baum in der Höhe auf, zog sie ab, weidete sie aus,
schnitt sie in Stücke und trug sie in einem meiner Körbe nach
Hause. Ebenso machte ich es mit den Schildkröten, aus denen
ich, nachdem ich sie aufgeschnitten, die Eier herausnahm und
diese nebst einem oder zwei Stücken von dem Fleische, wie es
für mich ausreichte, heimbrachte, während ich den Rest liegenließ. Auch zur Aufbewahrung des Korns bediente ich mich
großer, tiefer Körbe. Sobald es trocken genug war, rieb ich es
aus, siebte es durch und hob es dann in diesen Behältern auf.

Mit der Zeit bemerkte ich leider, daß mein Schießpulver
bedeutend abnahm. Dies war ein unersetzlicher Mangel,
deshalb überlegte ich, was ich anfangen sollte, wenn ich gar
kein Pulver mehr hätte, auf welche Weise insbesondere ich
dann Ziegen erlegen sollte.

Ich hatte, wie bereits erwähnt, im dritten Jahre meines hiesigen
Aufenthalts eine junge Geiß gefangen und aufgezogen. Meine
Hoffnung, einen Bock dazu zu bekommen, hatte sich nicht
erfüllt, und nachgerade war aus meinem Zicklein eine alte
Ziege geworden. Ich hatte es nicht übers Herz bringen können,
sie zu schlachten, bis sie zuletzt an Altersschwäche gestorben
war.

Sechzehntes Kapitel

Robinsons Ziegenzucht und Milchwirtschaft. Seine äußere Erscheinung. Wachsender Wohlstand seiner beiden Ansiedlungen

Jetzt, im elften Jahre meiner Anwesenheit auf der Insel, begann meine Munition knapp zu werden. Ich mußte auf eine Art und Weise sinnen, um die Tiere lebendig einzufangen. Vor allem wünschte ich eine trächtige Mutterziege zu besitzen. Zu diesem Zwecke legte ich Schlingen, um sie darin zu verstricken, und ich glaube wohl, daß sich mehr als einmal welche darin fingen; aber die Stricke waren nicht gut, und Draht hatte ich nicht. Darum fand ich die Schlingen immer wieder zerrissen und den Köder aufgefressen.

Da beschloß ich endlich, den Fang in Gruben zu versuchen. Ich legte mehrere tiefe Löcher an, und zwar an solchen Stellen, wo, wie ich beobachtet hatte, die Ziegen zu grasen pflegen, stellte darüber selbstverfertigte Hürden auf und beschwerte diese stark. Nun streute ich zuerst mehrmals Gerste und getrocknete Reiskörner aus, ohne die Falle anzubringen. Bald bemerkte ich auch an deutlichen Fußspuren, daß die Ziegen hineingegangen waren und das Korn gefressen hatten. Hierauf stellte ich in einer Nacht drei Fallen auf, die ich indessen am andern Morgen alle unversehrt vorfand, obgleich das Korn daraus verschwunden war. Das entmutigte mich sehr; aber nachdem ich die Fallen verbessert, fand ich zuletzt — um die weiteren Einzelheiten zu übergehen —, als ich eines Morgens ausging, um nach meiner Vorrichtung zu sehen, in einer derselben einen alten großen Ziegenbock und in einer anderen drei junge Ziegen, eine männliche und zwei weibliche.

Was ich mit dem alten Bock anfangen sollte, wußte ich in der Tat nicht. Er war so wild, daß ich ihm nicht nahe zu kommen und ihn lebendig fortzubringen wagte, worauf es mir doch eben ankam. Zwar hätte ich ihn töten können, doch das hätte meinen Zweck nicht erfüllt. So ließ ich ihn denn laufen, und er rannte wie irrsinnig davon. Damals wußte ich noch nicht, was ich später lernte: daß Hunger auch einen Löwen zähmen kann. Hätte ich ihn drei bis vier Tage ohne Nahrung in der Grube gelassen und ihm dann etwas Wasser und ein wenig Korn gebracht, so wäre er so zahm wie die Ziegenlämmer geworden. Denn diese Art von Tieren ist sehr gelehrig und leicht zu erziehen, wenn sie richtig behandelt wird.

Für diesmal ließ ich aber den Bock laufen und wendete mich zu den drei Lämmern, nahm eines nach dem anderen heraus, band sie mit Stricken zusammen und brachte sie, obschon mit einiger Mühe, nach Hause.

Es dauerte eine geraume Zeit, ehe sie fressen wollten, aber durch einige zarte Körner, die ich ihnen hinstreute, ließen sie sich anlocken und fingen an, zutraulich zu werden. Ich sah jetzt ein, daß, wenn ich mich für den Fall, daß mein Schießbedarf aufgebraucht sei, mit Ziegenfleisch versorgen wollte, das einzige Mittel wäre, einige Ziegen aufzuziehen und zu zähmen und sie mit der Zeit wie eine Herde Schafe auf meinem Hofe zu halten. Gleich darauf fiel mir jedoch ein, daß ich dann die zahmen von den wilden absperren müßte, da sie sonst beim Heranwachsen immer wieder wild werden würden. Die einzige Art, dies möglich zu machen, schien mir: ein Stück Land wohlverschlossen durch eine Hecke zu umgrenzen, damit die darin befindlichen Tiere weder ausbrechen noch die von draußen eindringen könnten.

Das war ein großes Unternehmen für ein einziges Paar Hände. Da ich aber seine absolute Notwendigkeit einsah, so machte ich mich sogleich an die Arbeit und suchte zuvörderst nach einem passenden Platze, wo die Tiere Nahrung und Trinkwasser und Schutz vor der Sonne finden konnten.

Wer sich auf dergleichen Dinge versteht, wird mich für sehr unvernünftig halten, wenn er hört, wie ich die Sache angriff. Nachdem ich nämlich eine alle diese Bedingungen erfüllende Stelle ausgesucht hatte, das heißt ein flaches, offenes Stück Wiesenland oder eine Savanne, wie die Ansiedler in den westlichen Kolonien es nennen, die von mehreren kleinen Süßwasserrinnen durchschnitten und an einem Ende mit Wald bestanden war, begann ich aus übergroßer Fürsorge die Anlage meiner Hecke in der Weise, daß sie vollendet wenigstens zwei Meilen im Umkreis gehabt hätte. Und doch war die Größe des Umfangs an sich dabei nicht das Schlimmste; denn wäre er auch zehn Meilen weit gewesen, so hätte ich wahrscheinlich doch Zeit genug gehabt, ihn auszuführen. Schlimmer aber war, daß mir nicht in den Sinn kam, daß meine Ziegen in einem so weiten Spielraum ja ebenso wild werden würden, als wenn ich ihnen die ganze Insel überlassen hätte, und daß ich sie in einem solchen Raume niemals würde einfangen können.

Die Hecke war schon angefangen und ich glaube schon etwa fünfzig Yards lang ausgeführt, als mir das Bedenken zuerst einfiel. Ich hielt sogleich mit dem Arbeiten inne und beschloß, vorläufig nur ein Stück Land von ungefähr hundertundfünfzig Yards Länge und hundert Yards Breite einzuschließen. Dies war ganz ausreichend für so viele Ziegen, als ich vernünftigerweise fürs erste zu haben erwarten konnte, und wenn meine Herde zunahm, konnte ich ja immer noch mehr Bodenfläche in die Umzäunung hineinziehen.

An dies einigermaßen verständige Unternehmen machte ich mich nun mit gutem Mute. Es dauerte etwa drei Monate, bis das erste Stück fertig umzäunt war. Bis dahin band ich die drei Lämmer an den besten Weideplätzen an und ließ sie, um sie zahm zu machen, in möglichster Nähe von mir grasen; zuweilen brachte ich ihnen einige Gerstenähren oder eine Handvoll Reis und ließ sie aus meiner Hand fressen, so daß, als die Einfassung fertig war und ich die Lämmer losband, sie mir auf dem Fuße folgten und nach einer Hand voll Korn hinter mir her blökten. Meine Einrichtung erfüllte ihren Zweck vollständig, und in etwa anderthalb Jahren hatte ich eine Herde von zwölf Ziegen, einschließlich der Lämmer. Nach weiteren zwei Jahren waren es dreiundvierzig geworden, abgesehen von denen, die ich während dieser Zeit getötet und zu meiner Nahrung verwendet hatte. Nach und nach legte ich fünf solcher eingezäunter Weideplätze an, in denen ich kleine Abteilungen anbrachte, um die Tiere, die ich gerade gebrauchen wollte, hineinzutreiben. Die einzelnen Plätze brachte ich durch Gittertüren miteinander in Verbindung.

Jetzt konnte ich nicht nur so viel Ziegenfleisch, als ich immer essen mochte, haben, sondern obendrein Milch, und das war etwas, was ich im Anfange nicht einmal für möglich gehalten hätte; daher gewährte es mir eine um so angenehmere Überraschung. Ich richtete jetzt eine förmliche Milchwirtschaft ein, denn ich gewann zuweilen acht bis sechzehn Liter Milch an einem Tage. Die Natur lehrt jedes Geschöpf, von der Nahrung, die sie ihm gibt, Gebrauch zu machen. So lernte auch ich, der nie eine Kuh, viel weniger eine Ziege gemolken oder die Bereitung von Butter und Käse mit angesehen hatte, wenn auch erst nach vielen mißglückten Versuchen, mit Leichtigkeit sehr gute Butter und Käse zubereiten. Von nun an fehlte es mir daran nie mehr. Wie gnädig ist doch unser Gott gegen seine Geschöpfe auch in den Lebenslagen, wo sie mitten ins Verderben geraten zu sein scheinen.

Wie kann er die bittersten Verhängnisse versüßen und uns Ursache geben, ihn für Kerker und Gefängnis zu preisen! Welch ein reicher Tisch war hier in der Wüste für mich gedeckt, wo ich anfangs nichts als den Hungertod vor mir gesehen hatte!

Selbst ein Stoiker würde sich des Lächelns nicht haben erwehren können, hätte er mich und meine kleine Familie zum Mittagsmahle niedersetzen sehen. Da war zuerst meine Majestät, der Fürst und Beherrscher der ganzen Insel. Das Leben meiner sämtlichen Untertanen stand unbedingt in meiner Gewalt. Ich konnte hängen, vierteilen, freilassen und gefangenhalten, wen und wie ich wollte, und kein einziger Rebell befand sich unter allen meinen Untertanen. Man mußte es sehen, wie ich gleich einem König speiste, ganz allein, während meine Diener mir aufwarteten. Poll, als mein Günstling, genoß allein das Privileg, mit mir sprechen zu dürfen.

Mein Hund, der inzwischen sehr alt und gebrechlich geworden war und leider nicht seinesgleichen auf der Insel gefunden hatte, um sein Geschlecht fortzupflanzen, saß stets zu meiner Rechten, und zwei Katzen, eine auf dieser, die andere auf jener Seite des Tisches, erwarteten ab und zu einen Brocken aus meiner Hand als ein Zeichen besonderer Gunst.

Es waren dies übrigens nicht mehr dieselben beiden Katzen, die ich mit ans Land gebracht hatte. Diese lebten beide längst nicht mehr, und ich hatte sie eigenhändig in der Nähe meiner Wohnung begraben. Die eine von ihnen hatte sich aber, ich weiß nicht mit was für einer Art von Bestie, gepaart, und von ihrer Nachkommenschaft hatte ich zwei Junge aufgezogen, indessen die übrigen wild in den Wäldern umherliefen und mir auf die Dauer lästig fielen. Oftmals nämlich kamen sie in mein Haus und plünderten es, so daß ich mich endlich genötigt sah, sie zu erschießen. Erst nachdem ich eine ganze Menge getötet hatte, ließen sie mich endlich in Ruhe. Mit diesem Hofstaat und in dieser üppigen Weise lebte ich und entbehrte nichts als Gesellschaft, und auch hiervon sollte ich einige Zeit später mehr als genug bekommen.

Wie ich schon bemerkte, wünschte ich sehr, mein Boot bei mir zu haben, ohne daß ich jedoch Lust verspürte, mich seinetwegen wieder in Gefahr zu begeben. So dachte ich denn manchmal darüber nach, wie ich es herbeischaffen sollte, gab aber den Gedanken, es wiederzubekommen, bald gänzlich auf. Eine sonderbare Unruhe trieb mich dagegen immerfort nach der Spitze der Insel, wo ich, wie erwähnt, bei meinem letzten Ausfluge auf den Hügel gestiegen war, um die Küste und den Lauf der Strömung zu übersehen. Das Verlangen, wieder dort zu sein, nahm alle Tage zu, bis ich endlich beschloß, die Reise dahin zu Lande zu machen, und zwar immer der Küste entlang. So begab ich mich denn abermals auf die Wanderschaft.

Hätte mich auf dieser irgendein Landsmann von mir sehen können, er würde sich entweder vor mir entsetzt oder ein großes Gelächter angeschlagen haben. Wenn ich zuweilen stillstand und mich selbst betrachtete, so konnte ich nicht umhin, bei dem Gedanken zu lächeln, wie es wäre, wenn ich in einem solchen Aufzuge und in solchem Kostüm durch Yorkshire reisen wollte. Man stelle sich meine Erscheinung folgendermaßen vor:

Auf dem Kopfe trug ich eine hohe, große, unförmliche Mütze von Ziegenfell mit einer hinten lang herunterhängenden Krempe. Diese sollte sowohl die Sonne abhalten als auch den Regen verhindern, mir hinten in den Nacken zu laufen; denn nichts ist in dieser Zeit so schädlich, als wenn die Haut unter den Kleidern naß wird.

Ferner hatte ich eine kurze Jacke von Ziegenfell an, deren Schoß etwa bis über die Hüften herabfiel, und dazu ein Paar Kniehosen von demselben Stoffe. Diese letzteren waren aus der Haut eines alten Bockes gemacht, und die Haare hingen auf beiden Seiten herab, so daß meine Beinkleider wie lange Hosen bis über die Waden herunterreichten. Schuhe und

Strümpfe besaß ich nicht, aber ich hatte mir dafür ein Paar Dinger gemacht, die ich kaum zu benennen weiß. Es war eine Art von Stulpstiefeln, die hoch hinaufgingen und an den Seiten zugeschnürt waren wie Gamaschen. Übrigens hatten sie eine sehr unzivilisierte Form, wie überhaupt alle meine Kleidungsstücke höchst primitiv waren.

Außerdem trug ich einen breiten Gürtel von getrockneter Ziegenhaut, den ich anstatt einer Schnalle mit zwei Riemen aus demselben Stoffe befestigte. Daran hing zu beiden Seiten eine Art von Gehänge, in das ich an Stelle eines Schwertes oder Dolches eine kleine Säge und ein Beil befestigte, das eine an der einen Seite, das andere an der anderen. Ich hatte einen zweiten Lederriemen, etwas schmaler als der Gürtel, aber auf ähnliche Weise befestigt, nur hing mir dieser über die Schulter, und daran hingen unter dem linken Arm zwei Beutel, ebenfalls aus Ziegenfell verfertigt, von denen der eine Pulver, der andere Kugeln und Schrot enthielt. Auf dem Rücken hatte ich einen Korb, auf der Schulter meine Flinte und über dem Kopf meinen großen, plumpen, häßlichen Sonnenschirm, der übrigens nächst meiner Flinte das Nützlichste war, was ich bei mir führte.

Was meine Gesichtsfarbe betraf, so war diese nicht so mulattenhaft, als man sie wohl bei jemanden hätte vermuten sollen, der mit so geringer Fürsorge für sie innerhalb der Wendekreise lebte. Meinen Bart hatte ich wachsen lassen, bis er eine Viertelelle lang war, aber da ich Scheren und Rasiermesser in Menge besaß, hielt ich ihn jetzt ziemlich kurz geschnitten, ausgenommen den Schnurrbart, den ich zu einem langen türkischen Bart gezogen hatte, wie ich ihn bei einigen Türken in Saleh gesehen. Die Mauren trugen nämlich keine solchen Bärte wie die Türken. Immerhin waren Größe und Form meines Bartes abschreckend genug, und in England würde er geradezu für entsetzlich gegolten haben.

Übrigens kam es auf dies alles wenig an, da ja meine äußere Erscheinung von niemand beobachtet werden konnte. In jenem Aufzug nun trat ich meine neue Reise an und blieb fünf bis sechs Tage fort. Zuerst wanderte ich der Küste entlang direkt nach der Stelle, wo ich damals mit meinem Boote vor Anker gegangen war, um die Felsen zu erklettern. Da ich diesmal für kein Boot zu sorgen hatte, schlug ich einen näheren Weg zu Lande ein und erreichte denn auch auf diesem die erwähnte

Höhe. Als ich von hier aus die vorspringende Felsenspitze überblickte, die ich vor kurzem mit meinem Boot hatte umfahren müssen, sah ich zu meiner Verwunderung das Meer ganz glatt und ruhig und gewahrte nichts von Brandung oder Wellen und Strömung, weder hier noch an irgendeiner anderen Stelle. Ich konnte mir diese Erscheinung durchaus nicht erklären. Daher beschloß ich, sie eine Zeitlang zu beobachten, um zu entdecken, ob vielleicht die Ebbe und Flut einen Einfluß darauf habe. Bald überzeugte ich mich auch, wie sich die Sache verhielt. Wenn nämlich die Ebbe von Westen her eintrat, so vereinigte sie sich mit der starken Wassermasse eines großen Küstenstromes und brachte so jene Strömung hervor, die, je nachdem der Wind mehr von Westen oder von Norden her wehte, der Küste näher oder entfernter floß. Nachdem ich bis gegen Abend gewartet und um die Zeit der Ebbe wieder den Felsen erstiegen hatte, sah ich die Strömung wieder ganz deutlich wie früher, nur weit entfernt, fast eine halbe Seemeile von der Küste, während sie damals dicht an der Küste verlaufen war und mich und mein Fahrzeug mit fortgerissen hatte, was unter anderen Umständen nicht geschehen wäre.

Diese Beobachtung überzeugte mich, daß ich nur auf den Eintritt der Ebbe und Flut zu achten brauchte, um mein Boot mit leichter Mühe um die Insel zurückführen zu können. Als ich aber an die Ausführung dachte, überfiel mich die Erinnerung an die früher überstandenen Gefahren dennoch mit solchem Schrecken, daß ich vorzog, einen anderen, sicheren, wenn auch mühsameren Weg einzuschlagen. Dieser bestand darin, daß ich beschloß, mir noch ein Kanu zu bauen oder vielmehr zu hauen, um für jede Seite der Insel ein besonderes Fahrzeug zu haben.

Man muß sich erinnern, daß ich jetzt sozusagen zwei Ansiedlungen auf der Insel besaß. Erstens meine kleine Festung, das heißt das mit dem Wall umgebene Zelt im Schutz des Felsens mit der Höhle dahinter, die ich inzwischen zu mehreren miteinander verbundenen Gemächern oder Kellern erweitert hatte. Der größte und trockenste dieser Räume, die überdies eine Tür nach außen hatten, war ganz angefüllt mit den früher erwähnten großen irdenen Gefäßen und mit vierzehn oder fünfzehn großen Körben, von denen jeder fünf bis sechs Scheffel faßte. In diesen bewahrte ich meine Vorräte auf, besonders das Korn, teils in den Ähren, die dicht über dem

Stroh abgeschnitten waren, teils ausgerieben, was ich mit den Händen zu bewerkstelligen pflegte.

Den sogenannten Wall hatte ich, wie früher erzählt ist, aus lauter langen Reisern und dünnen Stämmen aufgeführt, die aber jetzt alle zu Bäumen angewachsen waren und um diese Zeit bereits eine solche Höhe erreicht und sich so ausgebreitet hatten, daß niemand dahinter eine menschliche Wohnung vermuten konnte.

In der Nähe dieser meiner Wohnung, aber etwas weiter landeinwärts und niedriger gelegen, waren meine beiden Stücke Ackerland, die ich stets in der gehörigen Bestellung und Kultur erhielt und die mir alljährlich ihre Ernte lieferten.

Als ich mich veranlaßt sah, mehr Getreide zu bauen, bediente ich mich dazu des angrenzenden, gleich gut geeigneten Terrains.

Meine zweite Behausung war der sogenannte Landsitz. Auch dieser hatte sich zu einer ganz hübschen Ansiedlung entwikkelt. Zunächst fand sich da die Laube, wie ich sie nannte. Ich hielt diese immer in gutem Stand, indem ich die umschließende Hecke, an die von innen eine Leiter gelehnt war, stets in gleicher Höhe ließ.

Die Bäume, die anfangs nichts als Stöcke gewesen, waren jetzt stark und hoch herangewachsen. Ich beschnitt sie so, daß sie sich ausbreiteten und mit ihrem dichten Laube erquickenden Schatten gaben. In ihrer Mitte ließ ich mein aus einem ausgespannten Stück Segeltuch errichtetes Zelt stehen, ohne daß es je der Ausbesserung oder Erneuerung bedurft hätte. Darunter hatte ich mir ein Sofa oder Ruhebett aus den Fellen erlegter Tiere und anderen weichen Gegenständen gemacht und darüber eine Decke, die ich aus unseren Schiffsbetten gerettet, ausgebreitet. Neben dem Ruhebett hatte ich einen dicken Stock als Schutzwaffe stehen. Ich nahm dort mein Quartier, sooft ich Veranlassung fand, mich von meiner eigentlichen Wohnung zu entfernen.

Dicht daneben befanden sich die eingezäunten Weideplätze für mein Ziegenvieh. Da es mich unendliche Arbeit gekostet hatte, diese Räume in der beschriebenen Weise zu umschließen, war ich immer ängstlich darauf bedacht, die Umzäunungen in Ordnung zu halten, damit die Ziegen mir nicht entwischten. Niemals ging ich fort, ohne vorher mit vieler Mühe alle Öffnungen der Hecke mit kleinen Stäben so dicht zu verschließen, daß die Umzäunung eher ein Gitter als eine Hecke zu nennen war und man kaum die Hand dazwischen durchstecken konnte. In der nächsten Regenzeit wuchsen diese Reiser alle zusammen und bildeten mit der Zeit eine starke Wand, ja sie wurden fester als eine gewöhnliche Mauer.

Dies alles liefert den Beweis, daß ich nicht müßig war und keine Mühe scheute, jegliches, was zu meiner Annehmlichkeit notwendig schien, herzurichten. Ich sah in meiner Herde zahmer Haustiere, die ich so nahe zur Hand hatte, einen lebendigen Vorrat von Fleisch, Milch, Butter und Käse, der für die ganze Dauer meines Aufenthalts auf der Insel, und wenn er auch noch vierzig Jahre währen sollte, vorhalten würde. Die Erhaltung der Tiere hing aber wesentlich davon ab, daß ich die Einzäunung möglichst vervollkommnete, damit die Herde stets zusammenblieb. Diesen Zweck erreichte ich denn auch auf die erwähnte Weise in dem Maße, daß ich, als die jungen Reiser, die ich so dicht gepflanzt, zu wachsen begannen, mich genötigt sah, einige davon wieder auszureißen.

Hier war es auch, wo die Weintrauben wuchsen, die mir meine Wintervorräte an Rosinen lieferten. Ich versäumte nicht, diese stets sehr sorgfältig zu konservieren, da sie den besten und wohlschmeckendsten Leckerbissen meiner ganzen Speisekarte bildeten. Sie waren wirklich nicht bloß schmackhaft, sondern auch in höchstem Grade heilsam, gesund, nahrhaft und äußerst erfrischend.

Da diese Ansiedlung etwa halbwegs zwischen meiner anderen Wohnung und dem Platz gelegen war, wo ich mein Boot befestigt hatte, so hielt ich mich gewöhnlich auf dem Wege zu diesem eine Zeitlang dort auf; denn ich pflegte mein Boot oft aufzusuchen, um alles, was dazu gehörte, in der besten Ordnung zu halten. Auch fuhr ich manchmal zum Vergnügen darin aus, aber abenteuerliche Reisen wollte ich nicht wieder darin unternehmen noch mich weiter als ein paar Steinwurfslängen von der Küste entfernen. Ich war ja viel zu besorgt, wieder durch eine Strömung oder durch den Wind in unbekannte Gewässer verschlagen zu werden.

Siebzehntes Kapitel

Die menschliche Fußspur im Sande

Nun komme ich zu einem neuen Abschnitt meines Lebens. — Eines Tages, als ich gegen Mittag nach dem Boot ging, begab es sich, daß ich zu meiner größten Überraschung den Abdruck eines nackten menschlichen Fußes ganz deutlich in dem Sande des Ufers wahrnahm. Wie vom Donner gerührt oder als hätte ich ein Gespenst gesehen, stand ich davor. Ich horchte, ich sah mich um, aber es war nichts zu hören noch zu erblicken. Ich erstieg einen Hügel, um mich weiter umschauen zu können, dann ging ich an der Küste auf und ab, aber es blieb alles ohne Erfolg. Keine weiteren Fußspuren waren zu finden als jene eine. Ich ging zu ihr zurück, um zu sehen, ob nicht noch andere in der Nähe seien oder ob ich mich vielleicht geirrt hätte. Aber beides war nicht der Fall. Ich fand nur genau denselben Abdruck der Zehen, Fersen und übrigen Fußteile. Wie die Spur dahingekommen, wußte ich nicht und konnte es durchaus nicht begreifen. Eine Flut von wirren Gedanken stürmte auf mich ein, und völlig verstört und außer mir kam ich in meiner Festung an, ohne daß ich unterwegs, wie man zu sagen pflegt, den Boden unter meinen Füßen gefühlt hätte.

Es ist nicht zu beschreiben, in was für verschiedene Gestalten meine erhitzte Einbildungskraft die Dinge verwandelte, was für eine Menge wilder Vorstellungen meine Phantasie mir auf dem Heimweg vorspiegelte und welch sonderbare, unerklärliche Einfälle mir in den Sinn kamen. Als ich zu meiner Burg (denn diesen Namen hatte ich meiner Wohnung gegeben) gelangt war, flüchtete ich hinein wie ein Verfolgter. Ob ich mittels der Leiter hineinstieg, weil das schneller ging, oder durch das Loch im Felsen, das ich meine Tür nannte, kroch, weiß ich heute nicht mehr. Nie floh ein gehetzter Hase oder Fuchs in größerer Seelenangst seinem Zufluchtsorte zu als ich in jenem Augenblick.

Kein Schlaf kam diese Nacht in meine Augen; je weiter ich von der Ursache meines Schreckens entfernt war, um so größer wurden meine Befürchtungen. Zwar widerspricht das eigentlich der Natur der Sache und weicht von den gewöhnlichen Äußerungen des Schreckens ab, aber ich war dermaßen in meinen entsetzten Gedanken über die Erscheinung befangen, daß sich mir nichts als schauerliche Vorstellungen aufdrängten, wiewohl ich jetzt ziemlich weit von dem Anlaß meiner Furcht entfernt war.

Zuweilen bildete ich mir ein, der Teufel müsse sein Spiel hier haben, und diese Annahme war nicht ohne allen Grund, denn wie sollte irgendein anderes menschliches Wesen hierhergekommen sein? Wo war das Schiff, das es hergeführt hatte? Warum waren keine anderen Fußspuren zu sehen? Dann aber kam mir wieder der Gedanke: Warum sollte der Satan menschliche Gestalt angenommen haben, nur um seinen Fußtritt hier zurückzulassen? Bald schien mir meine abergläubische Furcht auch deshalb lächerlich, weil ich bedachte, daß der Teufel mich ja auf unendlich vielerlei Arten hätte mehr erschrecken können als durch diesen einzelnen Fußtapfen. Denn da ich auf einer ganz anderen Seite der Insel wohnte, würde er doch gewiß nicht so dumm gewesen sein, eine Spur an einer Stelle zurückzulassen, wo zehntausend gegen eins zu wetten war, daß ich sie nie sehen würde, und am wenigsten im Sande, wo die erste Flutwelle bei einigem Winde sie sofort vernichten mußte. Dies alles ließ sich weder mit der Sache selbst noch mit den Vorstellungen, die wir gewöhnlich von der Schlauheit des Satans haben, zusammenreimen.

Solche Erwägungen benahmen mir allmählich die Furcht vor dem Teufel. Nun vermutete ich dagegen, daß ich es mit noch gefährlicheren Wesen zu tun habe, nämlich mit einem oder mehreren Bewohnern jenes gegenüberliegenden Festlandes. Ich bildete mir ein, sie wären in ihrem Kanu in See gegangen und von widrigen Winden oder der Strömung an diese Küste verschlagen worden, dann aber wieder abgefahren, da es ihnen vielleicht ebensowenig auf dieser öden Insel gefallen haben mochte, wie es mir behagt hätte, sie hier zu haben.

Während diese Gedanken meine Seele beunruhigten, empfand ich es sehr dankbar, daß ich so glücklich gewesen war, um jene Zeit nicht gerade an der fraglichen Stelle zu sein, und daß die Fremden mein Boot nicht gesehen hatten, weil sie sonst auf Bewohner der Insel hätten schließen müssen und vielleicht weiter nach mir geforscht hätten. Dann aber stiegen mir wieder schreckliche Gedanken auf, und meine Einbildungskraft malte mir aus, daß die Wilden das Boot gefunden hätten und nun wüßten, daß die Insel bewohnt sei, und wie sie dann gewiß in großer Anzahl wiederkommen und mich überfallen würden. Und wenn sie auch mich selbst nicht finden konnten, so glaubte ich doch, sie würden meine Anlagen sehen, meine Felder verwüsten und meine zahme Ziegenherde hinwegführen, so daß ich endlich durch Mangel umkommen müßte.

So überwältigte meine Furcht wieder all meine gläubige Hoffnung. Mein ganzes bisheriges Vertrauen auf Gott, das auf so wunderbare Erfahrungen seiner Güte gegründet war, fiel nun über den Haufen, als ob er, der mich bisher durch Wunder ernährt hatte, nicht auch Macht habe, die Nahrungsmittel, die seine Gnade mir gespendet hatte, zu beschützen. Ich machte mir Vorwürfe über meinen Leichtsinn, daß ich nicht mehr Getreide jedes Jahr gesät hatte, als was gerade bis zur nächsten Ernte ausreichend war; wie wenn kein Unfall mich jemals verhindern könnte, das Korn, was noch auf dem Felde stand, einzuheimsen. Dieser Vorwurf erschien mir so gerechtfertigt, daß ich mir vornahm, künftig immer Sorge zu tragen, auf zwei bis drei Jahre im voraus versorgt zu sein, damit ich, was auch sonst kommen möge, wenigstens nicht zu verhungern brauchte.

Was für ein seltsames Gebilde der göttlichen Hand ist doch das Leben des Menschen! Durch wie verschiedene geheime Triebfedern werden seine Neigungen je nach den eben obwaltenden Umständen hin und her bewegt! Heute lieben wir das, was wir morgen vielleicht hassen; suchen das heute auf, was wir morgen vermeiden; wünschen jetzt, was wir gleich darauf fürchten, ja wovor wir beim bloßen Gedanken daran zittern. Das bewahrheitete sich jetzt auch an mir auf das augenscheinlichste. Denn ich, dessen einziger Kummer darin bestanden hatte, daß ich aus der menschlichen Gesellschaft ausgestoßen und verurteilt schien, einsam und allein zu leben, nur umgeben von dem unermeßlichen Ozean, abgeschnitten von allem Verkehr und verdammt, in einem sozusagen stummen Dasein zu existieren, als hätte der Himmel mich nicht für würdig gehalten, zu den Lebenden gezählt zu werden oder unter seinen übrigen Geschöpfen zu wandeln, ich, dem der Anblick eines Wesens meinesgleichen als eine Auferweckung vom Tode zum Leben hätte erscheinen müssen und als der größte Segen, den der Himmel, nächst der ewigen Erlösung selbst, mir hätte angedeihen lassen können — ich erzitterte jetzt bei der bloßen Vorstellung, einen Menschen zu sehen, und hätte in die Erde sinken mögen bei der bloßen Vermutung, bei dem stummen Zeichen, daß ein Mensch die Insel betreten hatte.

So wandelbar ist das Menschenherz. Als ich mich von meinem ersten Schrecken einigermaßen erholt hatte, stellte ich mancherlei merkwürdige Betrachtungen an. Ich bedachte, daß der allweise und allgütige Gott diese Lebenslage für mich ausersehen habe und daß, da ich nicht voraussehen konnte, welche Absichten die göttliche Weisheit mit allen diesem verfolge, es mir nicht zustehe, ihrer Anordnung zu widerstreben. Hatte denn Gott nicht über mich, als über sein Geschöpf, das unbestreitbare Recht unbedingter Verfügung, wie es ihm gefiel, und hatte ich ihn nicht überdies erzürnt und dadurch seine Gerechtigkeit herausgefordert, eine Strafe, wie er sie für angemessen hielt, über mich zu verhängen? War es nicht meine Schuldigkeit, mich seiner Ungnade zu unterwerfen, weil ich gegen ihn gesündigt hatte? Dann überdachte ich ferner, daß Gott, der ja nicht allein gerecht, sondern auch allmächtig ist, ebensogut, wie er mich auf diese Weise strafte und heimsuchte, mich ja auch befreien könne und daß, wenn er nicht für angemessen halte, das zu tun, es meine unzweifelhafte Pflicht sei, mich ganz unbedingt in seinen Willen zu ergeben, und wie es andererseits wieder meine Schuldigkeit sei, auf ihn zu hoffen, zu ihm zu beten und demütig den täglichen Weisungen und Winken seiner Vorsehung zu gehorchen.

Diese Gedanken beschäftigten mich viele Stunden, Tage, ja ich möchte sagen Wochen und Monate. Auch noch eine besondere Wirkung solcher Betrachtungen auf mich will ich bei dieser Gelegenheit mitteilen. Als ich nämlich eines Morgens im Bette lag und durch meine Gedanken von der Gefahr, welche die Erscheinung von Wilden für mich mit sich brachte, sehr aufgeregt war, da fielen mir plötzlich wieder die Worte der Heiligen Schrift ein: „Rufe mich an in der Not, und ich will dich erretten, und du sollst mich preisen." Da konnte ich nicht allein beruhigten Herzens mein Lager verlassen, sondern ich fand auch Kraft und Mut, Gott inbrünstig um Errettung zu bitten. Als ich mein Gebet beendet hatte, nahm ich meine Bibel zur Hand, und die ersten Worte, auf die meine Augen fielen, waren: „Harre des Herrn, sei getrost und unverzagt, und harre des Herrn."

Diese Worte gewährten mir unbeschreiblichen Trost. Ich legte mit dankbaren Gefühlen das Buch hin und war wenigstens für den Augenblick nicht mehr traurig.

Mitten in diesen Grübeleien, Ängsten und Betrachtungen fiel mir eines Tages ein, daß der Anlaß meiner Furcht möglicherweise nichts weiter als eine meiner Einbildungen sein könnte. Die Spur rührte ja vielleicht von meinem eigenen Fuße her; ich hatte sie vielleicht hervorgebracht, als ich aus meinem Boote ans Land gestiegen war. Dieser Gedanke trug auch ein wenig dazu bei, mich aufzuheitern, und ich fing an, mich selbst zu überreden, daß das Ganze nur eine Täuschung gewesen sei und kein anderer als mein eigener Fuß die Insel betreten habe. Warum sollte ich nicht auf jenem Wege von dem Boote hergekommen sein, da ich doch auf demselben nach dem Boote hingegangen war? Konnte ich doch keineswegs versichern, wohin ich getreten habe und wohin nicht. Am Ende, wenn es sich herausstellte, daß es wirklich mein eigener Fußtritt gewesen war, hatte ich die Rolle jener Narren gespielt, die Gespenster und Geistergeschichten erfinden und sich dann selbst am meisten davor entsetzen.

Erst jetzt fing ich an, wieder Mut zu fassen und mich hinauszuwagen. Denn seit drei Tagen und Nächten hatte ich meine Wohnung keinen Augenblick verlassen, und schon begann ich, Mangel zu leiden, da ich zu Hause wenig mehr als einige Gerstenkuchen und Wasser hatte. Ich wußte auch, daß es nötig sei, meine Ziegen zu melken, was sonst gewöhnlich meine Abendbeschäftigung bildete. Die armen Tiere empfanden die Vernachlässigung auch schon schmerzlich, und einigen war sie sogar so nachteilig gewesen, daß ihre Milch fast versiegt war. So wappnete ich mich denn mit dem Glauben, jene Fußspur rührte wirklich nur von einem meiner eigenen Füße her und ich sei, wie man zu sagen pflegt, vor meinem eigenen Schatten erschrocken.

Bei meinem ersten Ausgang begab ich mich zunächst nach meinem Landsitz, um die Herde zu melken. Wer damals gesehen hätte, wie furchtsam ich vorwärts schritt, wie oft ich mich umsah, wie ich beständig auf dem Sprunge war, meinen Korb von mir zu werfen und davonzulaufen, der hätte gedacht, ich sei von einem bösen Gewissen geplagt oder durch etwas Ungeheures erschreckt worden, und das letztere war ja auch wirklich der Fall.

Nachdem ich jedoch zwei oder drei Tage denselben Weg gemacht hatte, ohne irgend etwas Außergewöhnliches zu sehen, wurde ich ein wenig kühner, und die Überzeugung befestigte sich in mir, die Einbildung sei in der Tat die einzige Ursache meines Entsetzens gewesen. Völlig sicher konnte ich mich trotzdem nicht eher fühlen, als bis ich aufs neue an jener Stelle der Küste gewesen war, den Fußtritt noch einmal angesehen und ihn mit meinem eigenen verglichen hatte. Dort angekommen aber überzeugte ich mich, daß ich unmöglich beim Anlegen meines Bootes auch nur in die Nähe des Platzes gekommen sein konnte. Sodann ergab sich, daß mein Fuß, als ich ihn gegen die Spur abmaß, bei weitem nicht so groß war. Diese beiden Beobachtungen erfüllten mich aufs neue mit den schrecklichsten Vorstellungen und machten mich wieder so furchtsam, daß ich zitterte wie ein Fieberkranker. Ich trat den Rückweg in dem festen Glauben an, ein Mensch oder mehrere seien an jenem Platze gelandet, oder die Insel sei bewohnt, und ich könne unversehens überfallen werden. Wie ich mich davor schützen sollte, sah ich nicht ab.

Was für lächerliche Vorsätze faßt man doch unter dem Eindruck der Furcht! Diese Empfindung raubt dem Menschen alle Verteidigungsmittel, die ihm die Vernuft zu seiner Rettung bieten würde. Das erste, was ich vornehmen wollte, war, meine Zäune niederzureißen und all mein zahmes Vieh in die Wälder zu jagen in der Besorgnis, der Feind möchte es finden und dann vielleicht, in der Hoffnung auf gleiche oder ähnliche Beute, öfter wiederkommen. Aus demselben Grunde gedachte ich, meine beiden Kornfelder umzugraben und nicht einen Halm darauf zu lassen. Auch meine Hütte und mein Zelt beschloß ich zu zerstören, damit man durchaus keine Spur des Bewohntseins der Insel fände und niemand versucht würde, den Bewohnern selbst nachzuforschen.

Mit solchen Gedanken beschäftigte ich mich während der ersten Nacht nach meiner Rückkehr, als die Befürchtungen, die mich so überwältigt hatten, mir noch frisch in der Seele lebten und meinen Kopf mit wirren Bildern füllten. So ist die Furcht vor einer Gefahr oft tausendmal schrecklicher als die Gefahr selbst. Wir tragen viel schwerer an der Last der Angst als an dem Übel, das uns ängstigt. Das Schlimmste aber bei der Sache war, daß ich in dieser Not nicht den Trost und die Ergebung festhielt, die mich sonst gestärkt hatten. Es ging mir wie Saul, wenn er klagt, daß nicht nur die Philister über ihn gekommen seien, sondern auch, daß Gott ihn verlassen habe. Auch ich tat jetzt nicht, was ich hätte tun sollen, um mein Gemüt zu beruhigen. Ich rief nicht zu Gott in meiner Not und verließ mich nicht wie früher, hinsichtlich meiner Verteidigung und Errettung, auf seine Vorsehung. Hätte ich das getan, so wäre ich wenigstens mit frischerem Mute dieser neuen Anfechtung entgegengegangen und hätte sie wahrscheinlich leichter überwunden.

Die Verwirrung meiner Gedanken hielt mich die ganze Nacht wach. Erst gegen Morgen, durch die Aufregung meiner Gefühle müde gemacht und erschöpft, fiel ich in einen festen Schlaf und erwachte dann in viel ruhigerer Stimmung, als in der ich vorher gewesen war. Ich begann jetzt vernünftig nachzudenken. Nach langer Erwägung kam ich zu dem Schluß: Diese so gar liebliche und fruchtbare Insel, die, wie ich gesehen, nicht weit vom Festlande abliegt, kann nicht so durchaus verödet sein, als ich bisher geglaubt habe. Zwar werde sie schwerlich ständige Bewohner beherbergen, aber zuweilen würden wohl Boote von der gegenüberliegenden Küste herüberkommen, die, entweder absichtlich oder auch nur durch widrige Winde gezwungen, hier landeten.

Freilich hatte ich schon fünfzehn Jahre hier zugebracht und noch nie den leisesten Schatten einer menschlichen Gestalt gesehen. Daraus folgerte ich, daß, wenn jemals Leute hierher verschlagen sein sollten, sie sich wahrscheinlich immer so bald wie möglich wieder entfernt und nie daran gedacht hätten, sich hier niederzulassen. Demnach bestehe, so sagte ich mir weiter, die einzige, mir drohende Gefahr in der zufälligen Landung einzelner, verirrter Bewohner des Festlandes, die, aller Wahrscheinlichkeit nach gegen ihren Willen, hierher verschlagen worden seien und die darum auch ohne Aufenthalt weiterzukommen suchen und nur selten einmal über Nacht hier verweilen, sondern die nächste Flut und das Tageslicht für ihren Rückweg als Beistand benutzen würden. Also hätte ich weiter nichts zu tun, als für den Fall, daß ich die Landung solcher Wilden hier erleben sollte, für einen sicheren Schlupfwinkel zu sorgen.

Jetzt bereute ich bitter, die Höhle so groß gemacht zu haben, daß, wie ich erwähnte, noch eine Tür da, wo meine Einfriedigung an den Felsen stieß, nach außen führte. Nach reiflicher Überlegung beschloß ich, einen zweiten Wall zu errichten in derselben Halbkreisform wie die erste, und zwar da, wo ich, wie seinerzeit erwähnt ist, vor zwölf Jahren die doppelte Reihe Bäume gepflanzt hatte. Da diese ganz dicht zusammenstanden, bedurfte es nur noch einiger Pfähle dazwischen, um sie noch enger zu verbinden. So war mein neuer Wall bald fertig. Ich hatte nun eine doppelte Mauer, und die äußere war überdies mit Holzscheiten, Schiffsketten und allen erdenklichen brauchbaren Dingen verwahrt. Ich hatte sieben kleine Löcher darin angebracht, ungefähr so groß, daß ich meinen Arm hindurchstecken konnte. An der inneren Seite verstärkte ich den Wall bis auf zehn Fuß Dicke, indem ich Erde aus meinem Keller holte, sie am Fuße der Wand ausschüttete und mit den Füßen festtrat. Durch jene Löcher steckte ich sodann sieben, vom Schiff mitgebrachte Gewehre und legte sie wie Kanonen auf Lafetten, so daß ich alle sieben Geschütze in der Zeit von zwei Minuten abfeuern konnte. Es bedurfte übrigens langer Monate, bis diese ganze Arbeit vollendet war; aber ich fühlte mich nicht eher sicher, als bis ich sie zustande gebracht hatte. Hierauf besteckte ich den Boden außerhalb meiner Befestigung nach allen Richtungen mit Reisern und Schößlingen von dem weidenartigen, schnell wachsenden Holze in einer solchen Ausdehnung, daß ich, glaube ich, an zwanzigtausend Sprößlinge dazu verbrauchte. Unmittelbar um meine Festung ließ ich jedoch einen ziemlich großen Raum frei, damit ich etwaige Feinde kommen sehen könnte und damit sie hinter den jungen Bäumen keinen Schutz fänden, wenn sie versuchen sollten, sich meiner Umfriedigung zu nähern.

Auf diese Weise war meine Wohnung innerhalb zweier Jahre von einem dichten Gehölz und nach fünf bis sechs Jahren von einem gewaltig dichten und starken Walde umgeben, der völlig undurchdringlich war. Niemand hätte dahinter irgend etwas Besonderes, geschweige denn eine menschliche Wohnung vermutet. Ich hatte keinen Zugang in meiner Umzäunung gelassen, sondern gelangte in diese mit zwei Leitern. Von diesen reichte die eine, die ich gegen eine niedrige Stelle des Felsens gelehnt hatte, bis an einen Vorsprung, auf dem Platz genug war, um eine zweite Leiter darauf anzubringen, so daß, wenn die beiden Leitern eingezogen waren, kein Mensch ohne die Gefahr einer Verletzung über den Wall gelangen konnte. Überdies hätte er dann auch erst noch die innere Umzäunung meiner Behausung zu passieren gehabt.

So hatte ich denn alle Vorkehrungen zu meiner Sicherheit, die menschliche Vorsicht ausdenken konnte, getroffen. Die Folge wird zeigen, daß sie nicht ganz unnütz gewesen waren, obgleich ich damals zu jenen Maßregeln lediglich durch die Vorspiegelungen meiner Furcht veranlaßt wurde.

Während der Beschäftigung mit diesen Arbeiten vernachlässigte ich meine anderen Angelegenheiten auch nicht ganz. Besonders lag meine kleine Ziegenherde mir sehr am Herzen. Die Tiere boten mir auf alle Fälle ein sehr schätzbares Hilfsmittel und lieferten mir schon jetzt ausreichenden Lebensunterhalt. Auch ersparten sie mir den Aufwand von Pulver und Blei sowie die Anstrengung, die ich bei der Jagd auf die wilden Ziegen gehabt hatte. Ich wollte mir daher um jeden Preis diesen Vorteil wahren, um nicht genötigt zu sein, die Einzäunung aufs neue zu beginnen.

Nach langer Überlegung sah ich für diese Sicherung zwei Möglichkeiten. Die eine bestand darin, daß ich an einer passenden Stelle eine unterirdische Höhle grub, um die Ziegen des Nachts dahinein treiben zu können; die zweite, daß ich einige Stückchen Land, weit auseinander und möglichst versteckt gelegen, mit Zäunen umgab und innerhalb jedes derselben etwa ein halbes Dutzend junger Ziegen hielt. Auf diese Weise konnte ich, wenn die Hauptherde von irgendeinem Unfall betroffen wurde, ohne viel Mühe und Zeitverlust mir wieder eine andere heranziehen. Der letztere Plan erschien mir der zweckmäßigere, wenngleich seine Ausführung viel Zeit und Mühe in Anspruch nehmen mußte.

Demgemäß suchte ich sorgfältig nach den verborgensten Plätzen auf der Insel und machte auch glücklich einen ausfindig, der so heimlich gelegen war, wie ich es nur wünschen konnte. Es war ein kleiner, feuchter Rasenfleck mitten im dichtesten Walde, wo ich mich einmal, wie früher erzählt ist, auf dem Rückweg von der Ostseite der Insel verirrt hatte. Hier fand ich einen freien Platz etwa drei Morgen groß und dergestalt von Bäumen umgeben, daß dieser fast schon einen natürlichen Wildzaun bildete. Wenigstens erforderte die Anlegung des künstlichen dort bei weitem weniger Arbeit als an den Stellen, wo ich früher die Umfriedigung angelegt hatte.

Achtzehntes Kapitel

Robinson trifft Vorkehrungen zu seiner Sicherheit. Er entdeckt Spuren von Menschenfressern

Ich machte mich unverzüglich an die Arbeit und hatte schon vor Ablauf eines Monats einen Zaun fertiggebracht, in dem eine Herde oder ein Rudel meiner Ziegen, die übrigens jetzt lange nicht mehr so wild waren wie im Anfang, ganz sicher untergebracht werden konnte. Dahin versetzte ich nun zehn junge Ziegen und zwei Böcke und fuhr dann fort, den Zaun zu vervollkommnen, bis er ebenso fest war wie die anderen. Doch nahm ich mir dabei Zeit, und es dauerte lange, bis die Arbeit beendet war.

Alle diese Mühe wurde veranlaßt durch die Furcht, die mir die Spur eines einzigen menschlichen Fußtrittes eingeflößt hatte. Zwar hatte ich bisher noch kein Menschenkind außer mir auf der Insel wahrgenommen, aber dennoch befand ich mich seit zwei Jahren in solcher Aufregung, daß mein Leben sich bei weitem unbehaglicher als früher gestaltet hatte. Das wird jedermann begreiflich finden, der jemals Furcht vor feindseligen Menschen empfunden hat.

Leider muß ich bekennen, daß die Unruhe meines Gemütes auch nicht ohne Einfluß auf mein Leben im Glauben blieb. Denn die Angst und das Entsetzen bei dem Gedanken, den Wilden und Menschenfressern in die Hände zu fallen, drückte meinen Geist so nieder, daß ich selten in der Stimmung war, mich an Gott zu wenden. Wenigstens tat ich es nicht mehr mit der andächtigen Sammlung und Ergebung der Seele wie sonst. Ich betete nur in großer Angst und Herzensunruhe wie in beständiger Gefahr und in der fortwährenden Erwartung, im Laufe der Nacht ermordet zu werden und den Morgen nicht zu erleben.

Aus Erfahrung kann ich bezeugen, daß Friede, Dankbarkeit, Liebe und Freundlichkeit viel mehr zum Gebet stimmen als Schrecken und Angst. In der Furcht vor drohendem Unheil ist der Mensch ebensowenig zu der tröstlichen Ausübung der Gebetspflicht fähig, als er es auf dem Krankenbette zur Reue ist. Denn in jener Verfassung ist der Geist ebenso gestört wie dort der Körper, und die geistige Störung bringt notwendig eine gleiche Unfähigkeit hervor wie die körperliche, ja sogar eine noch größere, denn das Gebet ist ja eine ausschließlich geistige Tätigkeit.

Nachdem ich, um hier meine Erzählung wieder aufzunehmen, in der erwähnten Weise einen Teil meines lebenden Inventars in Sicherheit gebracht hatte, durchwanderte ich die ganze Insel nach einem zweiten, verborgenen Platze, um noch ein anderes Depot gleicher Art anzulegen. Diesmal geriet ich weiter nach der Westspitze der Insel als je vorher, und da geschah es, daß ich, als ich einmal auf das Meer hinausschaute, in weiter Entfernung ein Boot wahrzunehmen glaubte. In den Matrosenkoffern, die ich aus dem Schiffe gerettet, hatte ich auch zwei Ferngläser gefunden, von denen ich jedoch damals gerade keines bei mir trug. Das vermeintliche Fahrzeug war so entfernt, daß ich es nicht genau erkennen konnte, obgleich ich danach schaute, bis mir die Augen übergingen. Als ich, von dem Hügel herabgestiegen, das Boot nicht mehr sah, beschloß ich, nicht mehr an die Sache zu denken, nahm mir aber vor, nie mehr ohne Fernrohr in der Tasche auszugehen. Nachdem ich unterhalb des Hügels an das Ende der Insel gelangte, wo ich früher noch nie gewesen war, überzeugte ich mich, daß der Anblick einer menschlichen Fußspur nicht etwas so Außerordentliches sei, wie ich mir bisher eingebildet hatte. Wäre ich nicht durch eine besondere Fügung gerade auf jener Seite der Insel, wo die Wilden nie hinzukommen pflegten, ans Land geworfen worden, so hätte ich längst wissen können, daß die Kanus vom Festlande, wenn sie sich etwas zu weit in die See hinaus gewagt hatten, sehr häufig die der meinigen entgegengesetzten Seite der Insel als Hafen benutzten. Nach ihren Seegefechten in Kanus pflegten nämlich die Sieger ihre Gefangenen an jene Küste zu bringen und sie, ihrer schrecklichen Sitte gemäß (denn sie waren sämtlich Kannibalen), dort zu töten und zu verzehren. Doch hiervon wird später ausführlich die Rede sein. Von dem Hügel herab ans Ufer gelangt, das, wie gesagt, die Südwestspitze der Insel bildete, blieb ich plötzlich starr vor Schrecken und Entsetzen stehen. Mit unbeschreiblichem Grauen fand ich dort den Boden mit Schädeln, Händen, Füßen und anderen Gliedmaßen menschlicher Leiber übersät. Am meisten entsetzte mich eine Stelle, wo offenbar ein Feuer angezündet gewesen war, um das sich ein kreisförmiger Graben zog. Hier hatten sich augenscheinlich jene wilden Scheusale zu ihrem unmenschlichen Mahle, das aus den Leichnamen ihrer Mitmenschen bestand, niedergelassen.

Ich war so durch diesen Anblick vernichtet, daß ich eine ganze Weile gar nicht an eine Gefahr für mich selbst dachte. Meine Befürchtungen gingen unter in dem Gedanken an diese unmenschliche, teuflische Brutalität und in dem Abscheu vor solcher Entwürdigung der menschlichen Natur. Zwar hatte ich von dergleichen Scheußlichkeiten oft gehört, aber noch nie hatte ich so unmittelbare Beweise für diese gehabt. Ich wandte mich von dem grausigen Schauspiel ab, mir wurde ganz übel, und ich war einer Ohnmacht nahe. Meine Natur half sich jedoch. Nachdem ich mich heftig übergeben hatte, fühlte ich mich etwas besser, konnte es aber keinen Augenblick länger an diesem Orte aushalten. Ich kletterte so schnell als möglich wieder den Hügel hinan und eilte meiner Wohnung zu.

Nachdem ich eine Strecke Weges hinter mir hatte, stand ich einen Augenblick still, um mich zu sammeln.

Ein wenig zu mir gekommen, blickte ich inbrünstig gen Himmel und dankte Gott unter einem Strom von Tränen dafür, daß er mich in einem Weltteil hatte geboren werden lassen, wo solche schrecklichen Geschöpfe wie die, deren Spuren mir soeben vor die Augen getreten waren, nicht existierten. Vor allem dankte ich meinem Schöpfer auch dafür, daß er mir in der elenden Lage, in der ich mich befand, doch wenigstens die Erkenntnis seines Wesens und die Hoffnung seiner Gnade gewährt hatte. Dies Geschenk wog ja alles Elend, das ich schon erduldet hatte und noch erdulden konnte, reichlich auf.

In solch dankbarer Gemütsstimmung ging ich nach Hause und wurde nun viel ruhiger über meine Lage, als ich seit langer Zeit gewesen war. Ich hatte die Überzeugung gewonnen, daß jene Halunken diese Insel niemals in der Absicht betreten würden, um Beute zu machen. Entweder begehrten sie nichts, oder sie vermuteten nichts hier. Denn gewiß waren sie oft in dem bewachsenen waldigen Teile gewesen, ohne etwas für sie Brauchbares anzutreffen. Achtzehn Jahre hatte ich nun beinahe hier verweilt, ohne in der ganzen Zeit auch nur eine Spur von menschlichen Wesen wahrzunehmen, und ebensogut konnte ich daher noch einmal achtzehn Jahre unbemerkt wie bisher hier zubringen, wenn ich mich nicht selbst verriet. Davor vermochte ich mich jedoch leicht zu hüten. Ich brauchte mich nämlich nur ganz still zu Haus zu halten, bis sich eine bessere Menschenart als jene Kannibalen zeigen würde, mit denen ich in Verkehr treten könnte.

Mein Abscheu vor den scheußlichen Wilden und ihren unmenschlichen Sitten war so groß, daß ich fast zwei Jahre lang nach dem erzählten Vorfall meine gewohnte Umgebung nicht verließ. Hierunter verstehe ich meine drei Ansiedlungen: die Burg, den Landsitz (meine sogenannte Villa) und die Anlagen im Walde. Diese letzteren suchte ich indessen nur auf, wenn ich nach meinen Ziegen sehen wollte. Da mein Entsetzen vor den höllischen Gesellen so stark war, daß ich ihren Anblick wie den des Teufels fürchtete, ging ich auch die ganze Zeit über nicht ein einziges Mal nach meinem Boot. Dagegen dachte ich daran, mir ein neues zu machen, denn ich konnte es nicht über mich gewinnen, jemals wieder einen Versuch zu wagen, das vorhandene um die Insel herum zu führen und mich so einer möglichen Begegnung zur See mit jenen Kreaturen auszusetzen. Wußte ich doch zu gut, was mein Los sein würde, wenn ich ihnen in die Hände fiele.

Mit der Zeit aber wuchs auch meine Zuversicht, daß mir keine Gefahr drohe, von diesen Unmenschen entdeckt zu werden. Nach und nach schwand meine Furcht vor ihnen, und ich fing an, wieder in derselben Weise wie früher zu leben. Nur mit dem Unterschiede, daß ich jetzt vorsichtiger war und meine Augen besser offenhielt als sonst, damit ich ihnen nicht einmal unvorsichtigerweise in ihren Gesichtskreis käme. Besonders nahm ich mich mit dem Schießen in acht, um mich nicht durch den Knall zu verraten. Es kam mir jetzt besonders zustatten, daß ich mich mit zahmen Ziegen versehen hatte und nicht mehr in den Wäldern herumzujagen und zu schießen brauchte. Ich bemächtigte mich von nun an des Wildes nur noch mit Fallen und Schlingen, und in einem Zeitraum von zwei Jahren feuerte ich, glaube ich, meine Flinte nicht ein einziges Mal ab, obgleich ich nie ohne sie ausging und überdies immer wenigstens zwei von den drei aus dem Schiffe mitgebrachten Pistolen in meinem Gürtel von Ziegenleder bei mir führte. Auch eins von den großen Messern, die ich aus dem Schiffe gerettet hatte, hing ich, nachdem ich es geputzt und geschliffen hatte, an einem besonderen Riemen stets um, so daß ich bei meinen Ausgängen ganz gefährlich anzuschauen war. Eine Zeitlang nahmen die Dinge ihren ruhigen Fortgang, und ich kehrte daher, jene Vorsichtsmaßregeln abgerechnet, wieder zu meiner früheren geregelten Lebensweise zurück. Alles vereinigte sich, um mir mehr und mehr zu beweisen, wie gut ich es immer noch im Vergleich mit anderen hatte und wie gut meine Lage im Vergleich zu Schlimmerem war, in das mich Gott ja ebensogut hätte versetzen können. Die Menschen würden sich überhaupt weit weniger über ihr Geschick beklagen, wenn sie es nur stets mit noch Ungünstigerem vergleichen wollten, anstatt sich immer mit denen zu messen, die es besser haben wollen, und dann zu murren und zu jammern.

Da ich in meiner jetzigen Lage wirklich weniges vermißte, so muß ich glauben, daß die Furcht, die mir die Wilden eingejagt hatten, und die Sorge, die ich auf meine Selbsterhaltung verwendete, meine Erfindungskraft in Dingen meiner Bequemlichkeit vermindert hatten. Wenigstens einen schönen Plan, mit dem ich mich früher schon sehr viel beschäftigte, hatte ich jetzt ganz fallenlassen. Ich hatte nämlich an den Versuch gedacht, aus einem Teil meiner Gerste Malz zu bereiten und mir daraus Bier zu brauen. Allerdings war das ein närrischer Einfall, und ich zog mich darüber oft selbst auf, denn ich konnte ja nicht übersehen, daß zum Bierbrauen noch manche Dinge gehörten, die ich unmöglich herbeischaffen konnte. Fürs erste nämlich Fässer, um das Gebräu aufzubewahren. Der schwierigen Aufgabe, mir solche zu verfertigen, opferte ich Tage, Wochen und Monate ohne jeglichen Erfolg. Sodann fehlten mir der Hopfen, um das Bier vor dem Verderben zu bewahren, Hefe, um die Gärung hervorzubringen, und ein kupferner Kessel, um es darin zu kochen. Und dennoch hätte ich, wären nicht die vielen Ängste und Schrecken über die Wilden dazwischengekommen, die Ausführung meines Planes unternommen und vielleicht auch bewerkstelligt. Denn selten gab ich etwas als unausführbar auf, wenn ich es einmal so weit ausgedacht hatte, daß ich überhaupt bis zum Anfang kam.

Damals jedoch hatte mein Erfindungsgeist eine ganz andere Richtung genommen. Tag und Nacht dachte ich über nichts anderes nach, als wie ich jene Ungeheuer in ihren blutigen Belustigungen überfallen und wenn möglich die dem Verderben geweihten Schlachtopfer retten könnte. Es würde den Umfang, den ich meiner Erzählung bestimmt habe, überschreiten heißen, wollte ich alle die Pläne beschreiben, die ich ersann und in Gedanken ausbrütete, um diese Geschöpfe zu vernichten oder sie wenigstens so in Furcht zu versetzen, daß sie nie wieder hierherkämen. Meine ganze Absicht mußte jedoch erfolglos bleiben, wenn ich sie nicht in Person ausführte Was aber konnte ein einzelner Mensch gegen vielleicht zwanzig oder dreißig von ihnen ausrichten mit ihren Lanzen oder Bogen und Pfeilen, mit denen sie so sicher zielten wie ich mit meiner Flinte?

Zuweilen dachte ich daran, eine Mine unter der Stelle anzulegen und mit einigen Pfunden Pulver zu füllen, das beim Anzünden des Feuers explodieren und alles ringsumher in die Luft sprengen sollte. Aber teils wollte ich doch nicht so viel Pulver daran wenden, da mein Vorrat bereits sehr zusammengeschmolzen war, und andererseits konnte ich ja auch nicht berechnen, ob die Explosion gerade zu einer solchen Zeit stattfinden würde, in der die Wilden dadurch in Gefahr gebracht werden müßten. Im besten Falle hätte es auch weiter nichts bewirken können, als daß ihnen das Feuer um die Ohren gezischt und sie erschreckt hätte, ohne sie dadurch auf die Dauer zu vertreiben.

Ich gab mit Rücksicht hierauf diesen Plan auf und beschloß, mich anstatt dessen nur mit meinen drei doppelt geladenen Gewehren an geeigneter Stelle in einen Hinterhalt zu legen und, wenn die Wilden mitten in ihrer blutigen Tätigkeit wären, auf sie zu feuern. Dabei glaubte ich sicher, mit jedem Schuß wenigstens zwei bis drei von ihnen zu töten oder zu verwunden. Wenn ich alsdann mit meinen drei Pistolen und meinem Schwerte über sie herfiele, so könnte ich sie, davon war ich überzeugt, alle, und wären es ihrer zwanzig, töten.

Diese Gedanken beschäftigten mich mehrere Wochen lang. Ich war so voll davon, daß ich oft von meinen Plänen träumte. Manchmal war es mir im Schlaf, als ob ich eben auf die Feinde Feuer gäbe. Ich wendete mehrere Tage daran, geeignete Plätze für einen solchen Hinterhalt ausfindig zu machen, und besuchte sogar häufig die Stelle, wo ich die Reste der kannibalischen Mahlzeit gefunden hatte. Seit ich mich mit solchen Rachegedanken trug und einen ganzen Haufen von Menschen dem Untergang geweiht hatte, schwand mein Abscheu vor jenem Platze und vor den Spuren derer, die so barbarisch waren, daß sie sich untereinander aufzufressen pflegten. Endlich machte ich auch einen Ort ausfindig, von dem aus ich in völliger Sicherheit ihre Boote ankommen sehen und, noch ehe sie landeten, unbemerkt in ein Dickicht entfliehen konnte. Dort wußte ich einen hohlen Baum, der groß genug war, mich vollständig zu verbergen, und von dem aus ich alle ihre blutigen Handlungen beobachten und in aller Ruhe auf ihre Köpfe zielen konnte. Wenn sie nahe genug beisammen waren, so mußte es mir fast unmöglich sein, mein Ziel zu verfehlen und nicht wenigstens drei bis vier auf den ersten Schuß zu verwunden. Diesen Platz beschloß ich nun zum Ausgangspunkt meiner Unternehmungen zu machen. Ich setzte zwei Musketen und meine gewöhnliche Vogelflinte instand, lud die ersten beiden mit zwei großen und mit vier bis fünf kleineren Kugeln von der Größe einer Pistolenkugel und die Vogelflinte mit einer Handvoll Schrot von der größten Sorte, tat auch in jede meiner Pistolen ungefähr vier Kugeln, und in dieser Ausrüstung, wohlversehen mit Munition für einen zweiten und dritten Schuß, bereitete ich mich auf meine Expedition vor.

Nachdem ich so meinen Plan gehörig durchdacht und in meiner Phantasie gewissermaßen bereits ausgeführt hatte, richtete ich meine Schritte alle Tage nach dem Gipfel des Hügels, der ungefähr drei Meilen von meiner Festung entfernt war, um zu sehen, ob ich nicht ein Boot auf dem Meere erspähen würde, das sich der Insel nähere. Nach einigen Monaten jedoch wurde ich dieser Anstrengung überdrüssig, da in dieser ganzen Zeit mein Wachehalten ohne irgendein Resultat geblieben war. Auch nicht das geringste hatte sich, so weit meine Augen und Ferngläser reichten, blicken lassen, weder an der Küste noch in ihrer Nähe, noch auf dem weiten Meere.

Solange ich täglich den Weg nach dem Hügel machte, hielt auch mein Eifer für den Anschlag vor. Ich befand mich während der ganzen Zeit in einer durchaus geeigneten Stimmung zu einer so unverantwortlichen Schlächterei, wie es das Erschießen eines Haufens nackter Wilden gewesen wäre.

Die Natur ihrer Handlungsweise hatte ich gar nicht weiter in meinen Gedanken erwogen, war vielmehr einzig meiner aufgeregten Leidenschaft und dem Abscheu gefolgt, den ich bei der Erinnerung an die unnatürlichen Sitten dieser Menschen empfand. Und doch hatte ja die Vorsehung selbst in weiser Anordnung sie ihren abscheulichen und verderblichen Begierden überlassen. Vielleicht waren sie schon seit Menschenaltern solchen grausamen und entsetzlichen Gebräuchen ergeben, wie sie nur völlig gottlose Naturen ersinnen können.

Aber jetzt, wo ich, wie gesagt, meiner fruchtlosen Wege, die ich so lange und weithin alle Morgen gemacht hatte, müde war, änderte sich auch meine Ansicht von der Sache selbst. Ich fing an, mit ruhigerem und kühlerem Blute darüber nachzudenken. Welches Recht und welchen Beruf hatte ich denn, mich zum Richter und Henker dieser Menschen aufzuwerfen, die der Himmel so lange Zeit hindurch ungestraft gelassen und sie gleichsam zu Vollziehern seiner Strafgerichte untereinander gemacht hatte? Was hatten diese Leute mir getan? Was berechtigte mich, in ihre Streitigkeiten mich einzumischen und die Metzeleien zu rächen, die sie aneinander verübten? So fragte ich mich oft. Das aber war sicher: die Wilden sahen die Sache nicht als ein Verbrechen an. Sie war nicht gegen ihr besseres Wissen und Gewissen. Sie selbst hatten keine Ahnung davon, daß sie dadurch ein Unrecht begingen und gegen Gottes Gebote sündigten. Ihnen war es ebensowenig eine Sünde, einen Kriegsgefangenen zu töten, als uns, einen Ochsen zu schlachten, und Menschenfleisch schien ihnen ebenso eine naturgemäße Speise wie uns Hammelfleisch.

Nach einigem Nachdenken kam ich zu dem Schluß, daß ich Unrecht gehabt habe, diese Leute als Mörder in unserem Sinne anzusehen. Sie waren es ebensowenig wie die Christen, welche die in der Schlacht gemachten Gefangenen zum Tode verurteilten oder Scharen von Kriegern ohne Gnade niedermetzeln, wenn sie auch ihre Waffen von sich geworfen und sich ergeben haben. Ferner sagte ich mir: Wenn auch der Gebrauch, den diese Kannibalen untereinander üben, noch so roh und unmenschlich sei, so gehe das mich doch gar nichts an, da sie mir ja nichts getan hätten. Hätten sie mich überfallen, und wäre es zu meiner Selbstverteidigung nötig, sie zu überfallen, so ließe sich das rechtfertigen. Aber da ich jetzt nicht in ihrer Gewalt war und sie nicht einmal von meiner Existenz wußten, folglich auch keinen Anschlag gegen mich zu machen vermochten, so konnte ich auch nicht zu einem Überfall berechtigt sein. Ich würde mich durch einen solchen auf eine Stufe mit jenen Spaniern gestellt haben, die in ihrer Grausamkeit in Amerika Millionen von Wilden hinmordeten, die zwar Götzendiener und Barbaren und in ihren Sitten zum Teil blutig und roh waren — wie sie denn zum Beispiel ihren Götzen Menschenopfer brachten —, die aber den Spaniern gegenüber doch als ganz unschuldige Leute erschienen. Über ihre Ausrottung wird jetzt nur mit größtem Abscheu und heftiger Entrüstung von den Spaniern selbst und von allen anderen christlichen Nationen Europas geurteilt, als von einer Schlächterei, von einer blutigen und unnatürlichen Grausamkeit, die unverantwortlich vor Gott und Menschen ist. Hat doch seitdem der bloße Name jenes Volkes bei allen Leuten von christlichem Mitgefühl einen schrecklichen Klang, und betrachtet man doch das Königreich Spanien als dadurch besonders ausgezeichnet, daß es von einer Menschenrasse bewohnt wird, die jenes Mitleidsgefühls entbehrt, das allgemein für das gewöhnlichste Zeichen einer edlen Gesinnung gilt.

Diese Erwägungen brachten mich zum Einhalt in meinen Vorkehrungen. Nach und nach sah ich das Unrechtmäßige meiner Absichten gegen die Wilden ein und erkannte, daß ich nur dann mich mit diesen befassen dürfe, wenn sie mich zuerst angriffen, und daß dem möglich vorzubeugen jetzt meine einzige Aufgabe sei. Zugleich machte ich mir klar, wie ich, durch mein früheres Vorhaben, statt mich zu befreien, nur mein Verderben herbeigeführt hätte. Denn falls es mir gelang, sämtliche Wilde, sowohl diejenigen, die das nächste Mal, als auch diejenigen, die jemals später auf die Insel kamen, zu töten, und sobald nur ein einziger entrann und seinen Landsleuten berichtete, was geschehen sei, so war es sicher, daß diese zu Tausenden kommen und den Tod ihrer Gefährten rächen würden. Mit Rücksicht auf dies alles beschloß ich, da es weder vernünftig noch klug war, mich in die Angelegenheiten der Wilden zu mischen, nichts anderes zu tun, als mich in jeder Weise vor diesen verborgen zu halten und ihnen nicht den mindesten Anlaß zu der Vermutung zu geben, daß irgendein Wesen in Menschengestalt auf der Insel hause.

Auch meine religiöse Weltanschauung unterstützte diesen Vorsatz der Klugheit, und so war ich auf die mannigfachste Weise davon überzeugt, daß ich nur pflichtmäßig handelte, wenn ich meine blutigen Pläne gegen die unschuldigen Menschen fallenließe. Unschuldig nämlich gegenüber mir. Ihre Verbrechen richteten sie ja nur gegeneinander. Es waren Nationalsünden, deren Bestrafung ich der Gerechtigkeit Gottes zu überlassen hatte, der die Vergehen der Völker richtet und am besten weiß, wie sie durch Strafen zu rächen und zu sühnen sind. Dies war mir jetzt so klar, daß ich mit größter Genugtuung darüber erfüllt wurde, nichts von dem ausgeführt zu haben, was ich nun aus vielen Gründen als einen absichtlichen Mord ansah. Ich dankte Gott auf den Knien dafür, daß er mich vor Blutschuld bewahrt hatte. Ich flehte ihn inbrünstig an, mich nicht in die Hände der Wilden fallen und mich nur dann selbst Hand an sie legen zu lassen, wenn ich durch die Notwendigkeit der Selbstverteidigung ein Recht dazu hätte.

Neunzehntes Kapitel

Robinson entdeckt eine Höhle, die ihm als Zufluchtsort vor den Wilden dient

In dieser Stimmung verblieb ich fast ein volles Jahr. Ich war jetzt so weit entfernt davon, die Gelegenheit zu einem Überfall der unglücklichen Menschen herbeizuwünschen, daß ich während jenes ganzen Zeitraumes nicht ein einziges Mal den Hügel erstieg. Ich wollte sie gar nicht zu Gesicht bekommen und überhaupt nicht wissen, ob sie auf der Insel seien, damit sich meine Pläne gegen sie nicht erneuerten und ich nicht durch irgendeinen sich darbietenden Vorteil zu einem Angriff gegen sie herausgefordert würde.

Das einzige, was ich tat, war, daß ich das Boot von der anderen Inselseite entfernte und nach dem östlichen Teile brachte. Dort verbarg ich es in einer kleinen Bucht unter hohen Felsen, wohin, wie ich wußte, die Wilden wegen der Strömung mit ihren Kanus nicht kommen konnten. In meinem Boot führte ich alles an Zubehör mit fort, Mast und Segel und das ankerartige Ding, das ich mir, so gut es hatte gehen wollen, angefertigt hatte. Ich nahm dies alles mit, um nicht das geringste Zeichen des Bewohntseins der Insel zurückzulassen.

Außerdem hielt ich mich, wie erwähnt, mehr zurück als je und verließ meine Behausung selten, außer um meine Ziegen zu melken und meine kleine Herde in den Wald zu treiben. Hier war ich, da er auf der entgegengesetzten Seite der Landungsstelle der Wilden lag, keiner Gefahr ausgesetzt. So viel nämlich schien gewiß, daß diese bei ihren Besuchen auf der Insel nicht die Absicht hegten, auf dieser etwas zu suchen, und daß sie daher sich nicht weit von der Küste zu entfernen pflegten. Sie waren, wie ich nicht bezweifelte, seitdem mich die Furcht vorsichtiger gemacht hatte, wiederholt auf der Insel gewesen. Mit Entsetzen bedachte ich, in welcher Lage ich mich befunden hätte, wäre ich bei einer solchen Gelegenheit auf die Kannibalen gestoßen und von ihnen zu einer Zeit entdeckt worden, in der ich, einzig mit einer meist nur mit leichtem Schrot geladenen Flinte bewaffnet, überall nach Beute herumzustreifen pflegte. Wie groß wäre mein Schrecken gewesen, wenn ich statt jener Fußspur plötzlich einen ganzen Haufen von Wilden gesehen hätte und von ihnen verfolgt worden wäre, wobei ihre Schnelligkeit mir ein Entrinnen gewiß unmöglich gemacht hätte. Der Gedanke daran ließ mir zuweilen das Herz erbeben und entmutigte mich so, daß ich nur mit Mühe wieder Fassung gewann. Ich sagte mir, daß ich, wäre jener Fall eingetreten, völlig widerstandsunfähig und sicherlich nicht imstande gewesen wäre, das zu tun, was ich jetzt nach so langer Erwägung und Vorbereitung zu tun vermochte. Das ernstliche Nachdenken über die Sache machte mich geradezu melancholisch. Endlich aber lösten sich auch diese Erwägungen stets in Dank gegen die Vorsehung auf, die mich vor so vielen ungeahnten Gefahren errettet und mich vor einem Unheil bewahrt hatte, das ich selbst von mir abzuwenden schon deshalb nicht imstande gewesen war, weil ich das Übel weder geahnt noch für möglich gehalten hatte.

Hierdurch wurde eine Betrachtung wieder in mir erweckt, die ich schon früher oft angestellt hatte, seitdem ich angefangen, die gnadenreichen Fügungen des Himmels in den Gefahren dieses Lebens zu erkennen. Wie wunderbar werden wir doch vielmals, ohne daß wir es wissen, vor Unheil bewahrt. Wenn wir uns in Unentschlossenheit befinden, wenn wir zweifeln und zögern, ob wir diesen oder jenen Weg einzuschlagen haben, dann leitet uns oft ein heimlicher Wink auf den einen Weg, während wir den anderen zu wählen beabsichtigt hatten. Ja, wenn Neigung oder irgendein äußerer Anlaß uns dorthin zu gehen auffordern, so zwingt uns doch nicht selten eine eigentümliche Empfindung, deren Ursprung wir nicht kennen, mit unwiderstehlicher Macht zurück in die andere Bahn, und später erst wird es offenbar, daß wir, wären wir den selbsterwählten Weg gegangen, in unser Verderben gerannt wären. Auf diese und manche ähnliche Betrachtung baute ich später den Grundsatz, überall, wo ich solche geheime Winke und Hinweisungen, dieses oder jenes zu tun oder zu lassen, diesen oder jenen Weg einzuschlagen, empfand, der inneren Stimme zu folgen, wenn ich auch keinen anderen Grund dafür hatte als eben nur jene geheime Empfindung. Ich könnte viele Beispiele aus meinem Leben anführen, in denen sich dieses Verfahren bewährte, und zwar besonders aus der späteren Zeit meines Aufenthaltes auf der unglücklichen Insel. Denn bei vielen früheren Gelegenheiten hatte ich nicht darauf geachtet, weil ich damals noch die Dinge mit anderen Augen ansah als später.

Aber es ist nie zu spät, um klug zu werden, und ich kann nur jedermann raten, mag er auch nicht so wunderbare Schicksale erleben wie ich, solche heimlichen Winke der Vorsehung nicht zu verachten, wie unerklärlich sie auch immer sein mögen. Über ihren Ursprung will ich nicht streiten, auch kann ich davon keine Rechenschaft geben, aber gewiß sind sie doch ein Beweis des Verkehrs der Geister und eines geheimen Zusammenhanges zwischen denen, die noch im Körper wohnen, und den körperlosen, und zwar ein ganz unumstößlicher Beweis, wovon ich Gelegenheit haben werde, einige sehr merkwürdige Proben anzuführen, wenn ich von dem ferneren Verlauf meines einsamen Aufenthalts an diesem trübseligen Orte Bericht erstatte.

Der Leser wird sich schwerlich darüber wundern, daß die Sorgen, die fortwährende Gefahr, in der ich schwebte, und die Angst, die auf mir lastete, allen meinen Erfindungen und allen Plänen, die ich wegen meiner künftigen Annehmlichkeit und Bequemlichkeit ersonnen hatte, ein Ende machten. Der Gedanke an meine Sicherstellung beschäftigte mich jetzt mehr als die Sorge um meinen Unterhalt. Ich wagte nicht, auch nur einen Nagel einzuschlagen oder ein Stück Holz zu spalten, aus Furcht, der Lärm, den es verursachte, könnte gehört werden. Noch viel weniger hatte ich mich erkühnt, eine Flinte abzufeuern. Mehr als alles andere aber scheute ich, Feuer anzuzünden aus Besorgnis, der Rauch, der bei Tage in weiter Ferne sichtbar war, könne mich verraten. Aus diesem Grunde verlegte ich alle diejenigen Geschäfte, die Feuer erforderten, zum Beispiel das Brennen der Töpfe und Pfeifen und so weiter, nach meiner neuen Wohnung im Walde, wo ich nach einigem Suchen zu meiner großen Beruhigung eine natürliche Höhle in der Erde entdeckte, die ziemlich tief war und in die sich sicherlich kein Wilder hineingewagt hätte.

Auf die Öffnung dieser Höhle stieß ich am Fuße eines großen Felsens, als ich — ich würde sagen: zufällig, wenn ich nicht hinlänglich Ursache hätte, alle solche Dinge jetzt der Vorsehung zuzuschreiben — einige dicke Äste von den Bäumen hieb, um sie zu Kohlen zu brennen.

Dies geschah in folgender Absicht: Ich fürchtete mich, wie gesagt, Rauch in der Nähe meiner Ansiedlung zu verursachen, und doch konnte ich nicht umhin, Brot zu backen, Fleisch zu kochen und dergleichen mehr. Darum verbrannte ich hier, unter dem Rasen, wie ich es in England gesehen hatte, einiges Holz zu Kohlen und trug diese, nachdem ich das Feuer ausgelöscht, nach Hause, um alle die anderen Dienste, zu denen ich Feuer nötig hatte, daselbst ohne Gefahr des Rauches verrichten zu können. Als ich nun einst wieder mit Holzhauen beschäftigt war, bemerkte ich hinter dichtem Gesträuch eine Vertiefung. Ich wollte sehen, was darin sei, und als ich mühsam in die Öffnung gelangt war, fand ich eine ziemlich große Höhle, hoch genug, daß ich und allenfalls neben mir noch ein Mann aufrecht darin stehen konnten. Jedoch kam ich schneller aus ihr heraus, als ich hineingekommen war. Ich sah nämlich plötzlich, als ich tiefer in den dunklen Raum hineinblickte, zwei hell glänzende Augen, über die ich im Zweifel war, ob sie einem Menschen oder dem Teufel selbst gehörten. Sie blitzten wie zwei Sterne, indem sie den Lichtschimmer, der durch die Mündung der Höhle fiel, direkt zurückwarfen. Nach einer kleinen Weile erholte ich mich, schalt mich einen Narren und hielt mir vor, daß man sich vor dem Anblick des Todes nicht fürchten dürfe, wenn man einsam zwanzig Jahre hindurch auf einer öden Insel zugebracht hatte, und daß ich mir nicht einzubilden brauche, es sei in der Höhle etwas Fürchterlicheres als meine eigene Person. Hierauf nahm ich allen meinen Mut zusammen, ergriff ein brennendes Stück Holz und stürzte mich nochmals in die Vertiefung. Kaum aber hatte ich drei Schritte vorwärts getan, als ich auch schon von neuem fast ebensosehr wie vorhin erschreckt wurde. Ich hörte nämlich einen lauten Seufzer wie von einem schmerzgequälten Menschen. Diesem Laute folgten ein unzusammenhängendes Geräusch, das wie halb ausgesprochene Worte klang, und dann abermals ein tiefer Seufzer. Ich trat zurück und war dermaßen entsetzt, daß mich ein kalter Schweiß überlief. Hätte ich einen Hut auf dem Kopfe gehabt, so will ich nicht dafür stehen, daß ihn nicht mein zu Berg stehendes Haar abgeworfen hätte. Aber dennoch sammelte ich noch einmal meinen ganzen Mut und tröstete mich mit der Überzeugung, daß Gottes Macht überall gegenwärtig sei und mich beschützen könne. In diesem Gedanken ging ich abermals vorwärts und sah jetzt, beim Scheine der Fackel, die ich hoch über meinem Kopfe hielt, einen ungeheuren, gräulichen alten Ziegenbock auf dem Boden der Höhle liegen. Er war, wie man zu sagen pflegt, just dabei, sein Testament zu machen; er schnappte nach Luft und war im

Begriff, vor Altersschwäche zu sterben. Ich stieß ihn ein wenig an, um zu sehen, ob ich ihn herausziehen könne, und er versuchte auch aufzustehen, hatte aber nicht mehr die Kraft dazu. ‚Meinetwegen', dachte ich, ‚bleib liegen, wo du bist.' Denn ich sagte mir, wie er mich erschreckt hat, könne er auch einen Wilden erschrecken, wenn je einer von denen so kühn sein sollte, hier hineinzukommen, solange noch Leben in ihm war.

Nachdem ich meinen Schreck überwunden hatte, fing ich an, mich umzuschauen. Jetzt sah ich, daß die Höhle, die mir vorher so groß erschienen, nur sehr klein war. Sie mochte ungefähr zwölf Fuß in der Tiefe messen und war von unregelmäßiger Form, weder rund noch viereckig. Man sah, daß sie allein die Natur zum Baumeister gehabt hatte. Dagegen bemerkte ich, daß die Höhlung sich noch weiter nach innen erstreckte, jedoch in so niedriger Höhe, daß ich auf allen vieren hätte hineinkriechen müssen. Da ich nicht wußte, wohin ich gelangen würde, und da ich noch kein Licht bei mir hatte, beschloß ich, den anderen Tag mit Lichtern und einem Feuerzeug, das ich mir aus dem Schloß eines Gewehres gemacht hatte, sowie mit einer Pfanne voll glühender Kohlen wiederzukommen. Wirklich kehrte ich am folgenden Tag, ausgerüstet mit sechs langen Kerzen eigenen Fabrikats (ich verfertigte nämlich sehr schöne aus Ziegenfett) zurück und kroch auf allen vieren in jenem niedrigen Loch etwa zehn Schritt weit, eine Handlung, die mir als kühne Tat erschien, da ich nicht wußte, wie weit und wohin ich gelangen würde. Als ich durch den Eingang hindurch war, fand ich eine ungefähr zwanzig Fuß hohe Wölbung, und hier bot sich mir ein so herrlicher Anblick, wie ich ihn nie zuvor auf der Insel gehabt hatte. Die Seitenwände und die Decke dieser Höhlung strahlten das Licht meiner beiden Kerzen hunderttausendfältig wider. Was in dem Felsen war, ob Diamanten oder andere Edelsteine oder Gold, was ich beinahe vermutete, ich wußte es nicht. Der Raum, in dem ich mich befand, bildete die schönste Grotte, die man sich denken kann, obgleich er an sich völlig dunkel war. Der Boden war trocken und eben und mit einer Art von feinem, losem Kies bestreut. Kein ekelhaftes oder giftiges Getier ließ sich hier sehen, auch waren die Wände nicht im mindesten feucht. Der einzige Übelstand bestand in der Enge des Eingangs, doch hielt ich das eher für einen Vorzug, da ja diese Höhle ein sicheres Versteck und einen Zufluchtsort für mich abgeben sollte.

Hoch erfreut über meine Entdeckung, beschloß ich, unverzüglich einige der Gegenstände, an deren Erhaltung mir am meisten gelegen war, hierherzuschaffen. Vor allem mein Pulvermagazin und meinen Vorrat an Waffen: zwei von den drei Vogelflinten, die ich besaß, und drei Musketen, deren ich acht hatte. Fünf behielt ich in meiner Festung, wo sie an dem Außenwalle schußfertig wie Kanonen aufgestellt und zugleich bereit waren, auf eine Expedition sofort mitgenommen zu werden. Bei Gelegenheit des Transportes meiner Munition öffnete ich zufällig das Pulverfaß, das ich aus dem Meere, wo es Wasser gezogen, aufgefischt hatte. Da ergab sich nun, daß das Wasser etwa zwei bis drei Zoll tief auf jeder Seite in das Pulver gedrungen war und dasselbe so zusammengeklebt und verhärtet hatte, daß das in der Mitte befindliche ganz wohl erhalten war, wie der Kern in einer Nußschale. Ich fand in dem Fasse nahe an sechzig Pfund sehr guten Pulvers vor, was mir zu dieser Zeit eine sehr angenehme Überraschung war.

So brachte ich das alles in jene Grotte und behielt nie mehr als zwei bis drei Pfund Pulver in meiner Wohnung, aus Angst vor einem Überfall irgendeiner Art. Auch alles Kugelblei, das ich noch besaß, verbarg ich dort. Ich kam mir jetzt vor wie einer jener alten Riesen, die in unzugänglichen Höhlen und Felslöchern wohnten. ‚Wenn mich nun‘, so redete ich mir ein, ‚die Wilden, und wären es ihrer fünfhundert, verfolgen, so wird es ihnen nicht gelingen, mich aufzufinden, oder wenn das auch geschieht, werden sie doch nicht wagen, mich hier anzugreifen.

Der alte Bock, den ich im Todeskampf angetroffen hatte, starb schon den Tag, nachdem ich ihn in dem Vorderraum der Höhle entdeckt hatte. Da ich es leichter fand, ihn in ein dort gegrabenes großes Loch zu werfen und mit Erde zu bedecken als ihn hinauszuschleifen, begrub ich ihn daselbst, damit meine Nase nicht darunter zu leiden hatte.

Mein Aufenthalt auf der Insel ging jetzt bereits bis ins dreiundzwanzigste Jahr. Ich war auf ihr so eingebürgert und an meine Lebensweise so gewöhnt, daß ich, wenn ich nur mit einiger Sicherheit hätte annehmen dürfen, daß keine Wilden kommen und mich beunruhigen würden, ganz zufrieden gewesen wäre, den Rest meiner Tage bis zu dem Augenblick, wo ich mich zum Sterben niederlegen würde wie der alte Ziegenbock, hier in der Höhle zu verbringen. Sogar einige kleine

Zerstreuungen und Vergnügungen waren mir jetzt geboten, die mir die Zeit viel angenehmer verfließen ließen als früher.

Erstens hatte ich ja, wie schon erwähnt, meinen Poll sprechen gelehrt, und er war so vertraulich mit mir und sprach manche Worte so deutlich und klar, daß ich große Freude darüber hatte. Nicht weniger als sechsundzwanzig Jahre hatte er mit mir zusammen gelebt; wie lange er dann noch nachher existiert haben mag, das weiß ich nicht. Doch wie ich mich erinnere, behauptete man in Brasilien, dergleichen Tiere lebten hundert Jahre; vielleicht ist denn auch der arme Poll noch am Leben und ruft bis auf den heutigen Tag noch: „Armer Robin Crusoe." Auch mein Hund war sechzehn Jahre hindurch ein mir sehr treu ergebener Gefährte, er starb an Altersschwäche. Was meine Katzen betrifft, so vermehrten sie sich, wie ich bereits erzählt, in dem Grade, daß ich mich genötigt sah, eine Anzahl zu erschießen, damit sie nicht mich samt meiner Habe auffräßen. Mit der Zeit, als die beiden Alten, die ich mitgebracht hatte, gestorben waren und ich die anderen immer von mir gejagt und ihnen kein Futter gegeben hatte, liefen sie zuletzt alle wild im Walde umher, bis auf zwei oder drei besondere Lieblinge von mir, die ich zahm erhielt, deren Junge ich aber, sooft sie welche hatten, ertränkte.

Jene gehörten dann ebenfalls zu meiner Familie. Außerdem hielt ich mir immer einige zahme Ziegenlämmer im Hause, die mir aus der Hand fraßen. Ferner besaß ich noch zwei andere Papageien. Auch diese sprachen ganz gut und konnten beide den Namen Crusoe rufen, wenn auch nicht so deutlich wie mein erster, da ich mir mit keinem von ihnen so viel Mühe gegeben hatte wie mit jenem.

Sodann waren einige zahme, dem Namen nach mir unbekannte Seevögel um mich, die ich an der Küste gefangen und denen ich die Flügel beschnitten hatte. Seit die jungen Reiser, die ich vor meiner Wohnung angepflanzt hatte, zu einem hübschen, dichten Baumgarten herangewachsen waren, richteten sich diese Vögel unter den niedrigen Bäumen häuslich ein und brüteten dort, was sehr angenehm war.

So hätte ich denn mit meinem damaligen Leben sehr zufrieden sein können, wenn nur nicht die Furcht vor den Wilden gewesen wäre. Aber das Geschick hatte mit diesen gerade für mich seine ganz besondere Absicht. Jeder, dem meine Geschichte in die Hände fällt, mag sich folgende sehr wichtige

Lehre merken: Oftmals in unserem Lebenslauf wird gerade das Übel, das wir am meisten zu vermeiden streben und das, wenn es uns befallen hat, uns am allerunerträglichsten scheint, gerade das Mittel und die Pforte zu unserer Befreiung, durch die allein wir wieder aus dem Kummer erlöst werden können, in den wir geraten sind. Ich könnte davon viele Beispiele anführen aus meinem wunderbaren Lebenslaufe, aber nirgends war es auffallender als während der letzten Jahre meines einsamen Aufenthaltes auf der Insel.

Zwanzigstes Kapitel

Erneuter Besuch der Wilden. Robinson beobachtet sie bei ihrem
Tanz. SOS! Schiff in Not

Es war im Monat Dezember im dreiundzwanzigsten Jahre
meines Hierseins. Um diese Jahreszeit, während der südlichen
Sonnenwende (Winter kann ich sie nicht nennen), pflegte ich
meine Ernte einzubringen und war deshalb mehr als sonst
draußen auf dem Felde beschäftigt. Als ich nun eines Tages
früh am Morgen, ehe es noch ganz hell geworden war, ausging,
sah ich zu meiner größten Überraschung einen Feuerschein am
Strande. Dieser leuchtete etwa zwei Meilen entfernt aus der
Gegend, wo ich schon früher die Spuren der Wilden bemerkt
hatte, aber nicht wie damals auf der anderen Seite der Insel,
sondern zu meiner großen Bestürzung auf der, wo ich
wohnte.

Sehr überrascht und geängstigt durch diesen Anblick, wagte
ich nicht, aus meinem Gehölz herauszugehen, aus Furcht,
angefallen zu werden. Aber auch hier fand ich keine Ruhe. Ich
quälte mich mit dem Gedanken, die Wilden würden die Insel
durchstreifen, mein Korn, das teils noch auf dem Halm, teils
schon geschnitten auf dem Felde stand, oder irgend etwas
anderes von meinen Einrichtungen oder Verbesserungen finden und sofort daraus schließen, daß sich jemand hier aufhalten müsse. Es war klar, daß sie in diesem Fall nicht eher
nachlassen würden, bis sie mich aufgefunden hätten. In verzweifelter Stimmung eilte ich zu meiner Wohnung, zog die
Leiter hinter mir ein und gab dem Außenwerk meiner Behausung ein so wildes und natürliches Aussehen, als ich nur
irgend konnte. Sodann traf ich im Innern meine Vorbereitungen, um mich in Verteidigungszustand zu setzen. Zunächst lud
ich alle meine Kanonen, wie ich sie nannte, das heißt die
Musketen, die auf meinem neuen Walle aufgestellt waren,
sowie sämtliche Pistolen. Ich war entschlossen, mich bis zum
letzten Atemzug zu wehren. Auch vergaß ich nicht, mich
ernstlich dem göttlichen Schutze zu empfehlen und Gott inbrünstig zu bitten, daß er mich aus den Händen dieser Barbaren erretten möge. Nachdem ich mich ungefähr zwei Stunden ruhig verhalten, fing ich an, sehr ungeduldig und begierig
auf Nachrichten vom Feinde zu warten, denn leider hatte ich

keine Kundschafter auszuschicken. Ich wartete noch eine Weile und sann darüber nach, was ich beginnen sollte; dann aber konnte ich die Ungewißheit nicht länger ertragen. Ich legte meine Leiter an den Abhang an, wo der Absatz war, den ich früher beschrieben hatte, zog sie hinter mir wieder auf, legte sie nochmals an und erstieg so den Gipfel des Hügels.

Hier zog ich mein Fernglas hervor, legte mich platt auf den Bauch und richtete meinen Blick nach der Stelle, an der ich das Feuer gesehen hatte. Bald erblickte ich denn auch nicht weniger als neun nackte Wilde um ein kleines Feuer gelagert. Das letztere konnten sie nicht angezündet haben, um sich zu wärmen, da das Wetter fürchterlich heiß war, vielmehr sollte es vermutlich dazu dienen, um eines ihrer barbarischen Gerichte von Menschenfleisch, das sie entweder lebend oder tot mitgebracht, daran zu braten.

Die Fremdlinge führten zwei Boote bei sich, die sie auf den Strand gezogen hatten. Es war gerade die Zeit der Ebbe, und mir kam es so vor, als erwarteten jene nur die Zeit der rückkehrenden Flut, um wieder abzufahren. Man kann sich schwerlich vorstellen, in welche Bestürzung mich der Anblick dieser Gäste versetzte. Besonders überraschte mich der Umstand, daß die Wilden auf meiner Seite der Insel und überdies ganz in meine Nähe gekommen waren. Als ich mich aber überzeugte, daß ihr Kommen immer nur mit der Ebbe geschehen konnte, fing ich wieder an, mich einigermaßen zu beruhigen, da ich einsah, daß ich zur Zeit der Flut stets mit vollkommener Sicherheit ausgehen durfte, wenn sie nicht schon vorher auf der Insel waren. In dieser Gewißheit bin ich später auch ganz gelassen an meine Erntearbeiten gegangen.

Wie ich erwartet hatte, so geschah es. Sobald die Flut von Westen her eintrat, sah ich, wie sich die Wilden sämtlich einschifften und hinwegruderten. Ich muß noch bemerken, daß sie etwa eine Stunde vor ihrem Aufbruch angefangen hatten, zu tanzen. Obgleich ich aber durch mein Glas deutlich ihre Stellungen und Bewegungen beobachten konnte, vermochte ich doch trotz der schärfsten Aufmerksamkeit nicht zu erkennen (Kleider trugen sie nicht, waren vielmehr völlig nackt), ob es Männer oder Frauen waren.

Sobald ich sie in den Booten und unterwegs wußte, nahm ich zwei Flinten auf die Schultern, steckte zwei Pistolen in den Gürtel, hing mein großes Schwert ohne Scheide an mich und eilte, so schnell ich konnte, nach dem Hügel, von wo aus ich die ersten Spuren der Gäste entdeckt hatte. Als ich dort nach zwei Stunden angekommen war — schneller war es infolge meiner schweren Belastung mit Waffen nicht möglich —, machte ich die Entdeckung, daß noch weitere drei Kanus mit Wilden dagewesen waren, und gleich darauf erblickte ich sie auch alle zusammen auf der See, nach dem Festlande zusteuernd. Der schrecklichste Augenblick für mich war aber, als ich beim Hinabsteigen nach der Küste die entsetzlichen Spuren der Greuel fand, die sie dort ausgeführt hatten: Blut, Knochen und Fleischreste menschlicher Körper, die von diesen Elenden unter Tanz und Scherzen zerrissen und verzehrt waren. Ich fühlte mich dermaßen empört über den Anblick, daß ich mir ernstlich vornahm, die nächsten, die ich dort antreffen würde, niederzumachen, wer und wie viele es auch seien.

Offenbar waren die Besuche, welche die Wilden der Insel abstatteten, nur selten. Es vergingen über fünfzehn Monate, ehe wieder einige landeten. Wenigstens sah ich in der Zwischenzeit keinen der Kannibalen, auch nicht Fußtritte noch irgendwelche andere Spuren von ihnen. Während der Regenzeit schienen sie sich schon ohnehin nicht, wenigstens nicht weit auf das Meer zu wagen. Dennoch brachte ich diese ganze Zeit in einem unbehaglichen Zustande zu, weil ich in der beständigen Furcht schwebte, daß sie mich einmal unerwartet überfallen könnten. Es ergibt sich hierauf aufs neue, daß es schlimmer ist, ein Unheil zu erwarten, als es zu ertragen, zumal da man diese Erwartung oder Befürchtung auf keine Weise loswerden kann.

Inzwischen war ich fortwährend von Mordlust erfüllt. Ich verbrachte meine Stunden, die ich besser hätte anwenden sollen, meistenteils damit, Pläne zu schmieden, wie ich die Wilden beschleichen und überfallen wollte, sobald sie sich wieder blicken ließen. Besonders, hoffte ich, werde mir das gelingen, wenn sie wieder, wie das letztemal, in zwei Haufen geteilt wären. Dabei bedachte ich nicht, daß ich, wenn ich vielleicht auch eine Abteilung von etwa zehn bis zwölf getötet hätte, früher oder später wieder eine und dann noch eine und so fort bis ins Unendliche hätte töten müssen, bis ich endlich kein geringerer, ja eigentlich ein weit schlimmerer Mörder gewesen wäre als diese Menschenfresser selbst.

Ich verlebte jetzt meine Tage in großer Angst und Gemütsunruhe, immer darauf gefaßt, jenen unbarmherzigen Menschen in die Hände zu fallen. Wenn ich mich ja einmal hinauswagte, so geschah es nicht, ohne daß ich mich fortwährend mit der größten Angst und Vorsicht umsah. Nun erst lernte ich das Gut recht schätzen, das ich in der zahmen Ziegenherde besaß. Denn ich getraute mich unter keiner Bedingung, meine Flinte abzuschießen, besonders auf der Seite der Insel, wo die Wilden gewöhnlich landeten, um diese nur ja nicht zu alarmieren. So viel sah ich nämlich sicher voraus, daß sie, wenn sie auch anfangs vor mir die Flucht ergriffen, doch mit Hunderten von Fahrzeugen in wenigen Tagen wiederkommen würden, und in diesem Falle war das Schicksal, das mich erwartete, unschwer vorauszuwissen.

Indessen vergingen wieder ein Jahr und drei Monate, ohne daß ich irgend etwas von den Wilden zu sehen bekam. Dann erst stieß ich abermals auf sie, wie ich sogleich berichten werde. Gewiß mochten sie auch in der Zwischenzeit einige Male dagewesen sein, aber entweder hatten sie sich nicht aufgehalten, oder sie waren wenigstens von mir unbemerkt geblieben. Endlich aber ereignete sich, und zwar, wenn ich richtig gerechnet habe, im Monat Mai des vierundzwanzigsten

Jahres meines Inselaufenthalts, ein sehr merkwürdiges Zusammentreffen mit ihnen.

Die Aufregung meines Gemütes während des vorhergehenden Zeitraumes von fünfzehn bis sechzehn Monaten war groß. Ich schlief unruhig, hatte immer böse Träume und fuhr oft in der Nacht aus dem Schlafe auf. Bei Tage drückte mich schwerer Kummer, und des Nachts träumte ich oft davon, wie ich die Wilden töten und womit ich diese Tat rechtfertigen sollte. Es war um die Mitte des Mai, ich glaube am sechzehnten, soweit ich den Tag nach meinem dürftigen hölzernen Kalender bestimmen kann; denn ich machte noch immer die Zeichen an dem Pfahle. — Den ganzen Tag hatte ein heftiger Sturmwind gewütet, verbunden mit häufigem Blitz und Donner, und darauf war eine furchtbare Nacht gefolgt. Ich weiß nicht mehr genau alle einzelnen Umstände, aber gewiß ist, daß mich, während ich gerade in der Bibel las und in sehr ernste Gedanken über meine gegenwärtige Lage vertieft war, plötzlich der Knall eines Kanonenschusses, der mir von der See herzukommen schien, erschreckte. Dies war nun eine ganz andere Art von Überraschung als alle die mir früher zuteil gewordenen, und die Sorgen, die mich jetzt erfüllten, unterschieden sich daher auch sehr von meinen früheren. In der größten Eile sprang ich auf, stellte meine Leiter schleunigst an die Mitte des Felsens, zog sie, auf dem Felsvorsprung angekommen, mir nach und erstieg sie zum zweiten Male. Ich erreichte den Gipfel gerade in dem Augenblick, als ein feuriges Aufblitzen mich auf einen zweiten Schuß horchen ließ, den ich denn auch nach ungefähr einer halben Minute hörte. Aus dem Schalle konnte ich schließen, daß er von dorther komme, wo ich einst in meinem Boote von der Strömung fortgerissen worden war. Ich vermutete alsbald, daß hier ein Schiff in Not sein müsse und daß sich ein anderes Schiff in der Nähe befände, nach dem diese Notschüsse, um von ihm Hilfe zu erlangen, abgefeuert würden.

Ich hatte Geistesgegenwart genug, sofort daran zu denken, daß, wenn auch ich den bedrängten Leuten nicht helfen könnte, doch sie mich vielleicht zu erretten vermöchten. Darum trug ich so viel dürres Holz, als ich bei der Hand hatte, zusammen und steckte es, nachdem ich einen guten Haufen aufgetürmt, in Brand. Das Holz war trocken und flammte deshalb hell auf, brannte auch trotz des heftigen Windes ganz nieder. Ich zweifelte nun nicht, daß, wenn wirklich ein Schiff in der Nähe sei, die Leute an Bord das Feuer gesehen haben mußten. Dies war denn auch der Fall gewesen. Denn sobald die Flamme aufloderte, hörte ich wieder einen Schuß und dann noch mehrere, alle aus derselben Richtung. Ich unterhielt das Feuer die ganze Nacht hindurch bis zum Tagesanbruch. Als es ganz hell geworden war und der Himmel sich aufgeheitert hatte, sah ich in weiter Ferne einen Gegenstand auf der See, gerade östlich von der Insel, konnte aber selbst mit Hilfe des Fernglases nicht unterscheiden, ob es ein Segel oder der Rumpf eines Schiffes war, denn die Entfernung war zu groß und die Luft über dem Wasser noch immer etwas dunstig.

Den ganzen Tag über schaute ich vielmals nach jenem Ding aus. Ich bemerkte bald, daß es sich nicht bewegte, und schloß daraus, daß es ein vor Anker liegendes Schiff sei. Da ich begreiflicherweise begierig war, darüber ins klare zu kommen, ergriff ich meine Flinte und lief nach der Südseite der Insel zu dem Felsen, wo ich einst von der Strömung entführt worden war. Von dort aus konnte ich, da das Wetter jetzt ganz klar geworden war, zu meinem großen Kummer ganz deutlich das Wrack eines Schiffes erkennen, das in der Nacht auf den verborgenen Klippen, die ich damals mit meinem Boote entdeckt hatte, gestrandet war. Dieselben Klippen waren früher, indem sie die Gewalt der Strömung gebrochen und eine Art Gegenstrom hervorgebracht hatten, das Mittel zu meiner Rettung aus der hoffnungslosesten Lage geworden, in der ich mich in meinem ganzen Leben befunden habe. So wird oftmals das, was dem einen zum Heile dient, dem andern zum Verderben. Wie es schien, waren die Leute in jenem Schiffe, wer sie auch sein mochten, in diesen Gewässern unbekannt und deshalb in der Nacht von dem starken, aus Ost und Ostnordost wehenden Winde auf die gänzlich unter Wasser liegenden Klippen getrieben worden. Hätten sie die Insel gesehen, was wahrscheinlich nicht der Fall war, so würden sie, das nahm ich wenigstens an, versucht haben, sich mit Hilfe ihres Bootes an die Küste zu retten. Ihre Notschüsse aber, besonders seit sie, wie ich vermutete, mein Feuer gesehen hatten, gaben mir mancherlei zu denken. Anfangs glaubte ich, die Leute seien, als sie mein Licht erblickten, in ihr Boot gestiegen und auf die Insel zugesteuert, aber durch die sehr hoch gehende See verschlagen worden. Dann sagte ich mir wieder, sie könnten ja auch ihr Boot schon früher eingebüßt haben, wie das auf mancherlei Weise möglich war.

Zum Beispiel durch die über das Schiff schlagenden Sturzwellen, die es für die Seefahrer oft nötig machten, das Boot zu zerhauen oder auseinander zu nehmen oder es gar eigenhändig über Bord zu werfen. Zuweilen vermutete ich wieder, sie hätten vielleicht ein anderes Schiff oder mehrere in ihrer Begleitung gehabt, von denen sie auf ihre Notsignale aufgenommen und mit fortgeführt seien. Dann einmal stellte ich mir vor, sie seien alle in ihrem Boote in See gegangen und von der Strömung, in der ich mich einst befunden hatte, in die offene See hinausgerissen worden, wo denn ein elender Untergang für sie unvermeidlich sein mußte. Vielleicht, redete ich mir ein, sind sie gerade jetzt dem Verschmachten nahe und hungrig genug, um sich untereinander aufzufressen.

Dies alles aber waren nichts mehr als bloße Vermutungen. Ich konnte in meiner Lage nichts anderes tun, als das Elend der armen Leute beklagen und sie bemitleiden. Dies übte wenigstens die gute Wirkung auf mich, daß ich mich immer mehr zur Dankbarkeit gegen Gott veranlaßt fühlte, der mich so überschwenglich reich in meiner traurigen Lebenslage versorgt und der von der Mannschaft zweier Schiffe, die nun schon an diesen Küsten verunglückt waren, nur allein mir das Leben gerettet hatte. Ich machte hier aufs neue die Beobachtung, daß die göttliche Vorsehung uns sehr selten in eine so unglückliche Lage oder in so großes Elend bringt, daß wir nicht immer noch für eines oder das andere erkenntlich sein und auf andere blicken können, denen es noch schlechter ergeht als uns. Dies war wohl unzweifelhaft der Fall mit jenen armen Leuten. Ich mußte annehmen, auch kein einziger von ihnen sei gerettet worden. Denn wie hätte das geschehen sollen, wenn nicht gerade ein anderes Schiff in der Nähe war, das sie an Bord nahm; das aber dünkte mich sehr unwahrscheinlich, da ich nicht die geringste Spur eines weiteren Fahrzeugs bemerkt hatte.

Ich habe keine Worte, um die leidenschaftliche Sehnsucht auszudrücken, die sich trotz allem meiner Seele bemächtigte bei dem Gedanken, daß mir die Erlösung vielleicht nahe gewesen.

„Ach", rief ich zuweilen aus, „daß doch nur ein paar Seelen oder wenigstens eine einzige aus dem Schiffe gerettet wäre und bei mir Zuflucht gesucht hätte, damit ich doch einen Gefährten, einen Mitmenschen hätte, der mit mir sprechen und mit mir fühlen könnte." In der ganzen Zeit meines einsamen Lebens hatte ich nie so heiß und so sehnsüchtig nach menschlicher Gesellschaft verlangt und den Mangel daran niemals so schmerzlich empfunden als gerade damals.

Es gibt in den menschlichen Neigungen und Wünschen geheime Triebfedern, die, wenn sie durch irgendein erreichbares Ziel, oder sei es auch ein unerreichbares, welches dem Geiste nur durch die Einbildungskraft vorgezaubert ist, in Bewegung gesetzt sind, die Seele zu einem solch ungestümen und begierigen Verlangen anregen, daß die Entbehrung des Ersehnten geradezu unerträglich scheint. So ging es mir mit jenem Wunsche, daß nur ein einziger Mensch gerettet sein möchte. „Ach, wäre es auch nur einer!" Ich wiederholte, glaube ich, diese Worte wohl tausendmal, und so ergriffen war ich von meinem Verlangen, daß ich, die Hände bei jenen Worten zusammendrückend, meine Finger mit solcher Gewalt gegen die innere Handfläche preßte, daß ich, hätte ich irgendeinen weichen Gegenstand in der Hand gehalten, ihn unwillkürlich zerquetscht hätte. Dabei biß ich die Zähne aufeinander, daß sie knirschten und ich sie nicht sogleich wieder auseinanderbringen konnte.

Ich überlasse es den Gelehrten, die Erscheinungen zu erklären und in ihren Ursachen und Wirkungen darzustellen, und beschränke mich darauf, die einfache Tatsache zu berichten. Sie setzte mich selbst in Erstaunen, als ich sie an mir erfuhr, ohne zu wissen, woher sie rührte.

Ohne Zweifel war es die Wirkung meiner heißen Wünsche und der lebhaften Vorstellung, die ich mir von dem Glücke gemacht hatte, wieder einmal mit einem christlichen Glaubensgenossen zu verkehren. Aber es sollte nicht sein! Das Schicksal jener Leute oder das meinige oder unser beider gestattete es nicht.

Robinson besucht das Wrack und findet viele nützliche Dinge.
Robinsons neue Pläne, die Insel zu verlassen

Bis zum letzten Jahre meines Aufenthalts auf der Insel erfuhr
ich nicht einmal, ob jemand aus dem Schiffe gerettet sei oder
nicht, sondern erlebte nur den Kummer, daß ich nach einigen
Tagen den Leichnam eines ertrunkenen Knaben fand, der auf
der Seite der Insel, in deren Nähe der Schiffbruch stattgefunden, auf den Strand gespült war. Die Leiche war bekleidet mit einer Matrosenjacke, einem Paar kurzen, leinenen
Hosen und einem blauen leinenen Hemde. Nichts aber gab mir
auch nur eine Andeutung, welcher Nation der Verunglückte
angehörte. In seinen Taschen hatte er nichts weiter als zwei
Piaster und eine Tabakspfeife, die mir zehnmal soviel wert war
wie das Geld.

Da das Wetter ganz windstill war, hatte ich große Lust, mich
in meinem Boote an das Wrack hinauszuwagen. Gewiß konnte
ich dort noch einen oder den anderen Gegenstand finden, der
mir nützlich war. Doch das war es nicht, was mich so sehr zu
der Unternehmung antrieb. Vielmehr war es die Möglichkeit,
daß doch noch ein lebendes Wesen an Bord sein könnte, dem
ich nicht nur das Leben retten, sondern durch dessen Rettung
ich mir selbst das Leben unendlich viel angenehmer machen
konnte. Dieser Gedanke lag mir so sehr am Herzen, daß ich
Tag und Nacht keine Ruhe fand, bis ich zu dem festen Entschluß gekommen war, die Fahrt zu unternehmen. Indem ich
alles übrige in Gottes Hand legte, tröstete ich mich mit dem
Glauben, ein so heftiger innerer Antrieb müsse von einer unsichtbaren Lenkung ausgehen und dürfe nicht unterdrückt werden, und es würde unrecht sein, wenn ich die Fahrt nicht unternehmen wollte.

In dieser Gemütsstimmung eilte ich nach meiner Behausung
zurück und traf die Vorbereitungen zur Reise. Ich nahm einen
kleinen Vorrat an Brot, einen großen Topf mit Trinkwasser,
einen Kompaß, eine Flasche Rum (denn davon hatte ich immer
noch eine ziemlich große Menge) und einen Korb voll Rosinen
und trug alle diese Dinge nach meinem Boote. Dann schöpfte
ich das Wasser aus ihm, machte es flott, packte die Sachen
hinein und ging nach Hause, um noch anderes zu holen. Meine

zweite Ladung bestand aus einem großen Sack mit Reis, dem Sonnenschirm, den ich als Zelt benutzen wollte, einem weiteren Gefäß mit Trinkwasser und ungefähr zwei Dutzend meiner kleinen Brötchen oder Gerstenkuchen. Außerdem nahm ich noch eine Flasche Ziegenmilch und einen Käse mit. Dies alles schaffte ich mit vieler Mühe und im Schweiße meines Angesichts nach dem Boote, bat Gott um seinen Segen für die Fahrt und stieß vom Ufer ab. Zunächst ruderte ich das Kanu an der Küste entlang, bis ich die äußerste Nordspitze der Insel erreicht hatte. Von dort mußte ich in das offene Meer hinaus. Noch einmal wurde ich jetzt nachdenklich, ob ich die Fahrt wagen solle oder nicht. Ich blickte auf die reißenden Strömungen, die in der Ferne zu beiden Seiten der Insel dahinliefen und mir die schreckliche Erinnerung an die Gefahr, in der ich einst geschwebt hatte, wachriefen. Mein Herz fing an zu zagen. Ich mußte mir sagen, daß ich, wen ich in eine dieser Strömungen geriete, weit hinaus in die See getrieben werden würde, vielleicht so weit, daß ich die Insel aus den Augen verlöre und sie gar nicht wieder erreichen konnte. Denn wenn sich auch nur der leiseste Wind erhob, mußte ich in meinem kleinen Fahrzeug unrettbar verloren sein. Diese Gedanken wirkten so niederdrückend auf mich, daß ich das Unternehmen vorläufig wieder aufgab. Ich befestigte mein Boot in einer kleinen Bucht, stieg aus und setzte mich auf einen niedrigen Erdhügel nachdenklich, zwischen Furcht und Hoffnung schwankend, nieder. Während ich so in Gedanken dasaß, bemerkte ich, daß die Flut eintrat und damit meine Abreise für viele Stunden unmöglich gemacht war. Dabei fiel mir plötzlich ein, daß es praktisch wäre, die höchste Stelle des Ufers, die ich finden könnte, zu ersteigen, um den Einfluß der Flut auf die verschiedenen Strömungen zu beobachten und zu sehen, ob es nicht möglich sei, daß ich, wenn ich von der einen Seite abgetrieben würde, durch eine andere Flutrichtung wieder von derselben Strömung zurückgerissen werde. Dieser Gedanke war kaum in mir aufgestiegen, als ich auch schon einen kleinen Hügel ins Auge faßte, der eine hinreichend weite Aussicht nach beiden Seiten gewährte. Von dort konnte ich die Strömungen sowie die Flutrichtung deutlich übersehen und danach bestimmen, wie ich meinen Rückweg einzurichten hatte. Ich fand denn auch, daß die während der Ebbe vorherrschende Strömung dicht an der Südspitze der Insel entsprang, während die Flutströmung von der Nordküste ausging. Demnach hatte ich also nichts zu tun, als mich auf meinem Rückwege immer an der Nordseite zu halten, dann mußte die Fahrt gelingen.

Ermutigt durch diese Beobachtung beschloß ich, am folgenden Morgen mit Eintritt der Ebbe aufzubrechen. Ich übernachtete in meinem Kanu, indem ich einen der früher erwähnten warmen Überröcke als Decke nahm, und stach am nächsten Morgen in See. Zunächst fuhr ich eine Strecke geradeaus nach Norden, bis ich anfing, die Wirkung der östlichen Strömung zu empfinden, die mich mit großer Schnelligkeit vorwärts brachte, ohne jedoch mich so zu überwältigen, wie es die Strömung an der Südseite getan, die mich aller Gewalt über mein Fahrzeug beraubt hatte. Mit meinem Ruder steuernd, eilte ich jetzt sehr schnell auf das Wrack los und hatte es in weniger als zwei Stunden erreicht.

Es war ein trauriger Anblick, der sich mir hier darbot. Das Schiff, seiner Bauart nach ein spanisches, saß fest eingekeilt zwischen zwei Klippen. Das Verdeck war bis zur Mitte des Schiffes von den Wellen zertrümmert, das Vorderteil aber hing auf den Felsen und war mit solcher Gewalt auf diese gestoßen, daß der Haupt- und Fockmast dem Bord gleichgemacht, das heißt kurz abgebrochen waren. Das Bugspriet war noch unversehrt, und der Schiffsschnabel wie die nächstgelegenen Schiffsteile schienen noch ganz fest zu sein. Als ich mich näherte, erschien ein Hund auf dem Schiffe, der, als er meiner ansichtig wurde, bellte und heulte. Als ich ihn rief, sprang er ins Wasser, um zu mir zu schwimmen. Ich nahm ihn in das Boot, fand ihn aber schon halbtot vor Hunger und Durst. Als ich ihm ein Stück Brot bot, fraß er es wie ein gieriger Wolf, der vierzehn Tage lang im Schnee geschmachtet hat. Hierauf gab ich dem armen Tier frisches Wasser, woran es, wenn ich es geduldet hätte, sich totgetrunken hätte. Alsdann ging ich an Bord. Das erste, was ich hier erblickte, waren zwei ertrunkene Männer, die in der Küche auf dem Vorderverdeck lagen und sich fest umschlungen hielten. Hieraus schloß ich, was auch das wahrscheinlichste war, daß, als das Schiff aufgestoßen, der Sturm die Wellen mit solcher Gewalt und so unaufhörlich darüber hingejagt hatte, daß die Leute es nicht hatten aushalten können und in dem fortwährend überströmenden Wasser ebenso erstickt waren, als ob sie ganz unter

Wasser gelegen hätten. Außer dem Hunde befand sich nichts Lebendes auf dem Schiffe. Die sämtliche Ladung war vom Wasser verdorben. Einige Fässer mit Getränken, ob Wein oder Spirituosen wußte ich nicht, lagen unten in dem Vorratsraume. Ich konnte sie bei dem niedrigen Wasserstande sehen, aber sie waren zu groß, als daß ich mich mit ihnen hätte befassen können. Auch einige Kisten sah ich, die den Matrosen gehört zu haben schienen. Von diesen brachte ich zwei, ohne zuvor ihren Inhalt zu untersuchen, in mein Boot.

Hätte das Schiff hinten festgesessen und wäre das Vorderteil abgebrochen gewesen, so wäre meine Reise, wie ich überzeugt bin, sehr vorteilhaft gewesen. Denn nach dem, was ich in den beiden Kisten fand, mußte ich annehmen, daß das Schiff große Reichtümer an Bord hatte. Nach dem Kurs, den es eingehalten, mußte es von Buenos Aires oder dem Rio de la Plata in Südamerika über Brasilien nach Havanna und von dort nach dem Golf von Mexiko und weiter vielleicht nach Spanien bestimmt gewesen sein. Es barg ganz sicher große Schätze, aber jetzt waren sie niemandem etwas nütze. Was aus der übrigen Mannschaft geworden ist, habe ich nie in Erfahrung bringen können.

Außer den beiden Kisten fand ich ein kleines Fäßchen mit Spirituosen, etwa zwanzig Gallonen enthaltend, das ich gleichfalls mit vieler Mühe in mein Boot brachte. In der Kajüte befanden sich mehrere Gewehre und ein großes Pulverhorn mit ungefähr vier Pfund Pulver. Die Gewehre ließ ich, da ich sie nicht gebrauchen konnte, liegen, das Pulverhorn aber nahm ich mit. Dann nahm ich mir noch eine Feuerschaufel und -zange, die ich sehr nötig brauchte, sowie zwei kleine messingene Kessel, einen kupfernen Schokoladentopf und ein Rösteisen zum Braten und Rösten. Mit dieser Ladung und in Begleitung des Hundes trat ich meinen Rückweg mit der eintretenden Flut an. Ich erreichte an demselben Abend, etwa eine Stunde vor Sonnenuntergang, die Insel wieder, im höchsten Grade erschöpft und ermüdet, und beschloß, die Nacht über in meinem Boote zu bleiben und am anderen Morgen meine Beute in der neuen Höhle unterzubringen, ohne sie vorher nach meiner Wohnung zu tragen.

Nachdem ich mich erfrischt hatte, brachte ich die ganze Ladung ans Ufer und stellte eine genaue Untersuchung damit an. In dem Fasse fand ich eine Art Rum, aber nicht solchen,

wie man in Brasilien hat, auch taugte er nicht mehr viel. Als
ich dagegen an das Öffnen der Kisten kam, fand ich darin
einige mir äußerst willkommene Sachen. In der einen befand
sich unter anderem ein eleganter Kasten mit Flaschen von
ungewöhnlicher Farbe, die mit feinen und sehr guten Likören
angefüllt waren. Jede Flasche enthielt ungefähr drei Schoppen
und war am Halse mit Silberpapier beklebt. Auch zwei Töpfe

mit vortrefflichem Eingemachten fand ich, die so gut verschlossen waren, daß das Salzwasser nicht hatte hineindringen
können. Der Inhalt zweier anderer solcher Gefäße dagegen
war verdorben. Ferner entdeckte ich einige sehr gute, mir hoch
willkommene Hemden, etwa eineinhalb Dutzend weiße leinene
Taschentücher und eine Anzahl bunte Halstücher. Die ersteren konnte ich gleichfalls sehr gut gebrauchen, denn es diente
mir zur großen Erfrischung, wenn ich an heißen Tagen mein
Gesicht damit abtrocknete. Außerdem stieß ich, als ich auf

den Boden der Kiste kam, auf drei große Beutel mit Piastern, die zusammen ungefähr elfhundert Stück enthielten. In dem einen befanden sich auch, in ein Stück Papier gewickelt, sechs Golddublonen und einige kleine Barren oder Stückchen rohen Goldes, von denen jedes wohl beinahe ein Pfund wiegen mochte. Die zweite Kiste enthielt nur wenige wertlose Kleidungsstücke. Sie mußte wohl dem Gehilfen des Waffenschmiedes gehört haben, denn es war zwar kein Pulver darin, aber sie barg drei kleine Büchsen mit feinem Schrot, das vermutlich zum Laden von Vogelflinten gedient hatte.

Im ganzen war der Gewinn, den ich auf dieser Reise an Sachen von wirklichem Wert gemacht hatte, nur gering. Was hätte ich zum Beispiel mit dem Golde anfangen sollen? Es war mir nicht mehr wert als der Sand, über den ich schritt, und ich hätte es gern für einige Paare englischer Schuhe und Strümpfe gegeben, deren ich in der Tat äußerst bedürftig war und die ich nun schon seit vielen Jahren nicht mehr an den Füßen getragen hatte. Zwar hatte ich auch zwei Paar Schuhe erbeutet, die ich den beiden Ertrunkenen, die in dem Wrack waren, von den Füßen gezogen, und zwei Paar hatte ich überdies in einer der Kisten gefunden. Wenn sie mir aber auch im höchsten Grade angenehm waren, stachen sie doch gegen unsere englischen Schuhe sowohl in Bequemlichkeit als auch hinsichtlich ihrer Dauerhaftigkeit sehr ab, denn sie waren eher Sandalen als Schuhe zu nennen. In der zweiten Matrosenkiste fand ich auch etwa noch fünfzig Piaster in Realen, aber kein Gold. Diese mußten also wohl einem ärmeren Manne gehört haben, während die erste Kiste das Eigentum eines Offiziers zu sein schien. Übrigens brachte ich das Geld, obwohl es mir unnütz schien, dennoch in der Höhle in Sicherheit und verwahrte es da, wie ich auch alles andere, von unserem eigenen Schiffe Mitgenommene, dort verwahrt hatte. Es war wirklich recht schade, daß mir nicht der andere Teil des Schiffes zur Beute gefallen war, denn ich bin überzeugt, daß ich mein Kanu daraus hätte mehrmals mit Gold beladen können, das bis zu einer etwaigen Rückkehr nach England in der Höhle sicher genug gelegen hätte.

Als meine gesamte Ladung in Sicherheit ans Land gebracht war, kehrte ich zu meinem Kanu zurück und steuerte es der Küste entlang in die schon früher benutzte Bucht. Hier legte ich an und eilte dann auf dem kürzesten Wege zu meiner alten

Wohnung, wo ich alles in friedlicher Ordnung fand. Von jetzt an pflegte ich der Ruhe, lebte wie früher und beschäftigte mich mehr mit meinen häuslichen Angelegenheiten. Einige Zeit hindurch war mein Leben völlig ungestört, ich übte jedoch größere Wachsamkeit als sonst, schaute öfter auf die See aus und verließ meine Wohnung seltener als früher. Nur nach dem östlichen Inselteil ging ich ohne Furcht, wo ich sicher sein durfte, daß die Wilden dort niemals landeten, und wo ich ohne große Sicherheitsmaßregeln und ohne ein schweres Gewicht von Waffen und Munition zu tragen mich ergehen konnte.

In solcher Weise lebte ich beinahe zwei Jahre. Mein unseliger Kopf aber, der mir immer wieder bewies, daß er dazu geschaffen sei, meine übrige Person unglücklich zu machen, steckte während dieser ganzen Zeit voll von Plänen und Projekten, die Insel zu verlassen. Zuweilen gelüstete es mich auch, das gescheiterte Schiff aufs neue zu besuchen, wiewohl mir die Vernunft sagte, daß dort nichts mehr zu finden sei, das sich der Gefahr des Wegs verlohne. Hätte ich damals das Boot, in dem ich aus Saleh geflohen war, besessen, ich würde, glaube ich, mich ihm auf gut Glück dem Meere anvertraut haben. Mein Verhalten kann allen denjenigen, die mit der am weitesten verbreiteten Menschenplage behaftet sind, aus der meines Erachtens die Hälfte alles irdischen Elends besteht, zur Warnung dienen. Ich meine die Unzufriedenheit mit der Lebenslage, in die Gott und die Natur uns versetzt haben. Denn um hier nicht auf meine erste Torheit und die Ratschläge meines Vaters, deren Nichtbefolgung sozusagen meine Ursünde war, zurückzukommen, so hatte mich doch der Fehler gleicher Art in der Folgezeit allein in meine traurige Lage geraten lassen. Hätte mir die Vorsehung, die mich in Brasilien mit so glücklichem Erfolg meine Pflanzung betreiben ließ, mit eingeschränkten Wünschen begnadigt, wäre ich zufrieden gewesen, nach und nach vorwärtszukommen, so wäre ich gewiß inzwischen zu einem der angesehensten Pflanzer in jenem Lande gediehen. Ja, ich bin überzeugt, daß ich nach den Verbesserungen, die ich binnen so kurzer Zeit in meiner Besitzung eingeführt und der Ausdehnung, die diese dort so rasch gewonnen hatte, jetzt ein Mann von mehr als hunderttausend Moidores gewesen wäre. War es etwa vernünftig, eine so geordnete Lebenslage und eine wohlgedeihende Pflanzung zu verlassen, um als Superkargo in Guinea Neger zu holen, während mit Geduld und mit der Zeit mein Vermögen in der neuen Heimat bald so weit zugenommen hätte, daß ich die Sklaven gleich vor meiner Haustüre von denen hätte kaufen können, die ein ständiges Geschäft daraus machten, sie zu holen? Der Preisunterschied verlohnte wahrhaftig nicht die große Gefahr, in die ich mich damals begeben hatte. Allein, wie es gewöhnlich bei jungen Hitzköpfen der Fall ist, daß das Nachdenken über ihre Torheit Jahre erfordert, um sie zur Einsicht zu bringen, und daß sie nur durch teuer erkaufte Erfahrung klug werden, so war es auch mit mir gewesen. Leider aber wurzelte jener Fehler in meinem Charakter so tief, daß ich auch jetzt nicht in meiner Lage mich zufriedengeben konnte, sondern beständig über die Mittel brütete, ihr zu entrinnen. Es wird vielleicht dem Leser ergötzlich sein, hier einen Bericht zu erhalten über die ersten Ideen zu jenem törichten Fluchtplan und über das, worauf sie sich gründeten.

Man stelle sich also vor, daß ich, nach meinem letzten Besuche bei dem Wrack, in meiner Burg zurückgezogen lebte, während meine Fregatte wie gewöhnlich an sicherer Stelle im Wasser lag. Ich besaß mehr Vermögen als sonst, war aber darum nicht reicher. Ich hatte nicht mehr Nutzen davon als die Indianer von den peruanischen Schätzen, ehe die Spanier in ihr Land kamen.

Nun geschah es in einer regnerischen Märznacht, im vierundzwanzigsten Jahre nach meiner Ankunft auf dieser öden Insel, daß ich, während ich in meiner Hängematte lag, völlig gesund, ohne Schmerz und Unbehagen und ohne mich physisch oder moralisch im mindesten mehr als gewöhnlich unwohl zu fühlen, die ganze Nacht hindurch kein Auge schließen konnte. Eine unbeschreibliche Menge, ein wahrer Wirbel von Gedanken bewegte sich mir im Kopfe herum, diesem großen Tummelplatz der Seele.

Ich überdachte die ganze Geschichte meines Lebens von der Zeit vor meiner Landung auf der Insel an durch die lange Reihe von Jahren nach meiner Ankunft daselbst. Indem ich die letzteren in meiner Erinnerung durchging, verglich ich meinen glücklichen Zustand während der ersten Zeit meines Aufenthaltes mit dem Leben voll Sorge und Angst, das ich geführt, seit ich die Fußspuren im Sande bemerkt hatte. Zwar glaubte ich jetzt nicht mehr, daß die Wilden nicht auch früher vielleicht hundertmal die Insel besucht hätten, aber damals war mir davon nichts bekannt gewesen, und ich hatte in furchtloser Ruhe dahingelebt. Obgleich meine Gefahr früher die gleiche wie jetzt gewesen war, hatte sie doch, da ich sie nicht kannte, gar nicht für mich existiert. Diese Erwägung regte in mir allerlei gute Gedanken an. Vorzüglich den folgenden: Die Vorsehung hat es unendlich gut für die Menschheit eingerichtet, indem sie unserem Wissen und Erkennen so enge Schranken zog. Der Mensch wandelt inmitten von tausend Gefahren, die, wenn er sie wahrnehmen würde, seine Seele in Verzweiflung setzen müßten; aber er bleibt heiter und ruhig, weil die ihn umgebende Gefährdung seinen Augen verborgen bleibt.

Von dieser Reflexion gelangte ich zu der Betrachtung der Gefahr, in der ich in Wirklichkeit seit manchem Jahr auf dieser Insel geschwebt hatte. Im Vollgefühl der Sicherheit und gänzlicher Ruhe war ich meinen Weg gegangen, während vielleicht nur ein Hügel, ein hohler Baum, das zufällige Einbrechen der Nacht zwischen mir und dem elendsten Tode gestanden hatte. Denn ein solcher hätte mich sicher erreicht, falls ich den Kannibalen in die Hände gefallen wäre, die mit mir geradeso wenig Umstände gemacht hätten wie mit einer Ziege oder Schildkröte. Es wäre ungerecht gegen mich selbst, wollte ich leugnen, daß ich in jener Nacht mit aufrichtiger Dankbarkeit anerkannte, dem großen Erretter meine Rettung schuldig zu sein, ohne den ich unvermeidlich in die Gewalt der unbarmherzigen Wilden hätte geraten müssen.

Nun drängten sich mir aber wieder neue Betrachtungen über diese Elenden auf, und die Frage trat mir nahe, wie es möglich sei, daß der allweise Weltenlenker einen Teil seiner menschlichen Geschöpfe in einem solchen Zustande der Bestialität und in Neigungen verharren lassen könne, die sogar unter denen des Tieres stehen, nämlich in der Lust, ihresgleichen zu verzehren. Von dieser fruchtlosen Frage kam ich auf die weiteren: In welchem Teile der Welt mögen diese Unglücklichen wohnen? Von wie weit her mögen sie bis zu dieser Insel gekommen sein, und weshalb haben sie sich wohl so weit gewagt? Welcher Art von Fahrzeugen bedienen sie sich wohl? Und endlich: Warum sollte es für mich nicht möglich sein, ebensogut von hier fortzukommen wie sie hierher gelangt sind?

Daran, was ich tun würde, wenn ich in das Land der Wilden gekommen wäre, was aus mir werden sollte, wenn ich in ihre

Hände fiele und wie ich ihnen zu entgehen vermöchte, wenn sie mich verfolgten, an alles dieses dachte ich für den Augenblick nicht. Nicht einmal der Gedanke kam mir, woher ich unterwegs Nahrung bekommen sollte oder wohin ich eigentlich meinen Weg zu richten habe. Meine Seele war ganz und gar ausgefüllt von dem Plane, daß ich mit meinem Boote das Festland zu erreichen versuchen wolle. Ich betrachtete meine damalige Lage als die unseligste, die gedacht werden könne und mit der verglichen nur der Tod schlimmer erscheine. Dabei wähnte ich, wenn ich nur die Küste des Festlandes erreicht hätte, würde ich gewiß schon einen Befreier antreffen, oder wenn ich, wie an der afrikanischen Küste, das Ufer entlang bis zu einer bewohnten Gegend führe, würde ich da sicherlich Hilfe finden. Vielleicht könnte mir ja auch irgendein Christenschiff begegnen und mich aufnehmen oder aber, wenn wirklich sich das Schlimmste ereignen sollte, könnte es ja nur der Tod sein, der auf einmal all meinem Mißgeschick ein Ende machen würde.

Man vergesse hierbei nicht, daß diese Gedanken die Frucht meiner gänzlichen Gemütsverstörung und meiner ungeduldigen Stimmung waren. Die Veranlassung zu dieser lag in der langen Reihe von Sorgen, die mich heimgesucht hatten, und in der Enttäuschung, die mir auf dem Wrack begegnet war, wo ich mich so nahe der Erfüllung meines sehnlichen Wunsches, mit Menschen zusammenzutreffen und von ihnen etwas Näheres über meinen Aufenthaltsort zu erfahren, geglaubt hatte. Meine Gemütsruhe, meine Ergebung in Gottes Willen und das Harren auf gnädige Fügung des Himmels schienen damals gänzlich aus mir gewichen zu sein. Ich war nicht imstande, meine Gedanken von der Reise nach dem Festland abzuwenden, so heftig und unwiderstehlich stürmten sie auf mich ein.

Mehrere Stunden hindurch dauerte diese Aufregung meiner Seele. Mein Blut geriet in fieberhafte Hitze, und die Pulse schlugen mir heftig. Endlich überkam meine erschöpfte Natur ein gesunder Schlaf. Man sollte denken, daß ich von meinen Plänen geträumt hätte, aber das geschah nicht. Mein Traum zeigte mir vielmehr folgendes: Ich hatte am Morgen wie gewöhnlich meine Burg verlassen. Da beobachtete ich am Strande, wie elf Wilde in zwei Kanus landeten und einen anderen Wilden mit sich schleppten, den sie schlachten wollten, um ihn zu fressen. Plötzlich sprang der Gefangene davon und rannte fort, um sein Leben zu retten. Es schien mir im Traume, als komme er zu dem kleinen Gebüsch an meiner Burg. Ich zeigte mich ihm und ermutigte ihn lächelnd, da ich ihn allein sah und nicht wahrnahm, daß die anderen ihn auf seiner Flucht verfolgten. Er kniete vor mir nieder und schien mich um Hilfe anzuflehen. Ich zeigte ihm meine Leiter, ließ ihn übersteigen und führte ihn in meine Höhle. Von da an war er mein Diener und nun, wo ich mir diesen Mann gewonnen hatte, sagte ich zu mir selbst: Jetzt darfst du dich getrost nach dem Festlande hinwagen. Dieser Bursche soll dir als Lotse dienen; er wird dir angeben, wie du dir Lebensmittel verschaffen kannst, welche Orte du meiden mußt, um nicht gefressen zu werden, wohin du dich wagen darfst und wohin nicht. Mitten in diesen Gedanken wachte ich auf. Der Eindruck der Freude über meine geträumte Aussicht auf Errettung war so unaussprechlich stark, daß die Enttäuschung, die folgte, als ich zu mir selbst kam und einsah, daß ich nur geträumt hatte, mich in die tiefste Trauer versetzte.

Indes zog ich aus diesem Vorgange den Schluß, daß die einzige Möglichkeit, wie ich einen Fluchtversuch wagen dürfe, davon abhänge, daß ich einen Wilden in meine Gewalt bekäme. Das konnte aber nur mit einem der Gefangenen geschehen, die auf die Insel gebracht würden, um dort gefressen zu werden. Diesem Plan stellte sich jedoch wieder eine große Schwierigkeit entgegen. Er schien nämlich nur dann ausführbar, daß ich einen ganzen Haufen von Wilden angriff und alle bis auf einen tötete. Dies war nicht nur ein verzweifeltes Unternehmen, das leicht fehlschlagen konnte, sondern ich machte mir auch aufs neue Skrupel über die Rechtmäßigkeit einer solchen Handlungsweise. Ich bebte vor dem Gedanken zurück, so viel Blut zu vergießen, wenn es auch für meine Rettung geschähe. Es ist unnötig, die schon früher gehegten Bedenken, die ich gegen ein solches Vorhaben hatte, hier zu wiederholen. Aber obgleich ich jetzt darin ein neues Motiv zu haben glaubte, daß ich mir vorstellte, jene Menschen seien meine Todfeinde und würden mich fressen, wenn sie könnten, daher es Notwehr in äußerster Gefahr sei, sie anzugreifen, und daß ich dabei nur zu meiner Selbsterhaltung handle, wenn ich so verführe, als ob sie mich wirklich schon angegriffen hätten, so schreckte mich der Gedanke, Menschenblut um meiner Befreiung willen zu vergießen, so sehr, daß ich geraume Zeit mich nicht mit ihm befreunden konnte. Dennoch gewann nach langen inneren Kämpfen das unendliche Verlangen nach Befreiung die Oberhand, und ich beschloß, koste es, was es wolle, eines jener Wilden habhaft zu werden. Daher galt es jetzt, über den schwierigen Punkt nachzudenken, wie dieser Plan auszuführen sei. Da ich aber kein zweckmäßigeres Verfahren ersinnen konnte, nahm ich mir endlich vor, nichts weiter zu tun, als mich auf die Lauer zu legen, auszukundschaften, wenn die Wilden ans Land kämen, und dann, das übrige dem guten Glück überlassend, diejenigen Maßregeln zu ergreifen, welche die Gelegenheit von selbst darbieten würde.

Diesen Entschluß im Kopfe, stellte ich mich so oft als möglich auf Posten, und zwar so lange Zeit, daß ich es endlich herzlich müde wurde. Über anderthalb Jahre harrte ich und begab mich fast täglich während dieses Zeitraums nach der Westseite und der Südwestspitze der Insel, um nach den Kanus zu spähen, aber keines ließ sich blicken.

Das wirkte zwar sehr entmutigend auf mich, aber meine Unruhe steigerte sich dadurch nur. Statt daß, wie früher, meine Sehnsucht durch die Zeit abgestumpft worden wäre, verstärkte sie sich jetzt nur um so mehr, je länger es währte. Ich war ehedem nicht so begierig gewesen, den Anblick der Wilden zu vermeiden, als mich jetzt sehnlichst nach ihm verlangte. Ich bildete mir ein, einen oder gar mehrere Wilde, wenn ich sie hätte, gänzlich zu meinen Sklaven zu machen und es dahin bringen zu können, daß sie mir ganz zu Willen und in keiner Weise gefährlich wären, und lange Zeit hindurch gefiel ich mir in solchen Träumereien, ohne daß sich jedoch eine Aussicht auf ihre Verwirklichung eröffnet hätte.

*Robinson befreit aus den Händen der Wilden einen Gefangenen,
den er Freitag nennt und zu seinem Diener macht*

Da nun wurde ich, nach mehr als anderthalb Jahren, als ich
die Ausführung meines Planes schon fast aufgegeben hatte,
eines Morgens früh durch den Anblick von nicht weniger als
fünf Kanus, die auf meiner Inselseite am Ufer lagen, überrascht. Die dazugehörige Mannschaft war zwar nicht zu sehen,
aber die große Zahl der Fahrzeuge schien alle meine Hoffnungen zunichte zu machen. Ich wußte, daß immer vier oder
sechs, oft auch mehr Wilde in einem Boote zu sitzen pflegten,
und sah nicht ab, wie ich es anfangen sollte, als einzelner Mann
zwanzig bis dreißig dieser Feinde anzugreifen. So lag ich denn
mißmutig und unruhig in meiner Burg, traf jedoch alle früher
ausgesonnenen Anstalten und war gerade vorbereitet, als sich
etwas Seltsames ereignete. Nachdem ich nämlich eine gute
Weile gewartet hatte, ob sich kein Lärm vernehmen lasse,
hatte ich meine Gewehre an den Fuß der Leiter gestellt und
war dann zu dem Gipfel des Hügels hinaufgeklettert, wobei
ich jedoch den Kopf so hielt, daß man mich auf keine Weise
bemerken konnte. Von dort aus beobachtete ich mit meinem
Fernglase, daß die Anzahl der Wilden sich auf nicht weniger
als dreißig Mann belief. Sie hatten ein Feuer angezündet und
eine Mahlzeit von gebratenem Fleisch vor sich. Wie sie es
zubereitet oder was es für Fleisch war, wußte ich nicht. Sie
tanzten gerade in wunderbaren Windungen und mit barbarischen Grimassen rund um das Feuer herum.
Da bemerkte ich plötzlich durch mein Glas, wie man zwei
Unglückliche aus den Booten, wo sie, wie es schien, gefesselt
gelegen hatten, herbeischleppte, um sie zu schlachten. Den
einen davon sah ich alsbald durch eine Keule oder ein hölzernes
Schwert getroffen niederstürzen. Zwei oder drei der Kannibalen fielen sogleich über ihn her, um ihn für die Mahlzeit zu
zerschneiden. Unterdes stand das andere Schlachtopfer zur
Seite, harrend, bis die Reihe an ihn kam. Mit einem Male
zuckte in dem armen Teufel, der sich ein wenig frei fühlte, die
Liebe zum Leben auf, und er rannte mit unglaublicher
Schnelligkeit geradewegs nach der Gegend hin, in der meine
Behausung lag. Ich war zu Tode erschrocken, als er diese

Richtung nahm, besonders da ich zu bemerken glaubte, daß ihn der ganze Haufen verfolgte.

Jetzt erwartete ich mit Bestimmtheit, auch der andere Teil meines Traumes werde sich erfüllen und der Flüchtling werde Schutz in meinem Gebüsch suchen. Dagegen durfte ich nicht darauf rechnen, daß, wie ich geträumt, die anderen Wilden ihm nicht nacheilen und ihn nicht finden würden. Doch blieb ich auf meinem Posten, und mein Mut stieg, als ich sah, daß nur drei Leute jenen verfolgten. Noch mehr freute ich mich bei der Wahrnehmung, daß er sie an Schnelle weit übertraf und daß er, wenn er den Lauf nur eine halbe Stunde lang aushalten könne, sich retten werde.

Zwischen den Wilden und meiner Burg befand sich die früher oft erwähnte Bucht, in die ich immer mein Floß gesteuert hatte. Es war klar, daß der arme Kerl diese durchschwimmen mußte, wenn er nicht in die Hände der Verfolger fallen sollte. Wirklich warf sich der Flüchtling, an dem Meeresarme angekommen, ohne weiteres in das Wasser, durchschwamm die gerade durch die Flut angeschwollene Strömung in etwa dreißig Stößen und rannte dann, ans Land gelangt, mit ungemeiner Kraft und Flinkheit weiter. Als die drei Wilden zur Bucht kamen, schien es, daß nur zwei von ihnen schwimmen konnten, der dritte aber nicht. Dieser schaute den anderen, als sie sich in die Flut gestürzt, nach und ging dann langsam zurück, was, wie sich noch zeigen wird, sein Glück war. Die beiden brauchten noch einmal so lange Zeit, um die Bai zu durchschwimmen, als der Entflohene.

In diesem Augenblick kam mir lebhaft und unwiderstehlich der Gedanke, daß jetzt die Zeit sei, mir einen Diener und ihm zugleich auch einen hilfreichen Freund zu verschaffen, und daß ich offenbar von Gott bestimmt sei, dem armen Teufel das Leben zu retten. Ich stieg in möglichster Eile die Leiter herunter, ergriff die an ihrem Fuß stehenden zwei Gewehre, erkletterte in gleicher Hast wieder den Gipfel des Hügels, eilte von dort aus dem Meere zu und gelangte dadurch zwischen den Flüchtling und die Verfolger. Den ersteren rief ich laut an. Er schaute sich um und war im ersten Augenblick wahrscheinlich vor mir in gleicher Furcht wie vor jenen. Ich gab ihm aber ein Zeichen, zu mir zu kommen, und ging unterdessen langsam den beiden anderen entgegen.

Plötzlich stürzte ich mich auf den vordersten und schlug ihn mit dem Flintenkolben nieder. Ich scheute mich, Feuer zu geben, damit es die übrigen nicht hören sollten, wiewohl sie es bei der großen Entfernung schwerlich vernommen hätten und, da sie auch den Rauch nicht sehen konnten, kaum hätten vermuten können, was der Knall zu bedeuten habe. Nachdem ich den einen der Wilden zu Boden geschmettert, hielt der andere erschrocken inne. Als ich näher kam, bemerkte ich, daß er Bogen und Pfeile führte und gerade nach mir zielte. So war ich denn doch zum Schuß gezwungen, mit dem ich ihn auch sofort tötete.

Der arme Flüchtling war, obgleich er seine beiden Feinde niedergestreckt sah, doch so durch Feuer und Knall meines Gewehres entsetzt, daß er wie eine Bildsäule stand und sich nicht vom Fleck rührte. Dabei schien er aber eher geneigt zu fliehen, als zu mir zu kommen. Ich rief ihn nochmals an und winkte ihm, herbeizukommen. Er machte einige Schritte vorwärts, blieb dann stehen, ging wieder einige Schritte und hielt hierauf abermals inne. Ich sah, wie er zitterte, als ob er ebenso sterben zu müssen glaubte wie seine beiden Feinde. Auf mein Winken und meine Zeichen zur Ermutigung kam er näher und kniete alle zehn bis zwölf Schritte nieder, um seine Dankbarkeit dafür anzudeuten, daß ich ihm das Leben gerettet hatte. Ich sah ihn lächelnd und freundlich an und forderte ihn mit Winken auf, noch näher zu kommen. Endlich befand er sich dicht bei mir, kniete abermals nieder, küßte die Erde, legte den Kopf auf den Boden, ergriff meinen Fuß und stellte diesen auf seinen Kopf. Er wollte damit, wie es schien, andeuten, daß er für alle Zeiten mein Sklave sein wolle.

Ich hob ihn auf und suchte ihn zu ermutigen, so gut ich konnte. Aber es gab jetzt noch mehr zu tun. Ich bemerkte nämlich, daß der Wilde, den ich zu Boden geschlagen, nicht tot, sondern nur betäubt war und anfing, wieder zu sich zu kommen. Ich deutete auf ihn, zum Zeichen, daß er sich wieder erhole. Der Gerettete sprach hierauf einige Worte, die ich zwar nicht verstand, über die ich mich aber dennoch sehr freute; denn sie waren der erste Ton einer Menschenstimme, die ich außer der meinigen seit mehr als fünfundzwanzig Jahren nicht gehört hatte. Doch war zu solchen Betrachtungen jetzt keine Zeit. Der zu Boden geschmetterte Wilde hatte sich nämlich so weit erholt, daß er sich aufrecht setzen konnte. Mein Gefangener schien erschreckt, als ich aber mit meiner Flinte nach dem

anderen zielte, machte er, den ich jetzt meinen Wilden nennen
will, mir ein Zeichen, daß ich ihm meinen Säbel, der ohne
Scheide an meiner Seite hing, geben sollte. Nachdem ich das
getan, eilte er sofort auf seinen Feind los und schlug ihm mit
einem Hieb so geschickt den Kopf ab, daß es kein Scharfrichter
rascher und besser hätte fertigbringen können. Mich wunderte
das um so mehr, weil ich doch annehmen durfte, daß er nie
im Leben ein anderes als die bei den Wilden gebräuchlichen
hölzernen Schwerter in Händen gehabt hatte. Doch erfuhr ich
später, daß diese Holzschwerter so scharf und von so hartem
Holze sind, daß man mit ihnen Köpfe und Arme auf einen
Schlag abhauen kann. Nachdem er sein Werk vollbracht, kam
mein Sklave lachend zu mir zurück und legte mit allerlei
Grimassen, die ich nicht verstand, den Säbel nebst dem Kopf
des Getöteten zu meinen Füßen nieder.

Am meisten hatte den geretteten Wilden in Erstaunen gesetzt,
wie ich es angefangen, den anderen Indianer aus so großer
Entfernung zu töten. Er machte mir ein Zeichen, daß ich ihn
zu jenem gehen lassen solle, wozu ich ihn auch durch Winke
aufforderte. Als er zu ihm gekommen war, stand er verwundert da, betrachtete ihn, wendete ihn von einer Seite auf
die andere und beschaute die Wunde, welche die Kugel hervorgebracht hatte. Diese schien in die Brust gegangen zu sein,
ohne daß starker Blutverlust eingetreten war, denn der Ge-
troffene war nach innen verblutet und tot.

Mein Sklave nahm ihm Bogen und Pfeile weg und kam damit
zurück. Jetzt wandte ich mich zur Rückkehr und gab ihm
durch Zeichen zu verstehen, daß er mit mir kommen möge,
da noch andere Verfolger nahen könnten. Er bedeutete mir,
daß er die Toten in den Sand verscharren wolle, damit die
übrigen sie nicht entdeckten, wenn sie hinter ihm her kämen.
Sobald ich ihm durch Zeichen die Erlaubnis dazu gegeben,
scharrte er sofort mit den Händen Löcher in den Sand und
begrub einen nach dem anderen binnen etwa einer Viertelstunde. Dann rief ich ihn und nahm ihn mit mir, ging aber statt
zu meiner Burg nach meiner in dem abgelegenen Teil der Insel
gelegenen Höhle. Demnach ließ sich ein Teil meines Traumes,
in dem der Flüchtling sich in meinem Gehölz verborgen hatte,
sich nicht verwirklichen. In der Höhle gab ich ihm Brot, ein
Bündel Rosinen und einen Trunk Wasser, nach dem er infolge
seines Laufes sehr gierig schien. Als er sich so erquickt hatte,

bedeutete ich ihm, daß er sich schlafen legen solle. Ich zeigte ihm einen Ort, wo ein Haufen Reisstroh und eine Decke zu meinem eigenen zeitweiligen Gebrauch lagen, und der arme Bursch hatte sich kaum darauf ausgestreckt, als er auch schon eingeschlafen war.

Er war ein stattlicher, hübscher Kerl, wohlgebaut, kräftig von Gliedern, schlank und wohlproportioniert. Nach meiner Berechnung zählte er etwa achtundzwanzig Jahre. Seine Gesichtszüge waren männlich und ohne wilden Ausdruck. Besonders wenn er lächelte, hatte er die ganze Anmut eines Europäers. Sein Haar war lang und schwarz und nicht völlig gekräuselt; die Stirn hoch und breit und seine Augen sehr lebhaft und von einem funkelnden, scharfen Ausdruck. Seine Hautfarbe war nicht völlig schwarz, sondern braungelb, aber nicht von jener häßlichen, gelben, widerlichen Farbe, wie man sie bei den brasilianischen, virginischen und anderen Eingeborenen von Amerika sieht, sondern von einer Art glänzenden Olivbrauns, das einen angenehmen, aber schwer zu beschreibenden Anblick gewährte. Sein Gesicht war rund und voll, die Nase klein und nicht platt wie die der Neger, der Mund schön, die Lippen schmal, die Zähne wohlgereiht und weiß wie Elfenbein.

Nachdem er über eine halbe Stunde lang geschlafen oder richtiger, geschlummert hatte, erwachte er und kam aus der Höhle zu mir in die dicht daneben befindliche Einfriedigung, wo ich gerade meine Ziegen molk. Sobald er mich erblickte, eilte er herbei, warf sich auf die Erde und suchte mir mit allen möglichen seltsamen Gebärden seine Dankbarkeit zu bezeigen. Zuletzt legte er den Kopf auf die flache Erde und setzte, wie schon einmal, einen meiner Füße darauf. Kurz, er suchte durch Zeichen der Unterwürfigkeit und demütigen Ergebenheit anzudeuten, daß er mir sein ganzes Leben hindurch treu zu dienen gewillt sei. Das meiste von dem, was er sagen wollte, begriff ich auch, und ich gab ihm zu verstehen, daß ich mit ihm zufrieden sei.

Nicht lange darauf fing ich schon an, ihn im Sprechen zu unterrichten. Zunächst brachte ich ihm bei, daß er „Freitag" heißen solle, weil ich an diesem Tage ihm das Leben gerettet hatte.

Ich lehrte ihn ferner, mich „Herr" anzureden, „ja" und „nein" zu sagen und die Bedeutung dieser Worte zu verstehen. Indem ich ihm Milch aus einem irdenen Topf zu trinken gab, zeigte ich ihm, wie ich selbst daraus trank und mein Brot darein tauchte, reichte ihm dann ein Stück Brot, damit er es auch so mache, und er tat es auch und gab mir durch Zeichen zu verstehen, daß ihm das sehr wohl behage. Während der folgenden Nacht blieb ich mit ihm an jenem Orte, sobald aber der Tag angebrochen war, forderte ich ihn auf, mir zu folgen, da ich ihm Kleidung geben wollte. Er schien sehr froh darüber zu sein, da er völlig nackt war. Als wir an die Stelle kamen, wo er die beiden Indianer verscharrt hatte, zeigte er mir den Platz und die Merkmale, die er angebracht, um ihn wiederzufinden, wobei er mir durch Zeichen zu verstehen gab, daß wir sie wieder ausgraben und dann essen sollten. Hierüber ließ ich ihn aber meine ganze Entrüstung merken, drückte meinen Schauder davor aus und tat, als ob ich mich, bei dem bloßen Gedanken daran, übergeben müßte. Dann winkte ich ihm, mit fortzugehen, was er sogleich mit großer Unterwürfigkeit tat. Ich führte ihn zunächst auf den Gipfel des Hügels, um nachzusehen, ob seine Feinde sich entfernt hätten. Durch mein Fernglas konnte ich deutlich den Ort, wo sie gelagert hatten, erkennen, aber es war weder etwas von ihnen noch von ihren Kanus zu bemerken. Offenbar hatten sie sich wegbegeben, ohne nach ihren zurückgebliebenen Kameraden zu suchen.

Diese Entdeckung stellte mich jedoch keineswegs zufrieden. Da ich jetzt mutiger und demzufolge auch neugieriger war, nahm ich Freitag mit mir, gab ihm den Säbel in die Hand, Bogen und Pfeile auf den Rücken und ließ ihn außerdem für mich ein Gewehr tragen, während ich mich selbst mit zwei derselben bewaffnete. So ausgerüstet begaben wir uns nach dem Orte, wo die Wilden gewesen waren. Denn ich hatte große Lust, mir genauere Kunde von ihrem Treiben zu verschaffen.

Als wir an ihre Lagerstelle kamen, bot sich mir ein Schauspiel, das mir von Schauder das Blut gerinnen und das Herz stocken ließ, während es auf Freitag keinen besonderen Eindruck machte. Der Platz war nämlich ganz mit Menschengebeinen bedeckt und mit Blut förmlich gedüngt. Große Stücke Fleisch lagen halb verzehrt, zerrissen und beschmutzt umher. Mit einem Wort, man sah alle Spuren des grausigen Triumphfestes, das die Wilden hier über ihre Feinde gefeiert hatten. Ich zählte drei Schädel, fünf Hände, die Knochen von drei oder vier Beinen und Füßen und eine Menge anderer Stücke menschlicher Leichname.

Freitag gab mir zu verstehen, daß vier Gefangene herübergebracht und drei davon gefressen seien, während er hätte das vierte Opfer abgeben sollen. Bei einer großen Schlacht zwischen jenen Wilden und deren Nachbarkönig, zu dessen Untertanen er zu gehören schien, sei eine große Zahl von Gefangenen gemacht worden, die sämtlich zu verschiedenen Plätzen geschleppt worden seien, um verzehrt zu werden.

Ich befahl Freitag, die Schädelknochen, das Fleisch und die übrigen Reste auf einen Haufen zu schichten, ein großes Feuer anzuzünden und sie zu Asche zu verbrennen. Er schien noch immer große Lust zu haben, etwas von den Kadavern zu verspeisen, und gebärdete sich noch ganz und gar wie ein Kannibale. Aber ich zeigte ihm so großen Abscheu bei dem bloßen Gedanken an eine solche Handlungsweise, daß er sein Gelüst nicht verraten durfte. Ich hatte ihm nämlich begreiflich gemacht, daß ich ihn niederschießen würde, wenn er sich erfreche, sein Verlangen zu befriedigen.

Nach einiger Zeit kehrten wir zu meiner Burg zurück. Dort gab ich Freitag vor allem ein Paar leinene Hosen, die ich aus dem Koffer des obenerwähnten armen Kanoniers in dem Wrack genommen hatte. Nach einer kleinen Änderung paßten sie ihm ganz gut. Dann machte ich ihm aus Ziegenfell, so gut ich es konnte, ein Wams, denn ich hatte mich jetzt zu einem ganz leidlichen Schneider ausgebildet. Ferner fertigte ich ihm aus Hasenfell eine Mütze, die ihm recht hübsch zu Gesicht stand, und so war er fürs erste ziemlich gut bekleidet. Es machte ihm nicht wenig Vergnügen, sich beinahe so schön wie sein Herr selbst ausgestattet zu sehen. Freilich sah er im Anfang in seinem Kostüm etwas sehr linkisch aus. Die Hosen schienen ihn zu genieren, und die Wamsärmel drückten ihn auf der Schulter und unterhalb der Arme. Nachdem ich aber die Stellen, über die er sich beklagte, etwas bequemer gemacht und er sich ein wenig an seine Kleidung gewöhnt hatte, behagte es ihm ganz wohl darin.

Am nächsten Tag überlegte ich, wo ich ihn in Zukunft behausen solle.

Um ihm die gleiche Bequemlichkeit, wie ich sie selbst genoß, zu verschaffen, errichtete ich für ihn ein kleines Zelt auf dem freien Raum zwischen meinen beiden Festungswerken. Da man von hier aus in die Höhle gelangen konnte, zimmerte ich eine förmliche Brettertür und setzte diese in die Öffnung. Ich richtete es so ein, daß sie von innen zu öffnen war, und verriegelte sie bei Nacht. Da ich abends auch meine Leitern einzog, so konnte Freitag durchaus nicht in meine innerste Palisadierung gelangen, ohne so viel Lärm zu machen, daß ich darüber hätte erwachen müssen. Über meine erste Palisadenwand ragte jetzt ein Dach von langen Pfählen, das mein Zelt ganz bedeckte und sich an die Hügelseite lehnte. Statt mit Latten hatte ich es mit dünneren Stöcken kreuzweise belegt und darüber eine dichte Lage von Reisstroh, das dick wie Rohr war, gebreitet. In der Öffnung, die für das Hineinsteigen mit der Leiter gelassen war, hatte ich eine Art Falltür angebracht, die, wenn sie von außen angegriffen wurde, sich nicht öffnete, sondern mit großem Geräusch herunterfallen mußte. Auch meine sämtlichen Waffen nahm ich jede Nacht zu mir in den inneren Raum.

Diese Vorkehrungen wären aber alle nicht nötig gewesen, denn nie hat jemand einen treueren, anhänglicheren und aufrichtigeren Diener gehabt als ich in meinem Freitag. Frei von schlimmen Leidenschaften, von allem mürrischen Wesen und von jeder Arglist, ganz und gar mir ergeben, liebte er mich wie das Kind seinen Vater. Ich kann sagen, daß er sein Leben für mich ohne weiteres geopfert hätte, denn die mannigfachsten Beweise haben mir das unzweifelhaft dargetan.

Ich habe oft mit Verwunderung meine Beobachtungen darüber angestellt, warum es Gott zulasse, daß ein so großer Teil seiner menschlichen Geschöpfe die Fähigkeiten und Anlagen ihrer Seele nicht benutzt. Er hat ihnen doch dieselben Geistesgaben verliehen wie uns, dieselbe Vernunft, dieselben Neigungen, die gleichen Empfindungen des Wohlwollens und der Dankbarkeit, das gleiche Gefühl für Gutes und Schlechtes und dieselbe Empfindung für Aufrichtigkeit und Treue. Wenn es dem Schöpfer gefallen hätte, ihnen Gelegenheit zur Anwendung zu geben, so würden sie gewiß geradeso bereitwillig, ja noch bereitwilliger als wir sein, von ihren Gaben den rechten Gebrauch zu machen. Zuweilen machte mich auch der Gedanke traurig, wie schlecht dagegen wir unsere Anlagen verwenden, obgleich wir doch durch das große Licht der Offenbarung und durch die Kenntnis seines Wortes aufgeklärt sind. Auch das brachte mich zum Nachdenken, warum nach Gottes

Ratschluß so viele Millionen Seelen dieser heilsamen Erkenntnis unteilhaftig bleiben, die, wenn ich nach meinem armen Sklaven urteilen darf, sie besser anwenden würden als wir. Von hier aus gelangte ich zu weiteren Gedanken über das Walten der Vorsehung, und ich verirrte mich so weit, daß ich die göttliche Gerechtigkeit in der willkürlichen Anordnung der Dinge zu vermissen wagte, nach der jenes Licht einigen aufgetan und anderen verborgen ist, da doch von beiden gleiche Pflichterfüllung gefordert wird. Doch schnitt ich diese Gedanken durch die Erwägungen ab, daß wir ja erstens gar nicht wissen, nach welchem Grad der Erkenntnis und nach welchem Gesetz jene gerichtet werden, und ferner, daß, weil Gott seiner Natur nach notwendig unendlich heilig und gerecht sein muß, es nicht anders sein könne, als daß jene armen Menschen, da sie zum Entferntsein von Gott verdammt sind, auch nur gerichtet werden können um der Sünden willen, die sie gegen diejenige Erkenntnis verbrochen haben, die, wie die Schrift sagt, ein Gesetz in ihnen selbst ist. Sodann aber, daß, da wir Gott gegenüber nur der Lehm in der Hand des Töpfers sind, das Gefäß nicht sagen könne zu seinem Urheber: „Warum hast du mich also gebildet und nicht anders?"

Um jedoch auf meinen neuen Gefährten zurückzukommen, so gefiel mir dieser außerordentlich. Ich erachtete es für meine Pflicht, ihn in allem zu unterweisen, was ihn nützlich und geschickt machen könnte. Besonders gab ich mir Mühe, ihn sprechen und mich verstehen zu lehren. Er war der aufgeweckteste Schüler, den man sich denken kann, voll Heiterkeit, von emsigem Fleiße und so voll Freude, wenn er mich zu verstehen oder sich mir verständlich zu machen vermochte, daß ich mich sehr gern mit ihm unterhielt. Mein Leben gestaltete sich jetzt so angenehm, daß ich mir oft sagte, wenn mich nur die übrigen Wilden unangefochten ließen, wollte ich an eine Entfernung von meinem jetzigen Aufenthalte gar nicht mehr denken.

Robinson erzieht Freitag

Einige Tage nach meiner Rückkehr in meine Burg nahm ich
Freitag frühmorgens mit in den Wald, da ich dachte, ihn durch
Gewöhnung an anderes Fleisch von seinen kannibalischen
Sitten abzubringen. Ich beabsichtigte nämlich, eines der von
mir aufgezogenen Ziegenlämmer zu töten und das Fleisch zu
Hause zuzubereiten. Auf dem Wege aber bemerkte ich eine
Ziege, die mit zwei jungen Lämmern im Schatten lag. Ich
nahm Freitag am Arm, hieß ihn stille stehen, legte mein
Gewehr an und schoß damit nach einem der Lämmer, daß es
sofort tot hinfiel. Der arme Bursche, der mich früher schon
aus einiger Entfernung seinen Feind, den Wilden, hatte töten
sehen, ohne zu wissen, wie ich es angefangen, war offenbar so
erstaunt, daß ich glaubte, er würde vor Schrecken gleichfalls
umsinken. Er sah gar nicht, daß ich das Lamm getötet hatte,
sondern riß sein Wams auf, um zu fühlen, ob nicht er selbst
verwundet sei. Jedenfalls glaubte er, ich wolle ihn töten, denn
er kam herbei, kniete nieder und sagte allerlei, von dem ich
nur so viel verstand, daß er damit um Schonung seines Lebens
flehen wolle.
Ich machte ihm bald begreiflich, daß ich ihm nichts zuleide
tun wolle, ergriff ihn bei der Hand, zeigte, indem ich ihn
auslachte, auf das getötete Lamm und winkte ihm, es zu holen.
Während er noch verwundert das Lamm betrachtete, um zu
wissen, wie das Tier erlegt war, lud ich aufs neue mein Gewehr. In diesem Augenblick bemerkte ich einen habichtartigen
Vogel, der in Schußweite auf einem Baume saß. Um Freitag
einigermaßen begreiflich zu machen, was ich beabsichtigte, rief
ich ihn wieder zu mir, zeigte auf den Vogel (es war ein Papagei)
und dann wieder auf meine Flinte und auf die Erde unter dem
Vogel, damit er sähe, wohin jener fallen solle. Dann gab ich
Feuer und befahl ihm, dahin zu blicken, wo der getötete
Papagei lag. Trotz alledem stand Freitag aufs neue ganz erschrocken da. Er schien um so mehr erstaunt, als er nicht
gesehen, daß ich etwas in das Gewehr getan hatte. Daher
wähnte er, ich besäße irgendein geheimes Mittel der Vernichtung, womit man Menschen und Tiere in der Nähe und
Ferne töten könne. Hätte ich es zugelassen, ich glaube, er

würde mich und meine Flinte angebetet haben. Mehrere Tage hindurch wagte er nicht, das Gewehr anzurühren, aber wenn er allein war, redete er es an und schwatzte mit ihm, als ob es ihm geantwortet hätte. Später erfuhr ich von ihm, daß er es gebeten habe, ihn nicht zu töten.

Nachdem bei jener Gelegenheit sein Erstaunen sich einigermaßen gelegt hatte, hieß ich ihn den abgeschossenen Vogel herbeizuholen. Er zögerte etwas, denn der Papagei war anfangs noch nicht ganz tot gewesen und noch eine Strecke weit geflattert. Endlich brachte er ihn herbei, und jetzt lud ich, während er sich entfernt hatte, wiederum meine Flinte, um bei seiner Wiederkunft schußfertig zu sein. Da sich aber kein Tier für meinen Schuß zeigte, brachte ich das Lamm heim, zog ihm noch denselben Abend das Fell ab, zerlegte es, so gut es ging, und kochte, da ich jetzt ein geeignetes Gefäß besaß, darin etwas von dem Fleisch, bereitete davon auch sehr gute Bouillon. Nachdem ich selbst davon genossen hatte, gab ich meinem Wilden auch von dem Fleisch zu essen, und es schien ihm sehr gut zu munden. Was ihn am meisten befremdete, war,

daß er es mich mit Salz essen sah. Er gab mir zu verstehen, daß Salz nicht gut schmecke, steckte ein wenig davon in den Mund, schien dabei Ekel zu empfinden, spie es wieder aus und spülte danach den Mund mit frischem Wasser. Hierauf nahm ich meinerseits etwas Fleisch ohne Salz in den Mund und stellte mich gleichfalls, als ob ich es wieder ausspeien müßte, gerade weil es nicht gesalzen sei. Aber das half nichts. Lange Zeit wollte er sich nicht dazu verstehen, Fleisch oder Fleischbrühe mit Salz zu genießen, und auch später nahm er nur ganz wenig von diesem Gewürz dazu.

Den nächsten Tag gab ich Freitag dann ein geröstetes Stück Fleisch von dem Lamm zu essen. Ich hatte das Rösten bewerkstelligt, wie ich es öfters von Leuten in England hatte tun sehen. Nachdem ich nämlich zwei Stäbe zu beiden Seiten des Feuers in den Boden gesteckt, legte ich einen dritten Stock darüber, hing an diesen das Fleisch mit einer Schnur auf und ließ es sich dann fortwährend drehen. Freitag staunte dies alles sehr an. Als er von dem Fleisch genossen hatte, drückte er auf die verschiedenste Weise sehr deutlich aus, wie gut es ihm behage, versicherte auch endlich, er wolle nie mehr Menschenfleisch essen, was ich mit Vergnügen hörte.

Am folgenden Tage ließ ich Freitag Gerste auskörnen und sie in der früher beschriebenen Weise reinigen. Bald verstand er es so gut wie ich selbst, besonders nachdem er begriffen hatte, daß es zu Brot bestimmt sei; denn auch dieses zu bereiten hatte ich ihn gelehrt, und bald besaß Freitag in allen diesen Dingen die gleiche Fertigkeit wie ich.

Ich überlegte nun, daß ich, da ich jetzt für zwei Magen statt für einen zu sorgen hatte, auch ein größeres Stück Feld besäen mußte als früher. Daher begann ich, ein Stück weiteres Land einzuzäunen, wobei mir Freitag sehr willig und ausdauernd half, nachdem ich ihm gesagt hatte, daß es geschähe, um Brot für ihn und mich selbst zu bekommen. Er schien sehr erkenntlich dafür zu sein und gab mir zu verstehen, daß, da ich um seinetwillen viel mehr Mühe habe, er auch um so eifriger für mich arbeiten wolle, wenn ich ihm nur angeben möchte, was zu tun sei.

Das jetzt folgende Jahr war das angenehmste von allen, die ich auf der Insel zugebracht habe. Freitag fing an, ganz gut sprechen zu lernen, und verstand die Namen fast aller Gegenstände und aller Orte, nach denen ich ihn schickte. Er schwatzte ohne Unterlaß mit mir, und ich gebrauchte jetzt meine Zunge wieder sehr eifrig, nachdem ich so lange keine Gelegenheit gehabt hatte, sie zu benutzen. Außer dem Vergnügen, mich mit ihm zu unterhalten, machte mir mein Gefährte auch in anderer Hinsicht viel Freude. Die einfache, unverstellte Redlichkeit seiner Seele offenbarte sich mir mit jedem Tag mehr, und ich begann, ihn von Herzen liebzugewinnen. Andererseits faßte auch er eine solche Liebe zu mir, wie er sie früher wohl für kein anderes Wesen gefühlt haben mochte.

Einmal gelüstete es mich zu versuchen, ob er wohl ein starkes Verlangen nach der Rückkehr in seine Heimat habe. Da er jetzt genug Englisch verstand, um fast auf alle meine Fragen antworten zu können, fragte ich ihn, ob das Volk, zu dem er gehöre, nie eine Schlacht gewonnen habe. Lächelnd erwiderte er: „Ja, ja, wir immer fechten am besten", womit er sagen wollte, daß sein Volk immer siegreich kämpfe. „Wenn ihr", sagte ich zu ihm, „immer am besten fechtet, wie kommt es denn, Freitag, daß du gefangengenommen wurdest?"

Freitag: „Mein Volk trotzdem schlägt das meiste."

Ich: „Wieso schlagen? Wenn dein Volk sie schlägt, wie konntest du gefangen werden?"

Freitag: „Sie viel mehr waren als wir; sie eins, zwei, drei und mich gefangen haben. Mein Volk sie auch geschlagen haben, aber auf Platz, wo ich nicht war, dort mein Volk gefangen hat eins, zwei große Tausend."

Ich: „Aber weshalb haben die Deinigen dich nicht aus der Hand der Feinde befreit?"

Freitag: „Sie mit eins, zwei, drei und mir fortgelaufen und in Kanu bringen. Mein Volk damals nicht hatten Kanu."

Ich: „Nun, und was macht dein Volk mit den Gefangenen? Bringt es sie auch fort und frißt sie, wie jene tun?"

Freitag: „Mein Volk auch ißt Mensch, ißt sie alle auf."

Ich: „Wohin bringt ihr sie denn?"

Freitag: „Gehen an anderen Platz, wohin man will."

Ich: „Kommt ihr auch hierher?"

Freitag: „Ja, ja, auch hierher und auch an anderen Platz."

Ich: „Bist du denn auch schon mit hier gewesen?"

Freitag: „Ja, auch hier gewesen bin." — Hierbei zeigte er nach der Nordwestseite der Insel, wo der gewöhnliche Landungsplatz seiner Landsleute zu sein schien.

Hierdurch hatte ich also erfahren, daß Freitag unter jenen Wilden gewesen war, die früher auf den entfernteren Inselteil zu kommen pflegten, und daß ihm ehedem ganz dieselbe Veranlassung, um derentwillen er selbst hierhergebracht war, dahin geführt hatte. Einige Zeit darauf, als ich Mut genug fühlte, mit ihm an jene Stelle zu gehen, erkannte er sie sofort wieder. Wie er mir sagte, war er einmal dort gewesen, als er und seine Leute zwanzig Männer, zwei Weiber und ein Kind verzehrt hatten. Die Zahl zwanzig verdeutlichte er mir, da er sie auf englisch nicht aussprechen konnte, indem er die entsprechende Anzahl Steine in einer Reihe auf die Erde legte und mich aufforderte, sie zu zählen.

Das obige Gespräch habe ich hauptsächlich deshalb angeführt, weil es die Einleitung zu der folgenden Mitteilung Freitags abgab.

Nachdem ich ihn gefragt hatte, wie weit sein Land von unserer Insel entfernt sei und ob die Kanus nicht oft untergingen, erwiderte er, es sei keine Gefahr dabei, und nie sei eines verlorengegangen. Denn wenn man ein wenig nach der See hinkomme, so finde sich da eine Strömung, die sich morgens immer in einer anderen Richtung als des Nachmittags bewege. Damals glaubte ich, es beziehe sich nur auf Ebbe und Flut, später aber erfuhr ich, daß es von der Gewalt des Stromwechsels in dem mächtigen Orinokoflusse herrühre, in dessen Golf oder Mündung, wie mir nachmals bekannt wurde, unsere Insel lag. Jenes Land, das ich im Westen und Nordwesten bemerkt hatte, war nämlich die große Insel Trinidad, die nördlich vom Ausfluß des genannten Stromes liegt. Ich stellte von jetzt an tausenderlei Fragen über das Land, die Einwohner, die See, die Küsten und die benachbarten Nationen, und er sagte mir mit der größten Aufrichtigkeit alles, was er darüber wußte. Durch meine Fragen nach den Namen der Völker seines Stammes brachte ich jedoch nur den Namen „Caribs" aus ihm heraus. Hieraus entnahm ich leicht, daß es die Karaiben waren, deren Wohnsitze auf unseren Karten zwischen der Mündung des Orinoko bis nach Guayana und weiter bis St. Martha bezeichnet sind. Wie Freitag mir sagte, wohnten weit jenseits des Mondes, das heißt des Monduntergangs, was im Westen seines Landes sein mußte, weiße, bärtige Männer wie ich, wobei er auf meinen großen Backenbart zeigte, den ich schon früher erwähnte. Diese hätten schon „viel

Mensch" getötet, wie er sich ausdrückte. Ich entnahm daraus, daß er die Spanier meinte, deren Grausamkeit in Amerika allerorten gewütet hatte und deren schlimmes Andenken sich bei allen jenen Nationen forterbte.

Ich fragte dann, wie ich es anfangen könne, von unserer Insel zu jenen weißen Männern zu gelangen. „Ja, ja", antwortete er, „es kann gehen in zwei Kanus." Ich verstand nicht, was er damit meinte, und brachte erst nach großen Anstrengungen heraus, daß er unter jener Bezeichnung ein großes Boot, das so umfangreich sei wie zwei Kanus, verstanden hatte.

Diese Unterredung erfreute mich sehr, und seitdem hielt ich die Hoffnung fest, früher oder später einmal die Gelegenheit zu finden, mit Hilfe dieses armen Wilden von meiner Insel zu entrinnen.

Während der langen Zeit, die Freitag jetzt bei mir verweilte, hatte ich, nachdem er mich völlig verstehen gelernt hatte, auch nicht unterlassen, bei ihm den Grund einer religiösen Kenntnis zu legen. Als ich ihn einst fragte, wer ihn geschaffen habe, mißverstand mich der arme Mensch gänzlich und glaubte, ich hätte gefragt, wer sein Vater sei. Nun griff ich die Sache anders an und fragte, wer die See, das Land, auf dem wir gingen, die Hügel und Wälder geschaffen habe. Er antwortete, das habe der alte Benamuckee getan, der über alles Lebende herrsche. Von dieser großen Person aber vermochte er mir nichts weiter zu sagen, als daß diese sehr alt, wie er sich ausdrückte, viel älter als Wasser und Land, Mond und Sterne sei. Darauf fragte ich ihn, warum dieser alte Mann, wenn er alle diese Dinge geschaffen habe, nicht auch von allen angebetet werde. Mit sehr ernster Miene und mich unschuldig ansehend, entgegnete er: „Alle Dinge zu ihm sagen: ‚O'." Ich fragte ferner, wohin die Menschen, die in seinem Lande stürben, kämen. Er antwortete: „Sie alle kommen zu Benamuckee." Auf meine Frage, ob die von ihnen Aufgefressenen auch dahin kämen, antwortete er mit Ja.

An diesem Punkte anknüpfend, begann ich nun, ihn in der Erkenntnis des wahrhaftigen Gottes zu unterweisen. Ich sagte ihm: „Der große Schöpfer aller Dinge wohnt da oben" (wobei ich auf den Himmel zeigte). „Er regiert die Welt kraft derselben Gewalt und Vorsehung, durch die er sie geschaffen hat. Er ist allmächtig und kann uns alles geben und nehmen."

Auf diese Weise öffnete ich allmählich meinem Gefährten die

Augen. Er horchte mit großer Aufmerksamkeit und Freude auf meine Verkündigung, daß Jesus Christus gekommen sei, uns selig zu machen. Ich belehrte ihn, wie man zu Gott beten müsse und daß er uns auch im Himmel erhöre. Eines Tages sagte Freitag zu mir, wenn unser Gott uns auch jenseits der Sonne hören kann, so müsse er ja größer sein als Benamuckee, denn dieser wohne nicht sehr weit und könne uns doch nicht hören, wenn wir nicht auf die hohen Berge stiegen, um mit ihm zu sprechen.

Meine Frage an Freitag, ob er denn selbst jemals dahin gegangen sei, um mit Benamuckee zu sprechen, verneinte er. Denn nie gingen junge Männer dahin, sondern nur die alten Leute, die bei ihnen Oovokakee hießen. Dies waren, wie ich endlich aus meinem Gefährten herausbrachte, die Priester seines Volkes. Sie gingen, sagte er, dorthin, um „O" zu sagen (so bezeichnete er das Beten), und wenn sie zurückgekehrt seien, berichteten sie, was Benamuckee gesagt habe. Hierdurch erfuhr ich, daß sich sogar unter den unwissendsten Götzendienern der Welt eine Priesterkaste findet und daß die kluge Politik, aus der Religion ein Geheimnis zu machen, um der Geistlichkeit die Verehrung des Volkes zu erhalten, sich nicht nur in der katholischen, sondern vielleicht in allen Religionen der Welt und sogar bei den rohesten und wildesten Barbaren findet.

Ich bemühte mich, Freitag über dieses Verhältnis aufzuklären, und sagte ihm, das Ersteigen der Berge durch die alten Männer unter dem Vorgeben, daß sie dort „O" zu ihrem Gotte Benamuckee sagen wollten, sei Betrug, noch mehr aber die Antwort, die sie angeblich von ihm zurückbrächten. Wenn sie überhaupt eine Antwort erhielten oder mit jemandem dort oben sprächen, so könne das nur ein böser Geist sein. Hierauf vertiefte ich mich in ein langes Gespräch mit Freitag über den Teufel und seinen Ursprung, über seine Auflehnung gegen Gott und seine Feindschaft gegen den Menschen sowie über die Ursache dieser Feindschaft. Ich teilte meinem Zögling mit, daß der Satan in den dunklen Regionen der Welt hause, um sich statt Gottes anbeten zu lassen, mit wie vielfacher List er die Menschheit zu verderben suche, wie er geheime Wege zu unseren Leidenschaften und Vergnügungen habe und daß er seine Schlingen gerade an diesen befestige, um uns durch unsere eigene Wahl zu vernichten.

Es ergab sich hierbei, daß Freitag weniger leicht die Mitteilungen über den Teufel als die früheren über Gott faßte. Die Natur selbst lieferte ihm die augenscheinlichsten Beweise für die Notwendigkeit einer großen, ersten Ursache der Dinge, einer alles lenkenden Gewalt, einer geheimen, regierenden Vorsehung und dafür, daß es billig und recht sei, diesem Wesen Verehrung zu zollen. Nichts dergleichen aber stand der Lehre von einem bösen Geiste zur Seite, von dessen Entstehung und Wesen, vor allem aber dessen Neigung zum Bösen selbst. Der arme Wilde trieb mich durch seine natürlichen, unschuldigen Fragen so in die Enge, daß ich ihm oft kaum zu antworten wußte.

Ich hatte ihm viel von Gottes Allmacht und seinem furchtbaren Widerwillen gegen die Sünde erzählt und mich darüber ausgelassen, wie derjenige, der uns alle geschaffen habe, uns und die ganze Welt auch in einem Augenblick wieder zerstören könne, und dies alles hatte Freitag mit großer Aufmerksamkeit und vollem Verständnis angehört. Hierauf sprach ich davon, daß der Teufel Gottes Feind im Menschenherzen sei, daß er seine ganze Bosheit und Geschicklichkeit anwende, um die guten Absichten der Vorsehung zu kreuzen und das Reich Christi auf Erden zu vernichten. „Wie", unterbrach mich Freitag, „du doch sagst, Gott so stark, so groß sei, ist er denn nicht stärker und mächtiger viel als der Teufel?" — „Gewiß", erwiderte ich, „Gott ist stärker als der Teufel, und deshalb beten wir zu Gott, daß er jenen unter seine Füße trete und uns stärke, seinen Versuchungen zu widerstehen, und daß seine fürchterlichen Pfeile von uns abprallen mögen."

„Aber", entgegnete Freitag, „wenn Gott sein so viel mächtiger als der Teufel, warum nicht er ihn totmachen, daß er nicht schaden kann mehr?"

Diese Frage verdutzte mich ungemein. Zwar war ich ein Mann von Jahren, aber nur ein sehr junger Gottesgelehrter, schlecht befähigt zum Kasuisten und zur Entwirrung verwickelter Fragen.

Anfangs stellte ich mich, als ob ich Freitag nicht verstanden, und fragte ihn, was er eigentlich gesagt habe. Allein er war zu begierig auf eine Antwort, um sich seiner Frage nicht noch zu erinnern, und wiederholte sie alsbald in demselben gebrochenen Englisch. Inzwischen hatte ich mich ein wenig gesammelt und erwiderte: „Gott wird schließlich den Teufel schwer bestrafen, er hat ihn sich aufgespart für den Jüngsten Tag, dann wird Satan in die Tiefe des Abgrunds geworfen werden, um immerdar im Feuer zu brennen."

Hierdurch aber war Freitag keineswegs befriedigt. „Er sich aufgespart für den Jüngsten Tag?" wiederholte er kopfschüttelnd. „Das ich nicht kann verstehen. Warum nicht macht er gleich Teufel tot, warum erst so viel später?"

„Du kannst mich ebensogut fragen", antwortete ich, „warum Gott nicht dich und mich tötet, wenn wir durch unsere Sünden ihn erzürnen. Wir werden eben erhalten, damit wir Buße tun und Gnade finden sollen." Freitag sann eine Weile nach. „Ah so!" entgegnete er sehr lebhaft. „Also du, ich, Teufel, Schlechte alle aufgespart werden, Buße tun, Gott allen verzeihen." Hier fühlte ich mich wiederum aus der Fassung gebracht. Ich erkannte jetzt deutlich, daß das natürliche Geistesvermögen vernünftiger Geschöpfe zwar zur Erkenntnis Gottes und der Verpflichtung, ihn als höchstes Wesen anzubeten, führen könne, daß aber nur göttliche Offenbarung uns zum Wissen von Jesu Christo, der durch ihn uns erkauften Erlösung und seiner Mittlerschaft zu bringen vermöge sowie daß das Evangelium unseres Herrn und Heilands und der Heilige Geist, der uns als ein Führer und Heiligmacher verheißen ist, die unumgänglich nötigen Lehrer der Menschenseele über die Mittel zu unserer Erlösung sind.

In dieser Überzeugung brach ich das damalige Gespräch zwischen mir und meinem Diener ab und entfernte mich eilig. Nachdem ich ihn zur Besorgung eines Auftrags an einen entlegenen Ort geschickt hatte, betete ich inbrünstig zu Gott, daß er mir die Kraft verleihen möge, diesen armen Wilden in der Heilslehre zu unterrichten, und daß er mit seinem Geiste mir beistehe, damit das Herz des armen, unwissenden Menschen das Wissen von Gott und Christo aufnehme, und daß ich von Gottes Wort so reden könne, um den Wilden zu überzeugen, ihm die Augen zu öffnen und seine Seele zu retten.

Als Freitag zurückgekehrt war, hielt ich abermals ein langes Gespräch mit ihm. Ich sprach zu ihm von der Erlösung durch den Heiland der Welt und von dem himmlischen Evangelium, das uns Buße gegen Gott und Glauben an unseren Herrn Jesus Christus predige. Dann machte ich ihm so deutlich als möglich, warum unser Erlöser Knechtsgestalt angenommen und gekommen sei, die verirrten Schafe aus dem Hause wieder zu suchen und dergleichen mehr.

Gott weiß, daß mehr guter Wille als Verstand in meiner Lehrmethode zum Vorschein kam. Ich muß eingestehen — und ein Gleiches werden wohl alle, die in ähnliche Lage geraten, von sich zu bekennen haben —, daß ich erst durch das Lehren viele Dinge, die ich bisher entweder selbst nicht gewußt oder wenigstens nicht genügend durchdacht hatte, lernte. Ich forschte jetzt mit mehr Eifer nach dem Wesen der Dinge als je zuvor, und so gab mir dieser arme Wilde, auch abgesehen von allen sonstigen Vorteilen, die ich durch ihn hatte, schon in dieser Hinsicht Anlaß zur Dankbarkeit. Mein Kummer lastete mir jetzt minder schwer auf dem Herzen, und meine Behausung war mir jetzt über alle Maßen traulich geworden. Wenn ich bedachte, daß mein einsames Leben nicht nur mich selbst dazu gebracht hatte, zum Himmel aufblickend, die Hand, die mich hierhergeführt, zu suchen, sondern daß ich jetzt auch das Werkzeug der Vorsehung geworden war zur Errettung des Lebens und der Seele eines armen Wilden und zu fernerer Unterweisung in der christlichen Wahrheit — wenn ich an dieses alles dachte, so erfüllte mir eine tiefinnerliche Freude die ganze Seele, und ich jauchzte oft im Herzen darüber, daß ich auf diese Insel verschlagen worden war, während ich sonst in dieser Fügung die furchtbarste Trübsal, die mir hätte widerfahren können, erblicken zu müssen geglaubt hatte.

Diese dankbare Gemütsstimmung dauerte von jetzt an in mir fort, und die Gespräche zwischen Freitag und mir machten die drei Jahre, die wir noch zusammen lebten, zu so vollkommen glücklichen, wie sie unter diesem Mond überhaupt möglich sind. Mein Diener wurde ein guter Christ, ein besserer als ich selbst war, obgleich ich, Gott sei Dank, hoffen darf, daß wir beide in gleichem Maße bußfertige und begnadigte Sünder waren. Wir hatten das Wort Gottes bei uns und waren von seinem Geiste, der uns unterwies, hier nicht weiter entfernt, als wenn wir in England selbst gelebt hätten. Ich gab mir Mühe, daß Freitag die Heilige Schrift so gut verstehen lernte, wie ich sie verstand, und er wiederum bewirkte durch seine bedeutsamen Fragen, daß ich viel besser in den Geist der Bibel eindrang, als es durch bloßes Lesen für mich möglich gewesen wäre.

An dieser Stelle kann ich nicht umhin, eine Erfahrung, die ich in jener einsamen Zeit meines Lebens machte, auszusprechen. Nämlich die: Es ist ein unaussprechlicher Segen darin gelegen, daß die Lehre von Gott und der Erlösung durch Jesum Christum, wie sie Gottes Wort enthält, so deutlich und klar ausgesprochen ist. Das bloße Lesen in der Schrift unterwies mich hinlänglich über meine Pflicht, das große Werk der aufrichtigen Buße zu bekennen, und dieselbe einfache Unterweisung reichte auch aus, um jene arme, wilde Kreatur zu erleuchten und zu einem so wahrhaft christlich gesinnten Menschen zu machen, wie ich nur wenige im Leben gekannt habe.

Alle Streitigkeiten, Kontroversen und Zänkereien, die in der Welt um die Religion gestritten worden sind, sei es in bezug auf Spitzfindigkeiten der Lehre oder um das kirchliche Regiment, waren für uns unnütz, wie sie es überhaupt, soviel ich sehe, von jeher für die ganze Welt gewesen sind. Wir hatten den einzigen, sicheren Führer zum Himmel, das Wort Gottes, und es fehlte uns, dem Herrn sei es gedankt, auch nicht der Beistand des Heiligen Geistes, der in alle Wahrheit leitet und uns dem göttlichen Gesetz willig und gehorsam macht. Daher wüßte ich nicht zu sagen, was uns auch die gereifte Kenntnis über die strittigen Punkte in der Religion, die in der Welt so viel Verwirrung angerichtet haben, hätte nützen können. Doch ich habe jetzt den Faden meiner Geschichte wieder aufzunehmen.

*Robinson und Freitag bauen sich ein Boot, um in Freitags Heimat-
land zu fahren. Vereitelung ihres Planes durch die Ankunft von
Wilden*

Nachdem ich mit Freitag näher bekannt geworden war und
er fast alles, was ich sagte, verstehen, auch geläufig, wenn auch
nur in gebrochenem Englisch, sprechen konnte, machte ich ihn
mit meiner eigenen Geschichte bekannt, wenigstens mit dem,
was sich auf meinen Aufenthalt auf der Insel bezog. Ich erzählte
ihm, wie lange und in welcher Weise ich dort bisher gelebt
hatte, weihte ihn in das Geheimnis der Anwendung von Pulver
und Blei ein und lehrte ihn, mit Schießwaffen umzugehen. Ich
gab ihm auch ein Messer, worüber er sich ungemein freute, und
fertigte ihm einen Gürtel an, an dem ich eine Scheide befestigte, wie man sie in England für die Jagdmesser hat. An
die Stelle eines solchen steckte ich ihm ein Beil hinein, das nicht
nur eine gute Waffe, sondern auch für andere Gelegenheiten ein
vortreffliches Werkzeug war. Auch eine Beschreibung der
europäischen Länder, besonders meiner Heimat England, gab
ich ihm. Ich erzählte ihm, wie man dort lebt, Gott verehrt und
gesellig miteinander verkehrt, schilderte ihm den englischen
Welthandel und gab eine Beschreibung des zertrümmerten
Schiffes, an dessen Bord ich gewesen war, und zeigte ihm auch
die Stelle, wo es gelegen hatte. Ich wies ihm die Trümmer
unseres Bootes, in dem wir das Schiff verlassen und das ich
mit allen meinen Kräften nicht hatte von der Stelle bringen
können. Jetzt war es ganz in Trümmer zerfallen. Bei dem
Anblick der Überreste dieses Bootes stand Freitag eine lange
Weile schweigend und sinnend da. Auf meine Frage, worüber
er nachdenke, antwortete er endlich: „Ich gesehen Boot, ein
solches kommen an Platz meines Volkes." Anfangs verstand
ich ihn nicht. Endlich brachte ich durch weitere Fragen heraus,
daß einst ein ähnliches Fahrzeug an die Küste seiner Heimat
gelangt, das heißt durch den Sturm dahin getrieben sei.
Wiewohl ich hieraus entnahm, daß ein europäisches Schiff an
jenen Küsten gescheitert und ein davon losgerissenes Boot an
den Strand geworfen sein müsse, fiel mir doch nicht ein, zu
fragen, ob denn auch Menschen von jenem Schiff sich dorthin
gerettet hätten und wohin sie gekommen seien. Vielmehr

begnügte ich mich jetzt damit, mir das Boot beschreiben zu lassen.

Freitag tat dies verständlich genug. Mit einiger Wärme fügte er hinzu: „Wir weiße Männer vor Ertrinken gerettet haben." Sofort fragte ich, ob sich denn in jenem Boote weiße Männer befunden hätten. „Ja", erwiderte er, „Boot voll weiße Männer." Als ich ihn nach ihrer Anzahl gefragt hatte, zählte er an seinen Fingern siebzehn ab, und auf meine fernere Frage, was aus ihnen geworden, antwortete er: „Sie leben, wohnen bei mein Volk."

Dies gab mir wiederum mancherlei zu erwägen. Zunächst kam mir der Gedanke, diese Leute hätten zu dem Schiff gehört, das im Angesicht meiner Insel (denn ich betrachtete sie jetzt als mein Eigentum) gescheitert war. Ich dachte mir, sie hätten sich wohl, nachdem das Schiff am Felsen zertrümmert und von ihnen aufgegeben war, in dem Boote gerettet und seien an jener Insel unter den Wilden gelandet.

Als ich demzufolge eindringlicher danach gefragt hatte, was aus jenen Leuten geworden sei, versicherte Freitag, sie wären noch am Leben, hielten sich schon über vier Jahre bei seinen Landsleuten auf und würden von diesen ganz in Frieden gelassen und mit Lebensmitteln versehen. Auf meine Frage, wie es denn geschehen sei, daß man sie nicht getötet und gefressen habe, antwortete er: „Nein, sie geworden Brüder von uns." Ich verstand das so, daß man mit ihnen ein Bündnis geschlossen habe. Freitag fügte noch hinzu: „Mein Volk nicht essen Mensch, wenn sie nicht gefangen in Schlacht."

Geraume Zeit nach diesem Gespräch befanden wir uns eines Tages auf dem Gipfel jenes Hügels an der Ostseite der Insel, von dem aus ich, wie früher erwähnt, an einem hellen Tage das Festland von Amerika entdeckt hatte. Das Wetter war sehr heiter. Freitag schaute aufmerksam nach dem Festlande hin, und plötzlich fing er an zu springen und zu tanzen und rief mich, da ich etwas entfernt von ihm stand, herbei. Ich fragte ihn, was es gäbe. „O Freude", antwortete er, „dort ich sehe mein Land, dort wohnen mein Volk!"

Sein Gesicht glänzte dabei vor Lust, seine Augen funkelten, und eine seltsame Begierde zeigte sich in seinen Mienen, als ob es ihn innig verlange, wieder in der Heimat zu sein. Ich bezweifelte nicht, daß dieser, wenn er wieder zu seinem Volk zurückgekehrt sei, nicht nur seine ganze Religion, sondern auch alles andere, was er mir dankte, vergessen und sogar sich so weit verirren würde, mit einer ganzen Menge seiner Landsleute hierher zurückzukehren, mich zu einer Mahlzeit zu verwenden und dabei vermutlich geradeso vergnügt zu sein wie bei der Verschmausung der im Kriege gefangenen Feinde. Jedoch tat ich mit solchem Verdacht dem armen Burschen großes Unrecht, wie ich später zu meinem Leidwesen eingesehen habe.

Einige Wochen hindurch war ich infolge meiner wachsenden Besorgnis vorsichtiger mit ihm und nicht so freundlich und herzlich wie früher, während doch die gute Seele in der Tat auch nicht einen Gedanken hegte, der sich nicht mit den strengsten Grundsätzen des Christentums und der Freundschaft und Dankbarkeit vertragen hätte.

Solange mein Verdacht gegen ihn währte, nahm ich ihn natürlich alle Tage scharf aufs Korn, um zu sehen, ob ihn wirklich die Gedanken, die ich bei ihm vermutete, erfüllten. Da aber alles, was er sagte, die treuherzigste Unschuld bezeugte und da ich auch gar nichts fand, was mein Mißtrauen hätte nähren können, gewann er mich endlich wieder ganz und gar. Er hatte übrigens nicht im mindesten meine Unruhe bemerkt, und so konnte ich sicher sein, daß er mich nicht betrog.

Eines Tages, als wir bei neblichtem Wetter, das unseren Blicken das Festland verhüllte, auf demselben Hügel standen, fragte ich Freitag: „Hast du nicht Lust, wieder in deinem Lande und bei deinem Volke zu sein?" — „Ja", erwiderte er, „ich viel froh sein würde, wieder bei eigenem Volke zu sein." — „Was würdest du dort machen?" fuhr ich fort. „Wolltest du wieder ein Wilder werden, Menschenfleisch essen und als ein so wilder Mensch leben wie früher?" — Er sah nachdenklich vor sich hin, schüttelte den Kopf und antwortete: „Nein, nein, Freitag ihnen sagen würde, gut sein sollen, Gott anbeten, lehren ihnen essen Kornbrot, Fleisch von Ziegen, Milch, nicht essen Mensch wieder."

„Aber", entgegnete ich, „dann werden sie dich ja töten." Mit ernsthafter Miene erwiderte er: „Nein, sie nicht mich töten, gern lernen wollen." Er fügte hinzu, daß seine Landsleute auch schon viel von den bärtigen Männern, die in jenem Boote gekommen seien, gelernt hätten. Als ich ihn hierauf fragte, ob er wieder zu den Seinigen zurückkehren wolle, antwortete er lächelnd: so weit könne er nicht schwimmen. — „Ich will", entgegnete ich, „dir ein Kanu anfertigen."

Ja, wenn ich mit ihm gehen würde, erwiderte er, dann wolle er heimkehren. Darauf ich: „Ich soll wirklich nach deinem Vaterland gehen und mich dort fressen lassen?" — „Nein, nein", lautete seine Antwort, „ich nicht lassen fressen dich, ich machen werde, daß sie haben dich lieb." Er meinte damit, daß er ihnen erzählen wollte, wie ich seine Feinde getötet und ihm das Leben gerettet habe. Dann erzählte er, wie freundlich jene siebzehn weißen Männer, die Bartmänner, wie er sie nannte, bei seinem Volke behandelt wurden, nachdem sie durch Unglück an jenen Strand geraten seien.

Seit dieser Zeit fühlte ich, wie ich nicht verhehlen will, Lust, die Überfahrt zu wagen, um mich womöglich mit jenen bärtigen Männern, die, wie ich nicht zweifelte, Spanier oder Portugiesen waren, zu vereinigen. Es schien mir leicht, von dort aus, wenn ich erst auf dem Festlande und in zivilisierter Gesellschaft war, heimzukehren, wenigstens leichter als von hier aus, wo ich allein und hilflos auf einer vierzig Meilen vom Festland gelegenen Insel hauste. Einige Tage später eröffnete ich mit Freitag wiederum ein auf denselben Plan bezügliches Gespräch. Ich versprach, ihm ein Boot zu geben, damit er zu seinem Volke heimkehren könne. Dann führte ich ihn zu meinem Kanu, das auf der andern Seite der Insel lag, zeigte es ihm, nachdem ich es vom Wasser befreit hatte (denn der Vorsicht wegen hatte ich es versenkt), und setzte mich mit ihm hinein. Freitag zeigte sich sofort sehr geschickt im Steuern und Rudern und brachte es fast so rasch von der Stelle wie ich.

Als wir uns in das Boot gesetzt hatten, sagte ich: „Nun, Freitag, wie ist's, wollen wir jetzt nach deinem Vaterland fahren?" Er machte ein sehr bedenkliches Gesicht und schien das Fahrzeug für eine so weite Reise zu klein zu finden. Hierauf teilte ich ihm mit, daß ich noch ein größeres besäße, und begab mich am nächsten Tage mit ihm an den Ort, wo das von mir zuerst gebaute Boot lag, das ich nicht hatte ins Wasser bringen können. Dieses sei, sagte Freitag, groß genug. Es war aber, da ich mich fast dreiundzwanzig Jahre nicht darum gekümmert hatte, von der Sonne so ausgedörrt, daß es Sprünge bekommen hatte und beinahe verfault war. Freitag versicherte mir, mit solch einem Boot lasse sich die Überfahrt ausführen, es würde „viel genug Brot und Trank tragen", wie er sich ausdrückte.

Seit dieser Zeit war ich wirklich entschlossen, mit Freitag nach dem Festland zu schiffen. Ich teilte ihm mit, daß wir uns ein ebenso großes Boot bauen wollten, damit er darin in sein Vaterland reisen könnte. Er erwiderte kein Wort und schaute ernst und traurig vor sich hin. Auf meine Frage, was das bedeuten solle, erwiderte er: „Warum du böse sein Freitag? Was haben ich getan?" — Ich versicherte ihm, daß ich ihm nicht böse sei. „Nicht böse? Nicht böse?" wiederholte er mehrere Male. „Warum denn schicken Freitag zu meinem Volk?" — „Wie", sagte ich, „hast du nicht selbst gewünscht, dort zu sein?" — „Ja, ja", entgegnete er, „ich wünschen, da zu sein alle beide, nicht wünschen, da zu sein Freitag allein, nicht wünschen, da zu sein Herr allein."

Kurz, er wollte nichts vom Alleingehen wissen. Als ich die Frage an ihn gerichtet hatte: „Freitag, was soll denn ich dort tun?", versetzte er rasch: „Du dort tun viel Gutes. Du lehren wilde Männer gut sein, nüchtern und vernünftig; du sie lehren Gott kennen, zu ihm beten und ein neues Leben anfangen!" — „Ach", erwiderte ich, „Freitag, du weißt nicht, was du sagst, ich bin selbst ein armer, unwissender Mensch." — „Nein, nein", entgegnete er, „du mich gelehrt hast Gutes, du sie auch lehren Gutes." — „Nein, Freitag", erwiderte ich, „du sollst ohne mich reisen. Laß mich hier mein einsames Leben fort-führen wie früher."

Bei diesen Worten sah er mich betroffen an, rannte fort, ergriff eines der Beile, die er gewöhnlich bei sich trug, kam zurück und gab es mir. „Was soll ich damit", fragte ich. — „Du totmachen Freitag", antwortete er. „Weshalb soll ich dich denn töten?" — „Weil du fortschicken wollen Freitag. Besser totmachen Freitag als wegschicken." Er sagte das sehr ernst-haft und mit Tränen in den Augen. So wurde ich von seiner großen Liebe und Festigkeit aufs neue überzeugt und ver-sicherte ihm deshalb jetzt und später noch oft, daß ich ihn nie von mir lassen werde, wenn er bei mir bleiben wolle.

Wie mir diese ganze Unterredung seine innige Liebe zu mir und seinen Entschluß, sich nie von mir zu trennen, bewiesen hatte, so erkannte ich jetzt auch, daß sein Verlangen, ins Vaterland heimzukehren, lediglich in der heißen Liebe zu seinem Volke und in seiner Hoffnung, daß ich diesem Gutes tun werde, begründet war. Da nun meine Fluchtgedanken in der Unter-redung mit Freitag durch das, was er mir von den siebzehn weißen Männern erzählte, immer mehr genährt waren, machte ich mich mit ihm ohne Verzug ans Werk und spähte nach einem starken Baum, den ich fällen wollte, um daraus ein großes Kanu für unsere Reise zu zimmern.

Es gab Bäume genug auf der Insel, um daraus eine kleine Flotte, und zwar nicht nur von Kähnen, sondern sogar von ziemlich großen Fahrzeugen erbauen zu können. Mein Hauptaugenmerk aber war darauf gerichtet, einen Baum in möglichster Nähe des Wassers zu finden, damit wir das Boot leicht flottmachen konnten und nicht den früher begangenen Fehler wiederholten.

Endlich entdeckte Freitag, der viel mehr Holzkenntnis als ich besaß, einen geeigneten Baum; wie er hieß, weiß ich bis auf den heutigen Tag noch nicht anzugeben. Das Holz glich dem, das wir Gelbholz nennen, und ähnelte dem Nikaraguaholz in Farbe und Geruch.

Freitag schlug vor, den Baum mit Ausbrennen auszuhöhlen, ich zeigte ihm aber, wie das besser mit Werkzeugen zu bewerkstelligen sei, mit denen er dann auch sehr geschickt hantierte. Nach Ablauf eines Monats harter Arbeit war das Werk vollendet. Das Ding nahm sich sehr hübsch aus, besonders nachdem wir mit den Äxten, deren Gebrauch ich Freitag gelehrt hatte, die Außenseite des Baumes in wirkliche

Bootsgestalt gebracht hatten. Hierauf brauchten wir jedoch noch vierzehn Tage, um es, sozusagen Zoll für Zoll, auf großen Walzen ins Wasser zu bringen. Als es flott war, erkannten wir, daß das Boot mit Leichtigkeit zwanzig Mann tragen konnte.

Nicht wenig überraschte es mich zu sehen, wie geschickt und rasch Freitag das große Fahrzeug im Wasser zu bewegen und zu lenken verstand. Auf meine Frage, ob wir wohl darin die Überfahrt wagen dürften, sagte er: „Ja, wir können wagen recht gut, wenn auch weht großer Wind." Meine weitere Absicht ging nun darauf, einen Mastbaum und ein Segel anzufertigen und das Boot mit Anker und Tau zu versehen. Ein Mast war leicht genug zu bekommen. Ich wählte mir eine schlanke, junge Zeder, die sich in der Nähe befand, denn an solchen Bäumen war auf der Insel Überfluß. Freitag mußte sich daran machen, sie zu fällen, und ich belehrte ihn, welche Form sie haben müsse. Die Sorge für das Segel mußte ich selbst übernehmen. Ich wußte, daß ich alte Segel oder wenigstens Segelstücke in Mengen hatte. Da sie aber jetzt bereits sechsundzwanzig Jahre unbenutzt gelegen und ich sie nicht sehr sorgsam aufbewahrt hatte, weil mir nie der Gedanke gekommen war, sie je gebrauchen zu können, glaubte ich, sie seien sämtlich verfault. Mit den meisten war dies auch der Fall. Jedoch fand ich zwei noch leidlich aussehende Stücke, machte mich an die Arbeit und brachte mit großer Mühe und natürlich durch sehr langsame und plumpe Näherei (denn ich hatte ja keine Nadeln) endlich ein dreieckiges, mißförmiges Ding heraus, das der Form nach dem Ding ähnelte, das wir in England mit dem Namen „Hammelschultersegel" bezeichneten. Man benutzte diese mit einem Segelbaum am unteren Ende und einem kleinen, kurzen Spriet am oberen. Mit einem solchen Segel wußte ich am besten umzugehen, weil sich ein derartiges, wie ich früher erzählte, in dem Schiffe befunden hatte, in dem ich von der afrikanischen Küste geflohen war.

Die letzte Arbeit, nämlich die Anfertigung des Mastes und der Segel, nahm noch fast zwei weitere Monate in Anspruch. Ich vervollständigte mein Werk, indem ich noch ein kleines Fock- und ein Besansegel hinzufügte für den Fall, daß wir gegen den Wind gingen. Vor allem aber brachte ich ein Steuerruder am Heck des Schiffes an. Ich war zwar nur ein Dilettant in Schiffsbauangelegenheiten, aber da ich den Nutzen und sogar die Notwendigkeit eines solchen Dinges kannte, gab ich mir die größte Mühe und brachte es endlich auch leidlich zustande. Infolge der vielen fehlgeschlagenen Versuche aber kostete mich diese Arbeit, glaube ich, fast ebensoviel Anstrengung wie die Erbauung des Bootes selbst.

Nachdem dies alles vollbracht war, hatte ich zuletzt noch Freitag in der Lenkung des Bootes zu unterweisen. Denn obwohl er sehr gut mit einem Kanu umzugehen verstand, wußte er doch nichts von allem, was zum Segeln und Steuern gehört. Er staunte nicht wenig, als er mich das Boot hier- und dahin mit dem Steuer lenken und das Segel, je nach der Richtung, die wir einschlugen, sich blähen sah, und stand ganz verdutzt und überrascht dabei. Jedoch durch ein wenig Übung machte ich ihn mit allen diesen Dingen vertraut, und er wurde bald ein ganz geschickter Matrose, nur daß er vom Gebrauch des Kompasses keinen rechten Begriff bekommen konnte. Übrigens war auch, da der Himmel in diesem Klima selten umnebelt und das Wetter nicht oft trübe ist, der Gebrauch jenes Hilfsmittels nur selten geboten. Man konnte sich des Nachts immer nach den Sternen richten, und des Tags sah man ja stets die Küste, ausgenommen während der Regenzeit, in der aber auch niemand Lust haben konnte, sich auf das Meer zu wagen.

Ich hatte jetzt das siebenundzwanzigste Jahr meiner Gefangenschaft angetreten. Unter dieser Benennung darf ich freilich die letzten drei Jahre, in denen ich ein menschliches Wesen zur Gesellschaft gehabt hatte, eigentlich nicht mit einschließen, denn während dieser Zeit war meine ganze Lebensweise eine völlig andere gewesen als sonst. Ich feierte den Jahrestag meiner Landung mit demselben Dankgefühl gegen Gott wie die früheren, ja, die Empfindung der Dankbarkeit war jetzt in mir noch um vieles höher als ehedem, da mir ja so viele neue Zeugnisse der göttlichen Fürsorge für mich zuteil geworden waren und ich sogar große Hoffnung auf wirkliche und baldige Erlösung gefaßt hatte. Denn es hatte sich jetzt in mir der unbesiegbare Glaube festgesetzt, daß meine Befreiung nahe sei und daß ich kein ganzes Jahr mehr an diesem Ort verbringen werde. Trotzdem aber versäumte ich mein Hauswesen deshalb keineswegs. Ich fuhr fort zu graben, zu pflanzen, meine Einzäunung zu pflegen, sammelte meine Trauben und tat alles Notwendige wie früher. Während der Regenzeit war ich natürlich gezwungen, mich mehr in meiner Wohnung zu halten.

Unser Fahrzeug hatten wir so sicher wie möglich in jener Bucht geborgen, die mir früher zum Landungsplatz für meine Flöße gedient hatte. Ich ließ das Boot bei der Flut auf das Land treiben und befahl Freitag, ein kleines Dock zu graben, das groß genug war, um es zu fassen, und tief genug, daß es darin im Wasser schwimmen konnte. Dann zog ich während der Ebbe am Eingang des Docks einen festen Damm, um das Wasser abzuhalten, und so lag das Boot auch zur Flutzeit außerhalb der See. Um den Regen abzuhalten, legten wir eine Menge Zweige darüber, bis es so dicht wie ein Haus gedeckt war. Hierauf erwarteten wir ruhig die Monate November und Dezember, für die ich die Ausführung unseres Planes beschlossen hatte.

Sobald die gute Jahreszeit wiedergekehrt war, betrieben wir täglich die Vorbereitungen zur Reise, und vor allem legte ich eine Anzahl Lebensmittel als Proviant für die Fahrt zurück. Es war meine Absicht, nach ein oder zwei Wochen das Dock zu öffnen und das Boot auslaufen zu lassen.

Eines Morgens war ich gerade wieder mit jenen Vorkehrungen beschäftigt und hatte Freitag an den Strand geschickt, um eine Schildkröte zu suchen — denn eine solche verschafften wir uns jede Woche, um sowohl die Eier als auch das Fleisch zu genießen. Da auf einmal kehrte mein Gefährte, nachdem er sich noch nicht lange entfernt hatte, schleunigst zurück und kletterte so schnell über meine äußere Palisadenwand, als hätten seine Füße nicht die Erde berührt. Noch ehe ich ein Wort sprechen konnte, rief er mir zu: „O Herr, o Herr, o weh, o weh!"

Ich fragte: „Was gibt es denn?" — „O dort, dort", erwiderte er, „eins, zwei, drei Kanus, eins, zwei, drei." Ich schloß daraus, es wären sechs, brachte aber durch erneutes Fragen heraus, daß es nur drei seien. „Ruhig Blut, Freitag", sagte ich und ermutigte ihn, so gut ich's vermochte. Der arme Bursche aber verharrte in seinem Entsetzen, denn er hatte sich fest in den Kopf gesetzt, die Wilden seien nur deshalb gekommen, um ihn zu suchen, zu schlachten und aufzufressen. Er zitterte so, daß ich nicht wußte, was ich mit ihm anfangen sollte.

Ich suchte ihn durch die Bemerkung zu trösten, daß ich ja in gleicher Gefahr wie er sei und daß sie mich geradeso fressen würden wie ihn, daß wir uns aber mutig unserer Haut wehren wollten. „Bist du dazu willens, Freitag?" fragte ich ihn. „Ich sie schieße", antwortete er, „aber dann kommen große Menge." — „Das tut nichts", erwiderte ich, „unsere Flinten werden diejenigen, die wir nicht töten, erschrecken." Hierauf fragte ich, ob er, wenn ich ihm beistehen wolle, auch mich verteidigen und alles tun werde, was ich ihn heiße. Er antwortete: „Ich sterben, wenn du gebietest es, Herr!"

Darauf holte ich ihm einen tüchtigen Schluck Rum; denn ich hatte mit meinen Getränken so gut hausgehalten, daß mir noch ein hübsch Teil davon übriggeblieben war. Als er getrunken, befahl ich ihm, die zwei Vogelflinten, die wir gewöhnlich bei uns trugen, mit grobem Schrot (es war etwa so stark wie kleine Pistolenkugeln) zu laden. Ich selbst lud vier Musketen, jede mit fünf großen und zwei kleinen Kugeln, und jede meiner zwei Pistolen mit zwei Kugeln. An meine Seite hing ich, wie gewöhnlich, meinen großen Säbel ohne Scheide, und Freitag erhielt noch sein Beil zur Ausrüstung.

Nachdem wir uns so bewaffnet, ergriff ich mein Fernglas und ging den Hügel hinauf, um zu sehen, ob ich von dort aus eine Wahrnehmung machen könnte. Da sah ich denn bald, daß sich nicht weniger als neunundzwanzig Wilde, drei Gefangene und drei Kanus eingefunden hatten. Ein Triumphfest über diese drei armen Geschöpfe schien der einzige Zweck der Gäste zu sein. Die Wilden waren, wie ich bemerkte, diesmal nicht an jener Stelle, von der aus Freitag die Flucht ergriffen hatte, sondern näher an meiner Bucht gelandet, wo die Küste niedrig war und von wo aus sich ein dichtes Gehölz fast bis unmittelbar an die See erstreckte. Der Schauder vor der unmenschlichen Absicht, in der die Elenden gekommen waren, erfüllte mich mit solcher Entrüstung, daß ich zu Freitag hinabstieg und ihm ankündigte, ich sei entschlossen, die Wilden zu überfallen und sie sämtlich zu töten. Nachdem ich meinen Gefährten gefragt, ob er mir dabei Hilfe leisten wolle, versicherte er, der jetzt wieder einigermaßen zu sich gekommen und durch den Rum gestärkt war, mit heiterer Miene, er würde sofort in den Tod gehen, wenn ich es gebiete.

In dieser erbitterten Stimmung teilte ich nun die geladenen Waffen mit meinem Gefährten. Freitag erhielt eine Pistole, um sie in den Gürtel zu stecken, und drei Flinten, die er über die Schulter nehmen sollte. Ich nahm gleichfalls eine Pistole und die anderen drei Gewehre, und so gerüstet zogen wir aus. Ich hatte auch eine kleine Flasche mit Rum zu mir gesteckt und Freitag einen großen Beutel mit Pulver und Kugeln eingehändigt. Er wurde angewiesen, sich dicht hinter mir zu halten, keine Bewegung zu machen und nicht eher zu schießen, bis ich es ihm geheißen, auch kein Wort laut werden zu lassen. Hierauf begaben wir uns in einem Umweg von ungefähr einer Meile nach der rechten Seite der Insel, um innerhalb des Gehölzes die Bucht zu überschreiten und auf Schußweite an die Kannibalen heranzukommen, ehe sie uns entdeckten. Mein Fernglas hatte mir nämlich gezeigt, daß das leicht zu bewerkstelligen sei.

Unterwegs kehrten meine früheren Bedenken zurück, so daß meine Entschlossenheit einigermaßen gedämpft wurde. Nicht als ob ich mich vor der Überzahl gefürchtet hätte, den nackten, waffenlosen Menschen war ich, obwohl nur ein einzelner, jedenfalls überlegen. Aber ich fragte mich, woher ich das Recht, den Anlaß oder gar die Verpflichtung habe, meine Hände in Blut zu tauchen und Menschen anzugreifen, die mir nie etwas zuleide getan hatten und vielleicht gar nicht daran dächten, mir Böses zu tun. Gegen mich hatten sie ja nichts verbrochen, ihre barbarischen Gebräuche waren Unglück genug für sie selbst. Gott hatte sie mit den übrigen Bewohnern dieser Weltgegend in solcher Unvernunft und in so unmenschlichen Sitten gelassen, und ich war nicht zum Richter ihrer Handlungen und noch viel weniger zum Vollstrecker des Urteils berufen. Wenn Gott es an der Zeit halte, sagte ich mir, würde er die Sache schon selbst in die Hand nehmen und sie durch eine allgemeine Züchtigung für ihre Nationalsünde strafen. Mich gehe das nichts an, während Freitag, als der erklärte Feind der Wilden, der mit ihnen auf dem Kriegsfuß lebte, berechtigt sei, sie anzugreifen. Von mir aber könne das nicht gelten.

Diese Gedanken machten mir während des ganzen Weges so viel zu schaffen, daß ich endlich beschloß, mich vorläufig nur in die Nähe der Wilden zu begeben und ihr barbarisches Fest zu beobachten und dann zu handeln, wie Gott es mir eingeben würde. Wenn sich nichts ereignete, das mir ein entschiedeneres Recht, als ich es jetzt hatte, verleihe, wollte ich nichts mit ihnen zu tun haben.

Mit diesem Entschluß betrat ich in möglichster Stille und Vorsicht das Gehölz. Freitag folgte mir dicht auf den Fersen. Ich ging bis an den Saum des Waldes auf der den Wilden zunächst gelegenen Seite. Nur ein einziges, schmales Stück des Gebüsches trennte mich jetzt noch von ihnen. Ich rief leise Freitag an und gebot ihm, auf einen Baum an der Ecke des Waldes zu steigen und mir zu melden, ob er von dort aus deutlich wahrnehmen könne, was vorgehe. Er kam augenblicklich zurück mit der Nachricht, daß die Wilden von dort aus sehr gut beobachtet werden könnten, sie säßen alle um ihr Feuer herum und verzehrten das Fleisch eines ihrer Gefangenen, der andere liege in einiger Entfernung gebunden auf dem Sande und würde demnächst an die Reihe des Geschlachtetwerdens kommen.

Diese Nachricht brachte meine ganze Seele aufs neue in Aufregung. Freitag sagte ferner, der Unglückliche sei keiner seiner Landsleute, sondern einer von den weißen, bärtigen Männern, die, wie er mir erzählt, in dem Boote zu ihnen gekommen seien. Die bloßen Worte: „weißer, bärtiger Mann", machten mich schaudern. Ich erstieg den Baum und bemerkte durch mein Fernglas deutlich einen Mann von weißer Farbe, der auf dem Boden lag, an Händen und Füßen mit Schlinggewächsen gefesselt, und seiner Kleidung nach ein Europäer sein mußte.

Es befanden sich noch ein anderer Baum und ein kleines Gebüsch jenseits desselben, etwa fünfzig Ellen näher bei den Wilden, und es schien möglich, dahin unbemerkt und auf einem kleinen Umweg bis auf eine halbe Schußweite von den Kannibalen zu gelangen. Wiewohl ich im höchsten Grade aufgeregt war, bezwang ich doch meine Leidenschaft, ging einige zwanzig Schritte zurück und gelangte dann hinter fortlaufendem Gebüsch hin zu jenem anderen Baum. Von hier aus erreichte ich eine kleine Anhöhe, die mir auf ungefähr siebzig Meter Entfernung völligen Überblick gewährte.

Robinson befreit einen Spanier. Freitag entdeckt seinen Vater.
Robinson als Herrscher in seinem Inseldominion. Expedition zur
Befreiung der anderen Spanier. Ankunft eines englischen Schiffes.

Ich hatte jetzt keinen Augenblick mehr zu verlieren. Neunzehn
von den furchtbaren Unmenschen saßen dicht gedrängt nebeneinander und hatten eben zwei andere abgeschickt, um den
armen Christen zu schlachten und wahrscheinlich seinen Leib
Stück für Stück an das Feuer zu bringen. Sie beugten sich just
nieder, um ihm die Fesseln an den Füßen zu lösen. In diesem
Augenblick wandte ich mich zu Freitag. „Jetzt", rief ich ihm
zu, „tue, wie ich dir sage." Er antwortete, daß er bereit sei.
„Mache es genauso", rief ich ihm zu, „wie ich es dir angebe,
und versäume nichts." Dann legte ich eine der Musketen und
die Vogelflinte auf die Erde, und Freitag tat dasselbe mit
seinen Schußwaffen; hierauf zielte ich mit der anderen Muskete nach den Wilden, gebot meinem Gefährten, dasselbe mit
seinem Gewehre zu tun, kommandierte Feuer und drückte zu
gleicher Zeit selbst ab.

Freitag hatte so viel besser als ich gezielt, daß er auf seiner
Seite zwei von den Wilden getötet und drei verwundet hatte,
während von mir nur einer getötet und zwei verletzt waren.
Man kann sich denken, welch einen furchtbaren Schrecken die
Wilden empfanden. Die Nichtgetroffenen sprangen auf, ohne
zu wissen, wohin sie blicken sollten, da es ihnen unbekannt
war, woher das Verderben kam.

Freitag hielt die Augen unverwandt auf mich gerichtet, um
zu sehen, was ich tun werde. Sofort nach dem ersten Schuß
legte ich das Gewehr nieder und ergriff die Jagdflinte. Freitag,
der mich den Hahn spannen und anlegen sah, tat das gleiche.
„Bist du bereit?" rief ich ihm zu. — „Ja", antwortete er. —
„Dann in Gottes Namen, los!"

Hiermit feuerte ich zum zweitenmal unter die Bestürzten,
ebenso Freitag. Da unsere Gewehre diesmal nur mit Schrot
geladen waren, stürzten nur zwei der Wilden, aber viele von
ihnen waren verwundet, so daß sie mit gellendem Geheul,
blutend und kläglich zugerichtet, wie wahnsinnig umherliefen.
Drei davon sanken gleich darauf nieder, ohne jedoch völlig tot
zu sein.

„Jetzt, Freitag", rief ich, das abgefeuerte Gewehr niederlegend und das geladene Gewehr ergreifend, „folge mir!" Er tat es mit Entschlossenheit. Ich eilte aus dem Wald und zeigte mich, während Freitag mir unmittelbar folgte. Sobald die Wilden mich gewahrten, schrie ich, vereint mit Freitag, aus Leibeskräften. Dann lief ich, so schnell als ich es mit der Waffenlast vermochte, geradewegs zu dem armen Schlachtopfer. Die beiden Henker, die sich eben an ihn hatten machen wollen, waren nach unserem ersten Schuß furchtbar erschrocken nach dem Strand gelaufen und in ein Kanu gesprungen. Drei von den übrigen hatten denselben Weg eingeschlagen. Ich befahl Freitag, nach dieser Richtung zu eilen und Feuer auf sie zu geben. Augenblicklich rannte er bis auf etwa vierzig Yards Entfernung zu ihnen hin und gab dann Feuer. Ich glaubte, er habe sie sämtlich getötet, denn ich sah sie alle in dem Boot über einen Haufen fallen. Zwei von ihnen sprangen jedoch sofort wieder auf, während zwei andere getötet waren und der dritte so verwundet, daß er wie tot in dem Boote liegenblieb.

Unterdessen zog ich mein Messer und durchschnitt die Bande an den Händen und Füßen des armen Opfers. Ich half dem unglücklichen Menschen auf und fragte ihn auf portugiesisch, wer er sei. Er antwortete auf lateinisch, er sei Christ, doch war er so schwach, daß er kaum gehen oder sprechen konnte. Ich reichte ihm meine Flasche, die ich aus der Tasche gezogen, und gab ihm durch Zeichen zu verstehen, daß er trinken solle. Nachdem er es getan, reichte ich ihm ein Stück Brot.

Als er auch das verzehrt hatte, fragte ich ihn, was er für ein Landsmann sei. Er erwiderte: „Ein Spanier", und gab dann, sobald er sich nur ein wenig erholt, durch alle möglichen Zeichen seine Dankbarkeit zu erkennen.

„Señor", erwiderte ich, so gut ich mich auf spanisch auszudrücken vermochte, „jetzt ist nicht Zeit zum Reden, sondern zum Kämpfen. Wenn Ihr noch so viel Kraft habt, ergreift diese Pistole und diesen Säbel." Dankbar nahm er beides, und als ob die Waffen ihm neue Kraft verliehen hätten, stürzte er sich wie rasend auf seine Mörder. Im Nu hieb er zwei oder drei in Stücke; denn die Überraschung durch den Knall unserer Gewehre hatte die armen Menschen so bestürzt gemacht, daß sie vor bloßer Furcht oder Verwunderung niederfielen und unfähig waren, einen Fluchtversuch zu machen. Das gleiche war mit den fünf im Boot befindlichen der Fall, auf die Freitag geschossen hatte. Nur drei davon waren verwundet hingesunken, die beiden anderen aber vor Schrecken zu Boden gefallen.

Ich hielt jetzt mein Gewehr, ohne zu schießen, in der Hand, um, da ich dem Spanier meine Pistole und den Säbel gegeben, schußfertig zu bleiben.

Freitag, dem ich zugerufen hatte, er solle nach dem Baum eilen, von dem aus er zuerst Feuer gegeben, um die abgeschossenen Gewehre zu holen, vollzog diesen Befehl sehr behend. Ich gab ihm hierauf meine Muskete und setzte mich nieder, um die übrigen Gewehre wieder zu laden, indem ich meine zwei Genossen aufforderte, sich davon zu holen, wenn es nötig sei. Während ich lud, entspann sich ein fürchterlicher Kampf zwischen dem Spanier und einem der Wilden. Der letztere griff jenen mit einem der hölzernen Schwerter an, mit denen er hätte geschlachtet werden sollen. Der Spanier hielt sich trotz seiner Schwäche so tapfer und brav als denkbar. Nachdem er aber geraume Zeit mit dem Indianer gefochten und ihm zwei große Wunden am Kopf beigebracht hatte, umfaßte ihn der Wilde, der ein großer starker Kerl war, warf ihn nieder und hatte ihm schon meinen Säbel aus der Hand gewunden, als der Spanier, diese Waffe klüglich fahrenlassend, die Pistole aus dem Gürtel zog, den Wilden durch den Leib schoß und ihn, noch ehe ich zur Hilfe herbeikommen konnte, auf der Stelle tötete.

Freitag, jetzt sich selbst überlassen, verfolgte die Flüchtigen, ohne eine andere Waffe als sein Beil zu haben. Mit diesem erschlug er die drei früher Verwundeten, die zu Boden gesunken waren, und alle, die ihm sonst noch in den Weg kamen. Jetzt holte sich der Spanier bei mir ein Gewehr. Ich gab ihm eine der Vogelflinten, er verfolgte damit zwei Wilde und verwundete sie beide. Da er aber nicht laufen konnte, entkamen sie ihm in den Wald, wohin Freitag ihnen sofort nacheilte. Er tötete den einen, der andere war aber trotz seiner Wunde flinker als er, stürzte sich ins Meer und schwamm mit Aufwand seiner ganzen Kraft zu den im Kanu Zurückgebliebenen. Diese drei im Kanu zusammen mit dem Verwundeten, von dem wir nicht wußten ob er gestorben war oder nicht, waren die einzigen, die uns von den einundzwanzig Wilden entrannen. Was sie und die übrigen betrifft, so stellte sich das Ergebnis unseres Kampfes wie folgt dar:

                                                    In summa 21

Die Flüchtlinge in dem Kanu ruderten mit allen Kräften, um
aus unserer Schußweite zu kommen. Freitag gab mehrere Male
Feuer auf sie, schien jedoch keinen getroffen zu haben. Er
zeigte große Lust, sie in einem ihrer Kähne zu verfolgen. Da
ich sie mit Sorgen entfliehen sah, bei dem Gedanken, daß sie
ihren Landsleuten Kunde von dem Geschehenen bringen und
vielleicht zu mehreren Hunderten wiederkommen und uns
dann durch die Übermacht bewältigen würden, willigte ich
auch in sein Verlangen ein. Ich eilte nach einem der zurückgebliebenen Boote, sprang hinein und gebot Freitag, mir zu
folgen. Aber wie sehr war ich überrascht, als ich in dem
Fahrzeug einen unglücklichen Menschen, gleich dem Spanier
an Händen und Füßen gebunden, liegen fand, der offenbar wie
jener zum Schlachten bestimmt war. Er war halbtot vor Schrek-
ken und begriff nichts von dem, was vorging; denn er hatte sich
nicht über den Rand des Bootes aufrichten und umherschauen
können, und die festen Bande, die ihm den Kopf und die Fersen
nahe zusammengeschnürt hielten, hatten ihn so gepeinigt, daß
kaum noch ein Rest von Leben in ihm zu sein schien.
Ich durchschnitt sofort seine Bande und versuchte ihm auf-
zuhelfen, aber er vermochte weder sich aufrecht zu halten noch
zu sprechen, sondern stöhnte nur jammervoll, weil er, wie es
schien, glaubte, er werde nur losgebunden, um getötet zu
werden. Als Freitag herbeigekommen war, forderte ich ihn auf,
den Unglücklichen anzureden und ihm seine Befreiung an-
zukündigen, indem ich zugleich meine Flasche Freitag gab,
damit er dem Ärmsten einen Schluck Rum reiche. Der Trunk
und die Kunde von seiner Errettung belebten den Gefangenen,
und er setzte sich aufrecht ins Boot. Als aber Freitag ihn
sprechen hörte und ihm ins Gesicht sah, da hätte es jeden zu

Tränen rühren müssen, wie er den Gefangenen plötzlich umarmte, küßte, ihn an sich drückte und dabei schrie und lachte, jubelte, hüpfte und sang, und wie er dann wieder heftig weinte, die Hände rang, sich Kopf und Gesicht schlug und hierauf wieder singend umhersprang, gleich einem Verrückten. Es währte eine gute Weile, bis ich ihn dazu brachte, mir Rede zu stehen. Dann aber, als er endlich ein wenig zu sich gekommen war, sagte er mir, dieser Mensch sei niemand anderes als sein eigener Vater.

Es wäre nicht leicht zu beschreiben, wie mich der Anblick der Ausbrüche des Entzückens und der kindlichen Liebe des armen Menschen bei dem Wiedersehen seines Vaters und dessen Errettung vom Tode bewegte. Auch nicht entfernt aber vermöchte ich die närrischen Kundgebungen seiner Liebe zu schildern. Er sprang zahllose Male in das Boot und wieder heraus. Er setzte sich neben seinen Vater, preßte dessen Kopf an seine offene Brust und hielt ihn dicht daran gedrückt, wie eine Mutter ihren Säugling. Dann rieb er ihm die durch die Fesseln starr gewordenen Glieder und erwärmte sie in seinen Händen. Ich gab ihm aus meiner Flasche etwas Rum und hieß ihn damit die Extremitäten des Alten einreiben, was diesem offenbar sehr gut tat.

Dies Ereignis hatte natürlich unserer Verfolgung der Wilden in dem andern Kanu, die uns jetzt fast aus dem Gesicht waren, ein Ende gemacht. Und das war gut, denn zwei Stunden später, noch ehe die Flüchtlinge den vierten Teil ihres Heimweges zurückgelegt haben konnten, erhob sich ein so starker Wind, und es stürmte ihrer Fahrt entgegen aus Nordwest die ganze Nacht hindurch so heftig, daß ich annehmen mußte, das Boot der Flüchtlinge sei untergegangen und sie selbst seien niemals wieder an ihre heimische Küste gelangt.

Um wieder auf Freitag zurückzukommen, so war dieser dermaßen mit seinem Vater beschäftigt, daß ich ihn eine Zeitlang nicht abrufen mochte. Als ich dann dachte, daß er ihn für kurze Zeit verlassen könne, rief ich ihn zu mir. — Er kam laufend und lachend in vollem Entzücken herbei. Auf meine Frage, ob er seinem Vater etwas Brot gegeben habe, antwortete er kopfschüttelnd: ,,Nein, schlechter Hund ich, alles gegessen selbst auf.'' Hierauf reichte ich ihm aus meiner eignen Tasche ein Stück Brot, gab ihm auch für sich selbst etwas Rum, doch trank er nicht davon, sondern brachte alles seinem

Vater. Auch einige Rosinen reichte ich ihm. — Kaum hatte der Alte diese Dinge erhalten, als ich Freitag wieder aus dem Boot springen und so schnell davonrennen sah, als ob er behext sei. Er war der schnellste Läufer, der mir je vorgekommen ist. Im Nu verschwand er mir aus den Augen, und wie laut ich auch rief und ihm nachschrie, es half nichts. Nach einer Viertelstunde erst kehrte er langsam zurück, denn sein Lauf war gehemmt durch etwas, was er in den Händen trug. Er war nämlich in unserer Behausung gewesen, um in einem Kruge für seinen Vater frisches Wasser zu holen. Außerdem hatte er einige Gerstenkuchen mitgebracht, die er mir gab, während er das Wasser seinem Vater reichte, jedoch erst, nachdem ich, der ich gleichfalls sehr durstig war, einen kleinen Schluck davon genommen. Dieser Trunk belebte den Alten mehr, als es mein Rum vermocht hatte, denn er war vor Durst fast umgekommen.

Nachdem der Greis getrunken und Freitag noch etwas übrigbehalten hatte, befahl ich ihm, das dem armen Spanier zu bringen, der dessen nicht minder bedürftig war. Auch von dem Brote schickte ich jenem, da ich sah, daß er vor Schwäche in dem Schatten eines Baumes auf einem grünen Platze niedergesunken war. Seine Glieder waren gleichfalls durch die Fesseln steif und geschwollen. Als Freitag zu ihm gekommen, erhob er sich, trank und aß von dem Brot. Nun ging auch ich zu ihm und reichte ihm eine Handvoll Rosinen. Er sah mir mit dem Ausdruck höchster Dankbarkeit ins Gesicht, war aber, wiewohl er sich in dem Gefecht so tapfer gehalten, jetzt so schwach, daß er nicht auf den Füßen stehen konnte. Er versuchte es wiederholt, aber vergebens, da ihn die angeschwollenen Beine zu sehr schmerzten. Ich ließ daher auch ihm von Freitag die Glieder mit Rum einreiben.

Während Freitag diesem Befehl Folge leistete, sah ich, wie der gute Bursche seinen Kopf alle paar Minuten nach seinem Vater umwendete, um zu sehen, ob er noch an derselben Stelle sitze, auf der er ihn verlassen. Als er ihn plötzlich nicht mehr bemerkte, sprang er, ohne ein Wort zu sagen, auf und eilte so rasch, als ob er mit den Füßen den Erdboden nicht berühre, fort. Sobald er jedoch an dem Ort, wo der Alte gesessen, angekommen war und wahrgenommen hatte, daß dieser sich nur, um die geschwollenen Glieder zu strecken, gelegt hatte, kehrte er sofort zurück.

Ich machte jetzt dem Spanier den Vorschlag, er möge sich von Freitag aufrichten, zu dem Boote bringen und sich darin nach unserer Wohnung fahren lassen, wo ich weiter für ihn Sorge tragen wollte. Freitag aber, ein starker Bursche, wie er war, nahm den Fremden kurzweg auf den Rücken, trug ihn ins Kanu, setzte ihn neben seinen Vater, stieß das Boot ab und ruderte es, trotz des widrigen Windes, schneller an der Küste entlang, als ich gehen konnte. Nachdem er die beiden in der Bucht sicher geborgen, holte er windschnell das andere Kanu und hatte auch dies, fast noch eher, als ich an der Bucht anlangte, in diese hineingerudert. Er setzte mich nun über das Wasser und half dann unseren neuen Gefährten aus dem Boot.

Diese aber zeigten sich unfähig zum Gehen, und Freitag wußte nicht, was er jetzt anfangen sollte. Da verfiel ich auf ein Mittel. Ich befahl Freitag, die beiden an den Strand niederzusetzen, fertigte dann mit ihm eine Art Tragbahre an, und so trugen wir die zwei Invaliden fort.

An der äußeren Umfriedigung meiner Festung angelangt, stießen wir auf eine neue Schwierigkeit. Es war unmöglich, die beiden Männer hinüberzubringen, und doch wollte ich meinen Zaun nicht zerstören. Aber auch hier ersann ich einen Ausweg. Binnen etwa zweier Stunden errichtete ich nämlich mit Freitag zwischen der ersten Umhegung und dem von mir angepflanzten Buschwerk aus alten Segeln und darüber gedeckten Baumzweigen ein hübsches Zelt, und unter diesem bereiteten wir aus dem vorhandenen Material, nämlich aus Reisstroh und mehreren wollenen Decken, zwei Betten für unsere Gäste.

Meine Insel war jetzt auf einmal bevölkert, und ich glaubte, einen förmlichen Reichtum an Untertanen zu besitzen. Oft vergnügte mich von da an der Gedanke, daß meine Lage der eines Königs sehr ähnlich sei. War ja doch das ganze Land mein Eigentum und hatte ich doch ein unbestreitbares Herrschaftsrecht an ihm. Meine Mitbewohner hatten sich mir vollkommen unterworfen, ich war ihr absoluter Herr und Gesetzgeber. Sie dankten mir förmlich ihr Leben und waren bereit, es, wenn's not tat, auch für mich dahinzugeben. Bemerkenswert war es, daß von meinen drei Untertanen jeder sich zu einer andern Religion bekannte. Freitag war Protestant, sein Vater Heide und Kannibale und der Spanier Katholik. Übrigens gewährte ich, beiläufig bemerkt, in meinem Inseldominion jedermann völlige Gewissensfreiheit.

Sobald meine geretteten Gefangenen unter ihrem Obdach einen Ruheplatz gefunden hatten, sann ich auf eine Mahlzeit für sie. Ich befahl Freitag, eine halb ausgewachsene Ziege aus meiner Herde zu schlachten, teilte das Hinterviertel in kleine Stücke, ließ es durch Freitag kochen und sieden und bereitete aus Fleisch und Brühe, in die ich auch etwas Gerste und Reis tat, ein wirklich gutes Essen. Hierauf brachte ich alles in das neue Zelt, setzte meinen Gästen einen Tisch vor, setzte mich selbst an den Tisch und aß mein Essen mit ihnen und suchte sie nach besten Kräften aufzuheitern und zu beruhigen. Freitag diente mir dabei als Dolmetscher, nicht nur seinem Vater, sondern auch dem Spanier gegenüber, denn dieser verstand die Sprache der Wilden ziemlich gut.

Nach unserem Mittags- oder richtiger Abendessen ließ ich durch Freitag in einem der Boote die in der Eile auf dem Schlachtfelde zurückgelassenen Sachen holen. Am nächsten Tage befahl ich ihm dann, die Leichen der Wilden, die der Sonne ausgesetzt waren und leicht unserer Gesundheit nachteilig werden konnten, sowie auch die schrecklichen Reste des barbarischen Mahles zu verscharren. Diese nämlich waren in großer Menge vorhanden. Ich selbst aber hätte mich nicht mit ihnen befassen, ja sogar nicht einmal ihren Anblick ertragen können, wenn ich des Weges gekommen wäre. Freitag vollzog meine Befehle pünktlich und tilgte die Spuren der Wilden so gründlich, daß ich die Stelle, wo sie gelagert hatten, nur noch an dem dort befindlichen Vorsprung des Waldes zu erkennen vermochte.

In meiner Unterredung mit meinen zwei neuen Untertanen ließ ich zunächst durch Freitag dessen Vater befragen, was er über die Flucht der Wilden im Kanu denke und ob er glaube, daß sie etwa mit einer Übermacht zurückkehren würden. — Der Alte sprach seine Meinung dahin aus, höchstwahrscheinlich seien die Wilden mit ihrem Boot untergegangen, der Sturm habe sie entweder im Wasser umkommen lassen oder an südlichere Küsten getrieben, wo sie dann sicherlich aufgefressen wären. Was sie aber tun würden, wenn sie glücklich nach Hause gelangt sein sollten, könne er nicht mit Bestimmtheit sagen, doch glaube er, sie hätten durch die Art, in der sie angegriffen worden, durch den Lärm und das Feuer einen solchen Schrecken eingejagt bekommen, daß sie ihren Landsleuten eher melden würden, die übrigen seien durch Donner und Blitz als durch Menschenhand umgekommen, und daß sie die zwei, die ihnen erschienen seien, wohl für himmlische Geister oder Furien, aber nicht für bewaffnete Männer hielten. Er wisse dies daher, daß er sie in ihrer Sprache habe davon reden hören. In der Tat mußte es ja für die Ärmsten unmöglich sein, zu begreifen, wie ein sterblicher Mensch Feuer schleudern und Donner erschallen lassen und ohne die Hand zu heben aus der Ferne töten könne, was ihnen alles bei uns begegnet war.

Später erwies sich, daß der alte Mann recht gehabt hatte. Wie ich nachmals von anderer Seite erfuhr, haben die Wilden nie wieder versucht, die Insel zu betreten. Der Bericht jener Entronnenen, die nämlich wirklich glücklich dem Sturm entgangen waren, hatte sie so in Erstaunen und Schrecken gesetzt, daß sie annahmen: wer nur auf jenes bezauberte Eiland einen Fuß setze, werde von den Göttern mit Feuer vernichtet. Da ich dies jedoch früher nicht wußte, lebte ich noch geraume Zeit hindurch in Furcht vor den Wilden und beobachtete mit möglichst viel Vorsicht, wiewohl ich mich jetzt, wo wir zu vieren waren, ohne weiteres jederzeit auch im freien Felde an hundert solcher Feinde hätte heranwagen dürfen.

Sobald sich die Furcht vor der Wiederkehr der fremden Kanus ein wenig verloren hatte, fing ich wieder an, meinen früheren Plan wegen der Reise nach dem Festland zu überdenken. Freitags Vater hatte mir gleichfalls versichert, daß ich bei seinen Landsleuten seinetwegen auf eine gute Aufnahme rechnen dürfe. Aber meine Absichten wurden ein wenig durchkreuzt durch ein ernsthaftes Gespräch mit dem Spanier. Von ihm erfuhr ich, daß noch sechzehn andere Spanier und Portugiesen sich bei jenen Wilden aufhielten, zu denen sie durch den Sturm verschlagen seien und zu denen sie, wenn sie auch mit ihnen in Frieden lebten, doch im Verhältnis voller Abhängigkeit hinsichtlich ihrer Nahrung und ihrer ganzen Existenz standen.

Ich erfuhr durch den Spanier, daß jenes Schiff, das die Europäer getragen hatte, ein spanisches gewesen sei, das mit Pelzwaren und Silber beladen war. Es war in Rio de la Plata ausgerüstet und nach Havanna bestimmt gewesen, wo es europäische Waren gegen seine Ladung hatte einlösen sollen. Die Mannschaft hatte fünf Portugiesen aus einem gescheiterten

Schiffe an Bord genommen, fünf ihrer eigenen Leute waren ertrunken, als das Schiff verunglückte, und der Rest hatte sich
unter unsäglichen Gefahren halbtot an die Kannibalenküste
gerettet und dort jeden Augenblick erwartet, aufgefressen zu
werden. Die wenigen Waffen, die sie gerettet, waren vollkommen unbrauchbar gewesen, da die Wogen alles Pulver bis auf
ein weniges, das sie bei ihrer Landung für ihre Nahrungs-
beschaffung verbrauchten, weggeschwemmt hatten.

Auf meine Frage, was aus diesen Unglücklichen werden würde
und ob sie denn nicht an Flucht dächten, erwiderte der
Spanier: Sie hätten wohl oft darüber Rat gepflogen, aber da
sie weder ein Fahrzeug noch Mittel, ein solches zu erbauen,
noch irgendwelchen Proviant besaßen, so hätten ihre Be-
ratungen immer in Tränen und Verzweiflung geendet. Ich
fragte ihn, wie seine Gefährten wohl einen Fluchtvorschlag
aufnehmen würden. Dabei verhehlte ich aber nicht, daß ich
bei einem solchen nicht geringe Furcht davor hege, daß sie sich
treulos zeigen würden, wenn ich mich in ihre Hände gegeben
hätte. ,,Denn'', fügte ich hinzu, ,,Dankbarkeit ist keine in dem
Menschen regelmäßig wohnende Tugend, und die Menschen
richten ihre Handlungsweise oft weniger nach den Wohltaten, die sie empfangen, als nach dem Vorteil, den sie erwarten.
Wenn ich, nachdem ich das Werkzeug zur Befreiung jener
Fremden geworden bin, später von ihnen in Neu-Spanien zum
Gefangenen gemacht werden sollte — da, wo jeder Engländer
sicher ist, eines gewaltsamen Todes zu sterben —, so wäre das
doch eine böse Sache. Lieber noch will ich mich den Wilden
überliefern und von ihnen fressen lassen, als in die unbarmherzigen Hände der Priester und der Inquisition zu fallen.
Übrigens'', fuhr ich fort, ,,bin ich überzeugt, daß, wenn sie alle
hier wären, wir eine hinlänglich große Barke bauen könnten,
in der wir südwärts nach Brasilien oder nordwärts nach der
spanischen Küste gelangen könnten. Wenn sie mich aber dann,
sobald ich ihnen Waffen gegeben, zwingen sollten, sie zu ihrem
eigenen Volk zu begleiten, so würde das ein schlechter Lohn
für meine Güte und eine schlimme Veränderung meiner Lage
sein.''

Der Spanier antwortete mir in sehr vertrauenerweckender
Weise: Die Lage seiner Landsleute sei so elend, und das sei
ihnen so sehr bewußt, daß sie nach seiner Überzeugung vor
dem Gedanken zurückschaudern würden, undankbar gegen

jemanden zu handeln, der zu ihrer Befreiung beigetragen hätte. Wenn ich einwillige, wolle er mit Freitags Vater zu ihnen reisen, mit ihnen verhandeln und dann Antwort bringen. Er werde sie mit feierlichem Eide bekräftigen lassen, daß sie sich mir als ihrem Führer unbedingt unterwerfen wollten. Sie sollten auf die heiligen Sakramente und die Bibel schwören, nur in ein solches christliches Land ihre Reise zu richten, das mir genehm wäre, und daß sie sich bis zur Landung daselbst ganz und gar meinen Befehlen unterordnen würden. Hierüber werde er mir einen schriftlichen Vertrag zurückbringen.

Dann versprach der Spanier weiter, er selbst wolle mir eidlich geloben, mich sein ganzes Leben lang nie zu verlassen, im Falle ich es nicht selbst gebiete. Er werde bis zu seinem letzten Atemzuge an meiner Seite bleiben, wenn sich etwa seine Landsleute den geringsten Treubruch zuschulden kommen lassen sollten. Diese, versicherte er, seien sämtlich sehr gebildete, redliche Leute, und sie befänden sich in unglaublich traurigen Umständen. Ohne Waffen, Kleider und Nahrungsmittel hingen sie gänzlich von der Gnade der Wilden ab. Die Hoffnung auf Rückkehr in die Heimat hätten sie ganz aufgegeben, und sie würden sicherlich, wenn ich ihre Befreiung versuchen wollte, für mich leben und sterben.

Auf diese Versicherung hin beschloß ich denn, ihre Befreiung zu wagen und den Spanier nebst dem Alten zur Unterhandlung abzuschicken. Als jedoch schon alles bereit war, machte der Spanier selbst einen so klugen und von so viel Redlichkeit zeugenden Einwurf, daß ich nur zustimmen konnte und demzufolge die Befreiung seiner Gefährten auf mindestens ein halbes Jahr hinausschob.

Die Sache verhielt sich so: Der Spanier war jetzt etwa einen Monat bei uns, und ich hatte ihn während dieser Zeit mitansehen lassen, in welcher Weise ich unter Gottes Beistand für meinen Unterhalt sorgte. Er überschaute meinen Vorrat an Gerste und Reis, der zwar für mich ausreichte, aber doch nur bei der größten Sparsamkeit auch für meine, jetzt auf vier Personen angewachsene Familie ausreichend war. Noch weniger konnte er genügen für die Gefährten des Spaniers, wenn sie zu vierzehn, denn so viele lebten ihrer noch, herüberkamen. Am allerwenigsten aber hätte der Vorrat ausgereicht, das zu erbauende Fahrzeug für die Reise nach einer der christlichen Kolonien von Amerika mit Proviant auszurüsten.

Deshalb riet mir der Spanier, ihn und die beiden anderen ein so viel größeres Stück Land urbar machen zu lassen, als ich Korn zur Aussaat zu erübrigen vermöchte. Wir konnten dann eine weitere Erntezeit abwarten, um genügenden Vorrat bei der Ankunft seiner Landsleute zu haben. Not und Mangel würde diese leicht zur Unzufriedenheit reizen und ihnen den Gedanken nahelegen, sie seien nicht sowohl befreit als nur von einer Bedrängnis in die andere gekommen. „Denkt an die Kinder Israel", setzte der Spanier hinzu, „die anfangs über ihre Erlösung aus Ägypten jubelten, dann aber sogar gegen Gott, ihren Befreier, rebellierten, als ihnen das Brot in der Wüste ausgegangen war." Diese Vorsorge war so am Platze und der Rat so gut, daß er mir zusagen mußte und daß ich ihn nur als einen erfreulichen Beweis für die Treue des Spaniers ansehen konnte. So machten wir vier uns denn alsbald daran, ein weiteres Stück Land, so gut es die hölzernen Werkzeuge gestatten wollten, umzugraben. In Monatsfrist, gerade zur Zeit der Aussaat, hatten wir so viel Bodenfläche vorbereitet, daß ich zweiundzwanzig Maß Gerste und sechzehn Maß Reis, das heißt alles, was ich nur zu erübrigen vermochte, aussäen konnte. Ja, wir behielten nicht einmal so viel Gerste übrig, als für unsern eigenen Gebrauch bis zu der erst nach sechs Monaten zu erwartenden Ernte erforderlich war (hierbei rechne ich die Zeit der Beackerung mit, denn natürlich braucht das Korn in diesem Klima nicht sechs Monate, um heranzureifen).

Da wir jetzt zahlreich genug waren und uns vor den Wilden, wenn sie nicht in sehr großer Übermacht zu uns kamen, nicht zu fürchten brauchten, durchstreiften wir ungehindert, sooft es die Gelegenheit bot, die ganze Insel. Nachdem wir nun einmal den Plan zu unserer Befreiung gefaßt hatten, war es wenigstens für mich unmöglich, das Sinnen auf seine Verwirklichung auch nur für kurze Zeit aus den Gedanken zu verlieren. So suchte ich mir denn vor allem einige taugliche Bäume aus und ließ sie durch Freitag und seinen Vater unter der Aufsicht des Spaniers fällen. Ich zeigte ihnen, mit welcher unermüdlichen Anstrengung ich früher einen großen Baum in einzelne Bretter verarbeitet hatte, und ließ sie in gleicher Weise mehr als ein Dutzend Planken aus gutem Eichenholz anfertigen. Diese waren beinahe zwei Fuß breit, fünfunddreißig Fuß lang und zwei bis vier Zoll dick. Welche ungeheure Arbeit ihre Anfertigung erforderte, kann man sich denken.

Unterdessen bemühte ich mich auch, meine Ziegenherde zu vergrößern. Freitag mußte abwechselnd den einen Tag mit mir, den anderen mit dem Spanier ausgehen, bis wir über zwanzig Ziegenlämmer zur Zucht gefangen hatten. Sooft wir nämlich eine Mutterziege erlegt hatten, brachten wir die Jungen zu der Herde. Ferner, als die Zeit zur Traubenernte kam, ließ ich eine solche große Menge zum Trocknen aufhängen, daß wir, wenn wir in Alicante gewohnt hätten, wo die Rosinen an der Sonne getrocknet werden, gewiß sechzig bis achtzig Fässer hätten damit füllen können. (Neben dem Brot bildeten nämlich die Rosinen, die sehr nahrhaft sind, unsere Hauptspeise.)

Der Herbst hatte sich jetzt eingestellt, und wenn die diesmalige Ernte auch nicht die reichlichste war, die ich überhaupt auf der Insel erlebt hatte, so entsprach sie doch unserm Zweck; denn aus zweiundzwanzig Maß Gerste der Aussaat gewannen wir über zweihundertundzwanzig Maß. Im gleichen Verhältnis stand der Reisertrag zur Saat. Dieser Vorrat hätte nun sicherlich bis zur nächsten Ernte ausgereicht, wenn auch alle sechzehn Spanier bei uns gewesen wären. Auch zur Ausrichtung für eine Reise bis zum entlegensten Teil von Amerika genügte er vollkommen. Sobald wir unser Getreide eingebracht hatten, verfertigten wir neue, große Körbe, in die wir es dann füllten. Der Spanier stellte sich hierbei besonders geschickt an. Er sprach seine Verwunderung aus, daß ich solches Flechtwerk nicht auch zur Einfriedigung meiner Wohnung angewandt habe, was ich jedoch für eine unnötige Arbeit erklärte.

Da wir nun so gut verproviantiert für alle zu erwartenden Gäste waren, gestattete ich dem Spanier, nach dem Festland zu reisen, damit er mit seinen zurückgelassenen Gefährten unterhandle. Ich gab ihm eine schriftliche, strenge Anweisung, niemand mitzubringen, der nicht in Gegenwart des Spaniers und des Vaters meines Freitag zuvor geschworen habe, in keiner Weise sich gegen den zu vergehen, der die Boten zu ihrer Befreiung ausgesandt habe, daß sie vielmehr mir beistehen und mich gegen jeden Angriff verteidigen sowie daß sie sich gänzlich meinen Befehlen unterwerfen wollten. Dies Schriftstück sollte ihnen zur Unterzeichnung vorgelegt werden. In welcher Weise eine solche bewerkstelligt werden könne, da die Leute ja weder Feder noch Tinte besaßen, hatten wir freilich außer Betracht gelassen.

Mit den erwähnten Anweisungen begaben sich dann der Spanier und Freitags Vater in einem Boote, in denen sie zu der kannibalischen Mahlzeit der Wilden herübergebracht worden waren, auf die Reise. Jedem von ihnen gab ich ein Gewehr und Munition zu etwa acht Schüssen mit unter der eindringlichen Ermahnung, gut damit hauszuhalten und nur bei dringender Nötigung davon Gebrauch zu machen.

Diese Vorbereitungen zu meiner Befreiung nach mehr als siebenundzwanzig Jahren der Gefangenschaft auf dieser Insel waren mir eine angenehme Beschäftigung. Ich gab den Reisenden einen Vorrat von Brot und Rosinen mit, der für sie und die sämtlichen Spanier auf viele Tage reichte, und wünschte ihnen von Herzen glückliche Reise. Wir kamen über ein Zeichen überein, an dem ich sie bei ihrer Rückkehr schon in der Ferne erkennen könnte. Ihre Abfahrt geschah bei gutem Wind zur Zeit des Vollmondes, nach meiner Berechnung im Monat Oktober.

Übrigens hatte ich weder über die Tage noch sogar über die Jahre eine genaue Rechnung geführt; hatte aber die letzteren, wie sich später zeigte, dennoch richtig gezählt.

Zu der Zeit, als ich schon etwa eine Woche lang auf die Rückkehr meiner Abgesandten wartete, trat ein gar merkwürdiges und unverhofftes Ereignis ein, das so merkwürdig war wie vielleicht kein anderes, von dem die Weltgeschichte berichtet.

Ich schlief eines Morgens fest in meiner Behausung, als Freitag hastig hereinstürzte mit den Worten: „Herr, Herr, sie sind da!" Sofort sprang ich auf und eilte, sobald ich angekleidet war, durch mein jetzt ziemlich dicht gewordenes Gehölz, unbekümmert darum, ob ich mich einer Gefahr aussetzte. Wenn ich sage: unbekümmert um die Gefahr, so meine ich damit, daß ich gegen meine Gewohnheit ohne Waffen ausging.

Nach der See ausschauend, gewahrte ich in einer Entfernung von etwa anderthalb Meilen ein mit einem sogenannten Hammelschultersegel versehenes Langboot, das mit lustigem Winde nach der Insel zusteuerte. Es kam aber, wie ich sogleich bemerkte, nicht von jener Seite, auf der wir die Küste hatten liegen sehen, sondern von dem südlichen Ende der Insel her.

Mit Rücksicht hierauf rief ich Freitag und befahl ihm, sich dicht neben mir zu halten, weil dies nicht die von uns Erwarteten sein konnten und wir nicht wußten, ob sie als Freunde oder Feinde kämen. Dann ging ich, um ein Fernglas zu holen, nahm die Leiter und bestieg den Gipfel des Hügels, wie ich zu tun pflegte, wenn ich ungesehen beobachten wollte. Kaum hatte ich den Hügel betreten, als ich deutlich ein Schiff, etwa zwei Meilen gegen Südost von mir, aber nur anderthalb Meilen von unserer Küste entfernt, vor Anker liegen sah. Ich erkannte das Fahrzeug deutlich als ein englisches, und auch das Langboot schien ein solches zu sein.

Mein Seelenzustand war unbeschreiblich. Wie unaussprechlich ich mich auch darüber freute, ein Schiff zu sehen, das vermutlich mit Landsleuten von mir, also mit Freunden bemannt war, so überkamen mich doch ich weiß nicht was für Bedenken, die mir geboten, auf der Hut zu sein. Ich fragte mich zunächst, was wohl ein englisches Schiff in dieser Gegend, durch die kein Weg hin oder zurück nach einem englischen Handelsplatz führe, zu suchen haben könne. Stürme, die es hätten verschlagen können, hatten in jüngster Zeit nicht stattgefunden; deshalb nahm ich an, daß die Mannschaft, wenn sie wirklich aus Engländern bestände, schwerlich Gutes im Schilde führte, „und", sagte ich mir, „es ist jedenfalls besser für dich, zu bleiben, wo du bist, als in die Hände von Dieben und Mördern zu fallen".

Niemand verachte solche geheime Hinweise und Winke auf Gefahren, wenn sie ihm auch da zuteil werden, wo er an ihre Begründung nicht glauben mag. Wer das Leben beobachtet hat, wird das Vorhandensein solcher Fingerzeige nicht leugnen. Unzweifelhaft sind die Kundgebungen einer unsichtbaren Welt und eines Zusammenhangs der Geisterwelt mit der unsrigen, und warum sollen wir, wenn wir ihre Absicht, uns zu warnen, erkennen, sie nicht für die Bezeigungen freundlicher Genien höherer oder geringerer Art halten, die zu unserm Besten zu dienen bestimmt sind?

Gerade das hier in Rede stehende Ereignis bestätigte mir diese Ansicht; denn wäre ich nicht durch jene geheime Mahnung, mag sie nun gekommen sein, woher sie wolle, vorsichtig gemacht worden, so wäre ich unvermeidlich zugrunde gegangen und in ein viel größeres Elend geraten als je zuvor, wie sich gleich zeigen wird.

Ich befand mich noch nicht lange auf meinem Posten, als ich das Boot nach meiner Küste steuern sah, wie wenn es dort einen bequemen Landungsplatz suche. Da es aber nicht nahe genug herankam, gewahrte die Mannschaft nicht die früher von mir mit meinen Flößen benützte Bucht, steuerte vielmehr nach einer Bai, die etwa eine halbe Meile von mir entfernt war. Das aber war entschieden zu meinem Glück. Denn in jenem Falle wären die Fremden sozusagen dicht vor meiner Türe gelandet, hätten meine Festung bald erstürmt und mich vielleicht aller meiner Habe beraubt. Sobald sie gelandet, bestätigte sich meine Vermutung, daß sie Engländer seien, wenigstens in bezug auf die meisten. Zwei davon hielt ich für Holländer, jedoch, wie sich nachher ergab, mit Unrecht. Von den elf Leuten, die ich erkannte, waren drei unbewaffnet und, wie es schien, gefesselt. Als die ersten vier oder fünf der übrigen ans Ufer gesprungen waren, führten sie jene drei wie Gefangene aus dem Boot. Einer von ihnen machte die leidenschaftlichen Gebärden des Flehens und der Verzweiflung, die beiden anderen erhoben zuweilen die Hände und schienen gleichfalls bekümmert, obwohl nicht in so hohem Grade wie jener.

Dieser Anblick machte mich bestürzt, und ich wußte nicht, wie ich ihn deuten sollte. Freitag rief mir in seinem gebrochenen Englisch zu: „O Herr, sieh, englische Mann essen Gefangene so gut wie wilde Mann!" — „Warum meinst du das, daß sie die Gefangenen essen wollen?" fragte ich. — „Ja", erwiderte Freitag, „sie wollen essen sie." — „O nein", entgegnete ich, „ich fürchte zwar, sie wollen sie ermorden, aber sicherlich werden sie sie nicht essen."

Währenddessen hatte ich keine Ahnung davon, was wirklich werden sollte, stand vielmehr zitternd vor Schrecken über den Anblick da und erwartete jeden Augenblick, daß die drei Gefangenen getötet werden würden. Einmal sah ich, wie einer der bewaffneten Schufte ein großes Messer oder Schwert erhob, um damit einen der Unglückseligen zu treffen. Jeden Augenblick meinte ich diesen unter dem Hiebe fallen zu sehen, und das Blut erstarrte mir dabei in den Adern. Ich wünschte von ganzem Herzen den Spanier und Freitags Vater zu mir, und es verlangte mich sehnlichst, unbemerkt auf Schußweite zu den Fremden zu schleichen und die Gefangenen zu retten. Ich sah nämlich keine Feuerwaffen in den Händen jener. Bald aber kam mir ein anderer Gedanke.

Nachdem ich nämlich einige Zeit beobachtet hatte, wie

schmachvoll die drei Gefangenen von den übrigen Seeleuten behandelt wurden, sah ich, daß diese sich auf der Insel zerstreuten, als ob sie das Terrain auskundschaften wollten. Die drei hätten freilich jetzt auch gehen können, wohin sie wollten, aber sie saßen mit verzweiflungsvollen Blicken nachdenklich auf der Erde. Das erinnerte mich daran, wie ich selbst einst bei der Ankunft auf meiner Insel verzweiflungsvoll umhergeschaut und mich verloren gegeben hatte; wie ich aus Furcht, von den wilden Tieren gefressen zu werden, die Nacht hindurch auf dem Baume geblieben war und wie ich damals so ganz und gar keine Ahnung von der Hilfe gehabt hatte, die mir infolge gnädiger Fügung dadurch beschieden war, daß das Schiff durch Sturm und Wellen dem Lande sich näherte und mir lange Zeit Nahrung und Hilfsmittel gewährte. So saßen auch diese drei trostlosen Menschen dort ohne Ahnung davon, wie sicher und nahe ihnen Rettung und Hilfe sei, während sie sich schon verloren glaubten und ihre Lage für völlig verzweiflungsvoll hielten. So wenig haben wir die Gabe, die Dinge dieser Welt vorherzusehen, und so viel Ursache hätten wir, guten Mutes auf den großen Weltenlenker zu vertrauen, der seine Geschöpfe niemals gänzlich verläßt, sondern ihnen in der elendesten Lage immer doch etwas gibt, für das sie dankbar sein müssen. Ist doch zuweilen gerade in dem, was wir für die Ursache unseres Verderbens halten, das Mittel zu unserer Errettung gegeben.

Robinson verhandelt mit dem Kapitän und verspricht ihm Hilfe
gegen die Meuterer des Schiffes. Der Kampf gegen die Meuterer

Zur Zeit, als die Fremden das Ufer betreten hatten, war die Flut gerade in ihrem höchsten Stadium. Während sie aber mit den Gefangenen unterhandelten und umherstreiften, um die Gegend zu untersuchen, war die Flutzeit verstrichen, und ihr Boot lag nun gänzlich auf dem Trockenen. Zwei in diesem zurückgebliebene Männer hatten, wie ich später erfuhr, zu viel Branntwein getrunken und waren eingeschlafen. Einer davon wachte zuerst auf, und da er das Boot auf dem Strand sah, rief er die Umherstreifenden zu Hilfe. Diese kamen auch sofort herbei, vermochten aber trotz aller Anstrengung das Fahrzeug, da es zu schwer war und das Ufer an jener Stelle aus feinem, tiefem, fast schlammartigem Sande bestand, nicht wieder flottzumachen.

Als echte Seeleute, unter allen Menschenklassen vielleicht die sorgloseste, gaben sie ihre Bemühungen alsbald auf und trieben sich aufs neue auf dem Lande umher. Einen von ihnen hörte ich seinem Kameraden in englischer Sprache zurufen: „Laßt's sein, Jack, die Flut wird's schon wieder flottmachen." Diese Äußerung klärte mich über den wichtigen Punkt völlig auf, mit was für Landsleuten wir es zu tun hatten.

Inzwischen hielt ich mich fortwährend wohlverborgen und wagte mich aus meiner Burg nicht weiter heraus als auf den Gipfel des Hügels, denn ich wußte, das vor mindestens zehn Stunden das Boot nicht wieder flottgemacht werden konnte. Bis dahin aber mußte es schon völlig dunkel sein, und ich konnte dann gefahrloser die Bewegungen der Fremden beobachten und ihre etwaigen Unterredungen belauschen.

Fürs erste machte ich mich jetzt kampffertig, jedoch mit mehr Umsicht als sonst, da ich wußte, daß ich es diesmal mit einer ganz anderen Art von Gegnern zu tun hatte als früher. Ich befahl auch Freitag, den ich inzwischen zu einem vortrefflichen Schützen herangebildet hatte, sich mit Waffen zu versehen, ergriff selbst zwei Jagdflinten und gab ihm drei Gewehre. Mein Aussehen war in der Tat geeignet, Furcht zu erregen. Ich sah schrecklich aus in meinem Rock von Ziegenfell und mit der früher beschriebenen Mütze auf dem Kopfe, den blanken Säbel an der Seite, zwei Pistolen im Gürtel und eine Flinte über jeder Schulter.

Obwohl ich anfangs entschlossen war, vor Einbruch der Nacht nichts zu unternehmen, änderte ich doch bald meinen Plan. Gegen zwei Uhr nämlich, als die Hitze den höchsten Grad erreicht hatte, bemerkte ich, daß die Seeleute sämtlich einzeln in den Wald gegangen waren, wahrscheinlich, um dort einen Mittagsschlaf zu halten. Die drei unglücklichen Gefangenen aber, zu sorgenvoll, um den Schlummer finden zu können, saßen im Schatten eines großen Baumes etwa eine Viertelmeile von mir entfernt. Dort konnten sie, wie ich glaubte, von keinem der übrigen gesehen werden, und daraufhin beschloß ich, mich ihnen zu zeigen und sie über ihr Schicksal zu befragen. Sofort machte ich mich in dem oben beschriebenen Aufzug auf den Weg, Freitag folgte eine Strecke hinter mir, gleichfalls fürchterlich anzuschauen, wenn auch nicht ganz so ungeheuerlich wie ich. Ich näherte mich den Fremden, so weit es ging, ohne bemerkt zu werden, und rief dann, ehe mich einer erblickt hatte, in spanischer Sprache ihnen laut zu: „Wer seid ihr, Leute?" Sie stutzten bei dem Laut, aber in weit größere Verwirrung gerieten sie noch, als sie mich in meinem sonderbaren Anzug erblickten. Sie antworteten nicht und wollten sich eben auf die Flucht begeben, als ich ihnen auf englisch zurief: „Gentlemen, fürchtet euch nicht vor mir! Vielleicht ist euch ein Freund näher, als ihr gehofft habt." — „Dann muß er geradewegs vom Himmel geschickt sein", sagte traurig einer der Gefangenen zu mir, „denn in unserer Lage ist Menschenhilfe ein Ding der Unmöglichkeit." — „Alle und jede Hilfe kommt vom Himmel, Herr", entgegnete ich, „aber wollt ihr nicht einem euch Unbekannten den Weg zeigen, wie euch aus der großen Not, in der ihr euch zu befinden scheint, abzuhelfen ist? Ich sah euch hier landen, und als ihr, wie mir schien, die rohen Menschen um Gnade batet, bemerkte ich, daß einer von ihnen sein Schwert zog, euch zu töten."

Dem armen Menschen rannen jetzt die Tränen vom Gesicht, und zitternd, mit einem Ausdruck, als sei er vom Donner gerührt, antwortete er: „Spricht Gott selbst zu mir oder ein Mensch? Habe ich einen Sterblichen vor mir oder einen Engel?" — „Darüber macht euch keine Gedanken", erwiderte ich, „wenn ein Engel Gottes zu eurer Errettung geschickt wäre, so würde er in besseren Kleidern gekommen sein als ich und auch andere Waffen tragen, als ihr an mir seht. Ich bitte euch, gebt alle Furcht auf. Ich bin ein gewöhnlicher Mensch wie andere, und zwar ein Engländer, und beabsichtige, euch beizustehen. Ihr seht, ich habe zwar nur einen Diener, wir besitzen aber Waffen und Munition. Sagt uns geradeheraus, ob wir euch helfen können. Was für ein Schicksal ist es, das euch betroffen hat?"

„Unser Schicksal zu erzählen, Herr", erwiderte er, „würde jetzt zu viel Zeit in Anspruch nehmen, während unsere Mörder so nahe sind. Kurz gesagt, Herr, ich war Kapitän jenes Schiffes, und meine Mannschaft hat gegen mich eine Meuterei unternommen. Nur mit Mühe ist sie davon abgebracht worden, mich zu ermorden, und endlich haben sie mich nebst diesen beiden Männern, von denen der eine mein Steuermann, der andere einer meiner Passagiere war, an diesem öden Eiland ausgesetzt. Wir glaubten hier sterben zu müssen, da wir den Ort für unbewohnt hielten, und auch jetzt wissen wir nicht, wie wir Errettung finden sollen."

„Wo sind eure Feinde, diese Bestien, hingekommen?" fragte ich.

„Dort liegen sie, Herr", erwiderte er, indem er auf ein Baumdickicht zeigte. „Mein Herz zittert vor Furcht, daß sie uns gesehen und Euch sprechen gehört haben. Wenn das der Fall ist, werden sie uns sicherlich alle ermorden."

„Haben sie Feuerwaffen?" fragte ich. Er antwortete, sie hätten nur zwei Flinten bei sich, eine dritte sei im Boot zurückgeblieben. „Nun gut", erwiderte ich, „dann überlaßt mir das übrige. Ich sehe, sie liegen alle im Schlaf, und es ist mir eine Leichtigkeit, sie zu töten. Oder sollen wir sie lieber zu Gefangenen machen?" Er entgegnete, es seien zwei verzweifelte Schurken unter ihnen, denen Gnade widerfahren zu lassen eine bedenkliche Sache sei. Wenn man jedoch erst diese in der Gewalt habe, so würden die anderen, wie er glaube, freiwillig zu ihrer Pflicht zurückkehren. Auf meine Aufforderung, jene beiden näher zu bezeichnen, bemerkte der Fremde, daß er dies aus der Entfernung nicht wohl vermöge; übrigens werde er sich meinen Anordnungen in jeder Weise unterwerfen. „Nun denn", erwiderte ich, „so wollen wir uns aus dem Bereich ihrer Augen und Ohren zurückziehen, damit sie nicht erwachen, und dann können wir das weitere beschließen." Hierauf folgten mir die Fremden willig, bis der Wald uns verbarg.

„Hört mich an, Herr", sagte ich, als wir im Dickicht angekommen waren. „Wenn ich mich um eure Befreiung in Gefahr begebe, seid ihr dann auch bereit, euch zwei Bedingungen gänzlich zu unterwerfen?" Er kam meinen Vorschlägen zuvor durch die Erwiderung, daß sowohl er wie sein Schiff, wenn er es wieder in seine Gewalt bekommen sollte, ganz und gar meinen Befehlen untergeben sein werde. Und wenn er auch sein Schiff nicht wieder bekommen sollte, werde er doch für mich leben und sterben, in welchem Teil der Welt ich ihn auch schicken möchte. Die beiden anderen sprachen sich in gleicher Weise aus.

„Nun wohl", erwiderte ich, „meine Bedingungen sind nur zwei. Die erste: daß ihr, solange ihr auf dieser Insel weilt, euch keinerlei Autorität anmaßt, auch, wenn ich euch Waffen einhändige, diese jederzeit zurückliefert und weder zu meinem noch der Meinigen Schaden anwenden werdet sowie, daß ihr während dieser ganzen Zeit meinen Befehlen Folge leistet. Zweitens: daß ihr, wenn ihr euer Schiff wiederbekommt, mich und meine Gefährten in freier Überfahrt nach England zu bringen versprecht."

Der Kapitän gab mir alle möglichen und erdenklichen Versicherungen, daß er diese sehr billigen Bedingungen erfüllen und überdies sein ganzes Leben mir ergeben sein und auch seinen Dank, wo es nur angehe, betätigen werde.

„Nun denn", erwiderte ich, „hier sind drei Musketen mit Pulver und Blei für euch, sagt mir jetzt, was für ein Vorgehen ihr für das zweckmäßigste haltet." Er bezeigte aufs neue seine Erkenntlichkeit, entgegnete aber, daß er sich ganz meinen Anordnungen unterwerfen wolle. Ich bemerkte ihm hierauf, daß ich zwar jeden Angriff für eine gewagte Sache hielte, dennoch aber als das unserer Situation angemessenste ansehe, daß wir auf einmal Feuer auf die ganze Bande gäben, während diese im Schlafe liege. „Wenn dann", setzte ich hinzu, „einige bei dieser ersten Salve nicht tot bleiben und sich ergeben wollen, so können wir ihnen das Leben schenken und so die Wirkung unserer Schüsse ganz in die Hand der Vorsehung legen."

Der Kapitän entgegnete mit großer Ruhe: Wenn er es vermeiden könne, so würde er gern unterlassen, sie zu töten; aber jene beiden unverbesserlichen Schufte, die auch allein die Meuterei in seinem Schiffe angestiftet hätten, könnten uns, wenn sie entrinnen würden, ins Verderben stürzen; sie würden nämlich dann an Bord gehen, die ganze Schiffsmannschaft herbeiholen und uns vernichten. „Dann", entgegnete ich, „rechtfertigt die Notwendigkeit meinen Ratschlag, da er den einzigen Weg öffnet, um uns das Leben zu retten."

Weil ich den Kapitän aber immer noch abgeneigt sah, Blut zu vergießen, trug ich ihm auf, sich mit seinen beiden Gefährten aufzumachen und das zu tun, was ihnen selbst das angemessenste schien. Mitten in diesem Gespräch waren einige von den Matrosen erwacht, und wir sahen, daß zwei von ihnen augenblicklich auf den Füßen standen. Der Kapitän verneinte meine Frage, ob einer von ihnen zu den Rädelsführern der Empörer gehöre. „Gut", sagte ich, „so mögen sie entfliehen. Die Vorsehung scheint sie aufgeweckt zu haben, um sie zu retten. Jetzt", fuhr ich fort, „ist es eure Schuld, wenn die übrigen uns entrinnen." Hierdurch ermutigt, nahm er die von mir eingehändigte Muskete in die Hand und eine Pistole in den Gürtel und ging mit seinen beiden Kameraden, von denen jeder gleichfalls von mir mit einer Flinte bewaffnet war, ab.

Die letzteren machten bei ihrer Entfernung einiges Geräusch. Einer von den wach gewordenen Seeleuten wendete sich hierauf um und rief, als er sie herbeikommen sah, die anderen herbei. Aber es war schon zu spät, denn in demselben Augenblick gaben jene beiden Feuer, während der Kapitän klüglich seinen Schuß zurückbehielt. Die zwei hatten so vortrefflich auf jene früher erwähnten Schurken gezielt, daß der eine von ihnen auf der Stelle tot war, der andere aber schwer verwundet wurde. Der letztere hatte noch so viel Kraft, um aufzuspringen und laut um Hilfe rufen zu können; der Kapitän aber eilte zu ihm und rief: Es sei zu spät, Menschenbeistand anzuflehen, er solle lieber Gott anrufen, daß er seiner Schurkenseele gnädig sei. Bei diesen Worten schlug er ihn mit dem Gewehrkolben nieder, daß er kein Glied mehr rührte.

Es blieben noch drei der Feinde übrig, von denen aber einer gleichfalls schon leicht verwundet war. Inzwischen war ich herbeigekommen, und als die Gegner die Größe der Gefahr und die Vergeblichkeit des Widerstandes einsahen, baten sie um Gnade. Der Kapitän versprach, ihnen das Leben zu schenken, wenn sie ihm ihre Reue über die Verräterei, deren sie sich schuldig gemacht hatten, verbürgen könnten und wenn sie ferner schwören wollten, ihm treuen Beistand zum Wiedergewinnen des Schiffes und zur Rückkehr nach Jamaika zu leisten, woher sie gekommen waren. Sie gaben darauf sämtlich jede Versicherung aufrichtiger Reue, die man nur verlangen konnte, und der Kapitän äußerte mir deshalb den Wunsch, ihnen das Leben zu schenken. Ich hatte nichts dagegen einzuwenden, machte aber zur Bedingung, daß die Gefangenen an Hand und Fuß gefesselt bleiben müßten, solange sie auf der Insel verweilen würden.

Inzwischen hatte ich Freitag mit dem Steuermann des Kapitäns nach dem Boot geschickt, um es in Sicherheit zu bringen und die Segel und Ruder fortzuschaffen. Bald darauf kamen drei von den umherschweifenden Seeleuten, die sich zu ihrem Glück von den übrigen getrennt hatten, durch unsere Schüsse herbeigerufen, in unsere Nähe. Als sie sahen, daß ihr Kapitän aus ihrem Gefangenen ihr siegreicher Gebieter geworden war, ließen auch sie sich willig binden, und so war denn unser Sieg vollständig.

Jetzt erst bot sich Gelegenheit für mich und den Kapitän, den Bericht von unserem gegenseitigen Schicksal auszutauschen. Ich begann und erzählte ihm meine ganze Geschichte, die er mit Aufmerksamkeit und Verwunderung anhörte. Vorzüglich interessierte es ihn zu erfahren, in welcher wunderbaren Weise ich mit Lebensmitteln und Munition versehen worden war. Mein wunderreicher Lebensgang rührte ihn tief. Der Gedanke überkam ihn, daß ich auch zu seiner eigenen Errettung erhalten worden sei, die Tränen rannen ihm über das Gesicht, und er vermochte nicht ein Wort mehr zu sprechen. Darauf führte ich ihn und seine beiden Gefährten nach meiner Wohnung, und zwar auf dem Wege, auf dem ich diese selbst verlassen hatte, nämlich über den Hügel. Dort ließ ich sie alle mit dem, was ich an Lebensmitteln vorrätig hatte, erfrischen und zeigte ihnen sämtliche Anstalten, die ich während meines langen Aufenthaltes zu meiner Bequemlichkeit getroffen hatte.

Dies alles erfüllte sie mit höchstem Erstaunen. Der Kapitän bewunderte besonders die Befestigung meiner Wohnung und wie vollkommen ich meinen Zufluchtsort durch das kleine Wäldchen versteckt hatte. Vor nun beinahe zwanzig Jahren hatte ich es angelegt, und da die Bäume hier viel rascher als in England wachsen, war es schon stattlich groß und so dicht geworden, daß man es nur durch den von mir gebahnten, gewundenen Pfad passieren konnte.

Ich erzählte ihm, daß ich außer dieser Burg, die meine Residenz darstelle, auch, wie gewöhnlich die Fürsten, einen Landsitz habe, den ich ihm gelegentlich zeigen wollte. Für jetzt war aber unsere nächste Aufgabe, das Schiff wieder in unsere Gewalt zu bekommen. Der Kapitän gestand, daß er durchaus nicht wisse, was dazu für Maßregeln zu ergreifen seien. Es befänden sich nämlich noch sechsundzwanzig Mann an Bord, die, weil sie sich in eine Empörung eingelassen, alle ihr Leben vor dem Gesetze verwirkt hätten und daher sich verzweifelt verteidigen würden. Es sei ihnen bekannt, daß sie bei ihrer Rückkehr nach England sofort an den Galgen oder in die englischen Kolonien gebracht würden, und daher sei ein Angriff auf sie bei unserer geringen Zahl unmöglich.

Die Ansicht des Kapitäns schien mir bei einigem Nachdenken nur zu wohl begründet. Jedenfalls aber mußte ein rascher Entschluß gefaßt werden, sowohl um die Schiffsleute in eine Falle zu locken, als auch sie von einer Landung abzuhalten, die unsere Vernichtung nach sich gezogen hätte. Ich bedachte, daß die Schiffsmannschaft sicherlich, um nachzusehen, was aus ihren Kameraden und dem Boote geworden sei, binnen kurzem in ihrem anderen Boot zur Insel kommen, vielleicht Waffen mitbringen und uns dann überlegen sein würde. Deshalb schlug ich als erste Maßregel vor, das Boot, das auf dem Sande lag, seeuntüchtig zu machen. Wir begaben uns sofort an Bord und nahmen die Waffen und was sich sonst an Gegenständen darin befand, heraus. Zu den letzteren gehörte eine Flasche Branntwein, eine zweite mit Rum, etwas Schiffszwieback, ein Pulverhorn und ein großes, fünf bis sechs Pfund schweres Stück Zucker, in Segeltuch eingewickelt. Alles dies war mir sehr willkommen, besonders aber der Branntwein und Zucker, den ich seit vielen Jahren entbehrt hatte.

Als diese Dinge ans Land gebracht waren (die Ruder, den Mast, das Segel und das Steuerruder hatten wir bereits vorher weggeschafft), bohrten wir ein großes Loch in den Boden des Fahrzeugs, so daß dieses keinesfalls weggebracht werden konnte, wenn auch die Schiffsleute in noch so großer Anzahl kommen sollten. Auf die Wiedergewinnung des Schiffes rechnete ich jetzt kaum noch; dagegen hoffte ich, das Boot würde, wenn es jene Leute zurückgelassen hätten, sich leicht wieder so weit herstellen lassen, daß wir damit nach den Leewardinseln gelangen und unterwegs die Spanier, die ich nicht vergessen hatte, aufnehmen könnten.

Während wir noch über unseren Operationsplan berieten und mit großer Anstrengung das Boot so weit an den Strand gezogen hatten, daß es die Flut nicht wegtreiben konnte, und nachdem das Loch in ihm so groß gemacht war, daß das Leck nicht so leicht gestopft werden konnte, hörten wir plötzlich von dem Schiff einen Schuß und bemerkten, daß das Boot durch allerlei Signale dorthin zurückgerufen werden sollte. Wiederholtes Feuern und Signalisieren blieb jedoch fruchtlos.

Jetzt sah ich mit Hilfe meines Fernglases, daß die Mannschaft ein anderes Boot aussetzte und es durch einige Leute nach der Insel hinrudern ließ. Bei seinem Herankommen erkannten wir, daß sich nicht weniger als zehn Mann darin befanden, die sämtlich Feuerwaffen bei sich führten. Da das Schiff fast zwei Meilen vom Lande entfernt war, hatten wir Zeit genug, unsere Beobachtungen zu machen und sogar die Gesichter der Männer im Boot zu erkennen. Denn da die Wellen sie etwas östlich von der Stelle, wo das früher gelandete Boot lag, abgetrieben hatten und sie daher eine Strecke der Küste entlang steuerten, um an demselben Punkte, wie jenes, ans Land zu kommen, konnten wir die Mannschaft genau beobachten. Der Kapitän kannte die Charakterbeschaffenheit sämtlicher Leute im Boot. Drei von ihnen, sagte er, seien sehr wackere Leute, die nach seiner Überzeugung nur durch Gewalt und Furcht von den übrigen in die Verschwörung gezogen worden seien. „Der Bootsmann aber", setzte er hinzu, „der das Kommando zu haben scheint, und alle übrigen, außer jenen dreien, gehören zu den Schlimmsten der ganzen Bemannung und werden ohne Zweifel in ihrer Verzweiflung alles wagen."

Ich lächelte hierüber und erwiderte: Menschen in unserer Lage sollten über die Furcht hinaus sein. Jede denkbare Situation sei besser als die unserige, und was auch erfolge, Leben oder Tod würde sicherlich für uns eine Befreiung mit sich führen. Ich fragte, ob er, nachdem er den Bericht über meine Lebensumstände vernommen, nicht glaube, daß es sich für mich verlohne, an eine Erlösung aus meiner Lage alles zu setzen. „Wohin ist Euer Glaube gekommen", fuhr ich fort, „der Euch vor kurzem noch so erhob, daß ich erhalten sei, um Euch zu erretten? Meines Erachtens ist es nur ein einziger Umstand, der mißlich sein könnte."

„Was meint Ihr damit?" fragte er.

„Nichts anderes, als daß, wie Ihr sagt, einige brave Jungens unter den Leuten sind, die gerettet zu werden verdienen. Wäre die ganze Sippe niederträchtig, so würde ich glauben, Gott habe sie von den übrigen nur deshalb abgesondert, um sie in unsere Hände zu legen. Denn verlaßt Euch darauf, jeder Mensch, der an diesen Strand kommt, steht in unserer Gewalt und soll leben oder sterben, je nachdem er sich gegen uns benimmt." Diese mit heiterer Miene gesprochenen Worte ermutigten den Kapitän bedeutend, und so machten wir uns denn getrost an unsere Aufgabe.

Sobald das vom Schiff abgesandte Boot uns zuerst in Sicht gekommen war, hatten wir Sorge getragen, die Gefangenen zu trennen. Zwei davon, denen der Kapitän weniger als den übrigen traute, wurden unter der Führung Freitags und einer der drei von uns befreiten Männer in meine Höhle entsandt, wo sie entfernt genug waren, um nicht gehört oder entdeckt zu werden. Aus dieser hätten sie sich, selbst wenn sie ihrer Fesseln ledig geworden wären, nicht durch das Gehölz finden können. Dort wurden sie mit Lebensmitteln versehen und in Fesseln zurückgelassen, nachdem ihnen angekündigt war, daß sie, wenn sie sich ganz ruhig verhielten, nach einigen Tagen die Freiheit erhalten sollten, daß sie aber bei dem geringsten Fluchtversuch ohne Gnade dem Tod verfallen würden. Sie versprachen, ihre Gefangenschaft geduldig zu ertragen, und zeigten sich dankbar für die gute Behandlung, die man ihnen dadurch widerfahren lasse, daß man ihnen Lebensmittel und Licht gewährt habe. Freitag hatte ihnen nämlich einige von unseren selbstverfertigten Kerzen zurückgelassen und sie dann glauben gemacht, daß er als Schildwache vor dem Eingang der Grotte zurückbleibe.

Die übrigen Gefangenen wurden noch besser behandelt. Zwei blieben jedoch gebunden, weil auch ihnen der Kapitän nicht traute. Die anderen beiden wurden unter meinen Befehl gestellt, nachdem sie feierlich gelobt hatten, mit uns zu leben und zu sterben. Wir waren jetzt mit ihnen und den drei braven Leuten zusammen sieben gutbewaffnete Männer, und ich zweifelte nicht, daß wir mit den zehn Ankömmlingen ganz leicht fertig werden würden, besonders da der Kapitän versichert hatte, es seien mehrere ehrenwerte Leute unter ihnen. Sobald die Fremden zu der Stelle gekommen waren, wo ihr anderes Boot lag, ließen sie das ihrige an den Strand auflaufen, sprangen ans Land und zogen ihr Fahrzeug hinter sich her. Mir war das ganz erwünscht, denn ich hatte schon gefürchtet, sie würden ihr Boot in einiger Entfernung von der Küste vor Anker legen und Wache darin zurücklassen, so daß wir uns seiner nicht bemächtigen konnten. Kaum gelandet, eilten jene zu ihrem anderen Boot und sahen mit großem Erstaunen, daß es gänzlich ausgeplündert und mit einem großen Leck durchbohrt war.

Nachdem die Neuangekommenen eine Weile über die Ursache dieser Beschädigung nachgesonnen hatten, ließen sie aus Leibeskräften ein brüllendes Hallo erschallen, um von ihren Gefährten gehört zu werden.

Es blieb jedoch vergeblich. Hierauf bildeten sie einen Kreis und feuerten aus ihrem Kleingewehr eine solche Salve ab, daß die Wälder ringsumher ein buntes Echo vernehmen ließen. Auch dieses fruchtete nichts. Die in der Höhle eingeschlossenen Gefangenen hörten das Schießen nicht, und die sich bei uns befanden, hörten es zwar recht gut, durften aber keine Antwort geben.

Hierüber waren die Schiffsleute so erstaunt und befremdet, daß sie, wie wir später erfuhren, beschlossen, sofort nach dem Schiff zurückzukehren und die Nachricht dahinzubringen, die Mannschaft sei ermordet und das Langboot seeuntüchtig gemacht. Demgemäß brachten sie das Fahrzeug, in dem sie gekommen waren, alsbald wieder in See und begaben sich an Bord.

Hierüber aber erschrak der Kapitän aufs äußerste; er glaubte nämlich, die Schiffsmannschaft würde nach der Rückkehr der Abgesandten ihre Kameraden verloren geben und wieder in See gehen, so daß er das Schiff, das er wieder zu erlangen gehofft, unfehlbar verlieren werde. Bald aber sollte er durch ein anderes Ereignis noch mehr in Furcht gesetzt werden.

Die Leute waren noch nicht lange mit dem Boot abgestoßen, als wir sie ans Land zurückkehren sahen, offenbar gewillt, etwas anderes zu unternehmen. Sie hatten, wie es schien, nach gepflogener Beratung beschlossen, daß drei Mann im Boot zurückbleiben, die übrigen aber auf die Insel zurückkehren und nach ihren Gefährten suchen sollten. Dies gab der Sache für uns eine sehr unangenehme Wendung, und wir wußten im Augenblick nicht, was wir beginnen sollten; denn wenn wir uns auch jener sieben Mann, die sich am Lande befanden, bemächtigten, so half das nicht viel, wenn wir das Boot entrinnen ließen. Die darin Befindlichen nämlich wären dann gewiß sofort zu dem Schiff zurückgerudert und mit den dort Zurückgebliebenen sicherlich alsbald unter Segel gegangen, wo dann von einem Wiederbekommen des Fahrzeugs für uns keine Rede mehr sein konnte. Indessen hatten wir keine andere Wahl, als den Verlauf der Dinge ruhig abzuwarten. Sobald die sieben Mann ans Land gegangen waren, hatten die drei in dem Boot Befindlichen dieses eine geraume Strecke weit vom Ufer abgesteuert und sich dort vor Anker gelegt, um auf die anderen zu warten. Damit aber war es für uns unmöglich geworden, an das Boot zu gelangen. Die ans Ufer Gekommenen hielten sich dicht zusammen und bewegten sich nach der Spitze des kleinen Hügels, unter dem meine Behausung lag. Wir konnten sie deutlich erkennen, während sie dagegen uns nicht zu bemerken vermochten. Es mußte uns erwünscht sein, daß sie entweder näher zu uns herankamen oder sich weiter von uns entfernten. In jenem Falle hätten wir auf sie feuern, im anderen hätten wir uns sicher zurückziehen können. Als sie den Hügel erstiegen hatten, von dem man weit aus über die Täler und Wälder nach der am tiefsten gelegenen Nordostseite der Insel schauen konnte, schrien und riefen sie so lange, bis sie ermüdet waren. Dann setzten sie sich, ohne sich weit vom Ufer hinweg zu wagen oder sich voneinander zu entfernen, unter einen Baum, um Rat zu halten. Hätten sie sich dort dem Schlaf überlassen, wie es früher die andere Truppe getan, so wäre das sehr vorteilhaft für uns gewesen; aber sie waren zu sehr in Furcht, um schlafen zu können, obgleich sie keine bestimmte Vorstellung von den ihnen drohenden Gefahren hatten.

Jetzt brachte der Kapitän einen sehr zweckmäßigen Vorschlag zur Sprache: „Vielleicht", meinte er, „werden diese Gesellen zu dem Entschluß kommen, eine neue Salve zu geben, um von ihren Kameraden gehört zu werden, und dann wollen wir in dem Augenblick, wo ihre Gewehre abgefeuert sind, über sie herfallen; sicherlich werden sie sich uns in dieser Lage ergeben, und wir bekommen sie auf diese Weise ohne Blutvergießen in unsere Gewalt." — Ich billigte diesen Plan für den Fall, daß wir den Leuten nahe genug seien, um zu ihnen gelangen zu können, ehe sie ihre Gewehre wieder laden konnten. Aber eben diese Voraussetzung fand nicht statt, und so lagen wir noch eine geraume Zeit unentschlossen, was wir unternehmen sollten.

Endlich erklärte ich, daß sich meines Erachtens vor Einbruch der Nacht gar nichts tun ließe. Vielleicht könnten wir dann, wenn unsere Feinde nicht in das Boot zurückkehren sollten, zwischen sie und das Ufer gelangen und dann die im Boote Befindlichen durch List ans Land locken.

Nachdem wir eine geraume Zeit in großer Ungeduld gewartet hatten, waren wir sehr unangenehm überrascht, als wir die sieben Mann nach langer Beratung aufstehen und nach dem Meere hingehen sahen. Es schien, als ob ihnen der Ort, an dem sie sich befanden, so unheimlich vorkäme, daß sie beschlossen hätten, an Bord des Schiffes zurückzukehren, ihre Gefährten verloren zu geben und ihre Reise fortzusetzen.

Als ich sie nach dem Ufer hingehen sah, war ich überzeugt, daß sie alle weiteren Nachforschungen aufgegeben hatten. Der Kapitän teilte diese Ansicht und war dadurch nicht wenig erschreckt. Mir aber kam alsbald eine List in den Sinn, die sich bewährte und die Fremden wirklich wieder zur Umkehr vom Strande bewog.

Ich ließ nämlich Freitag und den Steuermann des Kapitäns über die kleine Bucht im Westen setzen, von dort nach der Stelle, wo Freitag den Wilden entronnen war, gehen und befahl ihnen, sobald sie auf die daselbst befindliche Anhöhe gekommen seien, aus Leibeskräften zu rufen, bis die Seeleute es vernommen hätten. Wenn diese Antwort gegeben hätten, sollten jene beiden das Schreien wiederholen, dann in einem Bogen fortlaufend immer das Hallo der Fremden erwidern, diese möglichst weit auf solche Weise in das Innere der Insel und in die Wälder locken und dann auf einem Umwege, den ich ihnen angab, zu uns zurückkehren.

Die Fremden waren gerade im Begriff, in das Boot zu steigen, als Freitag und sein Begleiter ihr Hallo anstimmten. Sofort antworteten jene und eilten der Küste entlang westwärts, dem Ort zu, von wo die Stimmen schallten. Auf ihrem Wege sahen sie sich durch die Bucht gehemmt, in der gerade das Flutwasser stand, so daß sie nicht hinüberkonnten. Sofort riefen sie, ganz wie ich es vorausgesehen, den im Boot Befindlichen zu, herbeizukommen und sie überzusetzen. Kaum war diese Aufforderung ergangen, so sah ich, wie das Boot, das eine weite Strecke die Bucht hinaufgerudert war, in einer Einbiegung des

Ufers landete, worauf von den drei früher darin Befindlichen einer mit den sieben anderen lief und nur zwei im Fahrzeug zurückblieben, nachdem sie dieses an den Stamm eines kleinen Baumes am Ufer befestigt hatten.

Dies war es aber gerade, was ich gewünscht hatte. Sofort nahm ich die bei mir befindlichen Leute mit, setzte so, daß ich von den Männern bei dem Boot nicht bemerkt werden konnte, über die Bucht und überraschte die beiden, ehe sie es sich versahen. Der eine von ihnen lag am Ufer, der andere befand sich noch im Boot. Jener, im halben Schlaf begriffen, wollte sich erheben, aber der Kapitän, der uns voraus war, eilte auf ihn los und schlug ihn nieder. Dann rief er dem im Boote Befindlichen zu, er solle sich ergeben, oder er sei des Todes.

Es bedurfte keiner großen Überredung, um diesen vom Widerstand abzuhalten, als er sich uns fünf Männern gegenüber und seinen Gefährten kampfunfähig sah.

Überdies gehörte er auch, wie es schien, zu den drei Leuten, die nicht so sehr an der Meuterei beteiligt waren wie das übrige Schiffsvolk, daher er nicht nur sich völlig ergab, sondern sich uns auch später als aufrichtiger Bundesgenosse bewährte.

Unterdessen hatten Freitag und der Steuermann den anderen gegenüber ihre Sache so gut gemacht, daß diese, durch Rufen und Antworten von einem Hügel zum anderen und von einem Gehölz ins andere gelockt worden und nicht nur herzlich müde, sondern auch vom Boote weit genug entfernt waren, um es vor der Dunkelheit nicht wieder erreichen zu können. Nicht minder brachten auch unsere Freunde bei ihrer Rückkehr zu uns eine tüchtige Müdigkeit mit.

Jetzt blieb uns nichts anderes zu tun übrig, als die Nacht abzuwarten und dann die Fremden zu überfallen, wo wir sicher sein durften, uns ihrer bemächtigen zu können. Es waren kaum einige Stunden nach Freitags Rückkehr verstrichen, als auch jene den Rückweg zu ihrem Boote nahmen. Schon geraume Zeit, ehe sie herankamen, hörten wir die Vordersten den Zurückgebliebenen zurufen. Diese antworteten mit Klagerufen über ihre Lahmheit und Müdigkeit und versicherten, daß sie kaum noch vorwärts könnten. Endlich langten sie bei dem Boote an. Aber wie groß war ihr Befremden, als sie dieses durch die Ebbe auf dem Strand festgemacht sahen, ihre beiden Leute aber nicht mehr darin fanden. Wir hörten sie eine klägliche Unterhaltung führen; sie jammerten darüber, daß sie auf ein verzaubertes Eiland geraten seien; entweder, sagten sie, müsse es hier Eingeborene geben, durch die ihnen allen ein grausamer Tod drohe, oder es müßten Teufel und böse Geister hier wohnen, von denen sie entführt und vernichtet werden würden. Hierauf stimmten sie aufs neue ihr lautes Hallo an und forderten ihre Gefährten bei Namen auf, herbeizukommen, aber es erfolgte keine Antwort. Einige Zeit darauf sahen wir sie in der Dämmerung mit vor Verzweiflung ringenden Händen umherirren, dann in das Boot zurückkehren, um auszuruhen, bald darauf wieder am Ufer umherlaufen und dies Tun immer aufs neue wiederholen.

Meine Leute hatten große Lust, sofort in der Dunkelheit über sie herzufallen, aber ich wollte meiner Sache ganz gewiß sein, um so wenig als möglich Menschenleben opfern zu müssen. Vor allem aber war ich abgeneigt, das Leben eines meiner eigenen Leute aufs Spiel zu setzen. Ein Verlust schien bei ihnen möglich, weil die anderen gut bewaffnet waren. Daher beschloß ich zu warten, ob die Feinde sich nicht etwa trennen würden. Um sie sicherer in meiner Gewalt zu behalten, gedachte ich unseren Hinterhalt mehr in ihre Nähe zu verlegen, und deshalb befahl ich Freitag und dem Kapitän, auf Händen und Füßen, zur Erde geduckt, sich so nahe als möglich zu ihnen zu schleichen, ehe sie sich schußfertig machten.

Meine Gefährten waren noch nicht lange an ihrem Posten angekommen, als sich der Bootsmann, der Hauptträdelsführer bei der Meuterei und zugleich derjenige, der jetzt am mutigsten von allen schien, mit zwei anderen von den Matrosen dem Kapitän und meinem Freitag sich näherte. Der erstere, als er vermutete, daß dieser Hauptschuft ihm in das Garn laufe, konnte sich kaum gedulden, bis er ihm nahe genug war, so daß ihn jener genau erkennen konnte. Denn bis dahin hatte der Kapitän nur nach der Stimme vermutet, daß es jener Schurke sei. Als die drei aber ziemlich in ihre Nähe gekommen waren, standen der Kapitän und Freitag auf und gaben Feuer. Der Bootsmann war auf der Stelle tot, und einer von den beiden anderen Leuten fiel, durch den Leib getroffen, neben ihm nieder, starb aber erst einige Stunden später; der dritte dagegen entfloh.

Sobald die Schüsse geknallt hatten, rückte ich mit meiner ganzen, jetzt aus acht Mann bestehenden Armee vor. Ich selbst als Generalissimus voran, Freitag als mein Generalleutnant;

der Kapitän und seine beiden Leute und unsere drei Kriegsgefangenen, die wir mit Waffen versehen hatten, folgten. Da
wir uns den Schiffsleuten in der Dunkelheit näherten, vermochten sie unsere Anzahl nicht zu erkennen. Ich ließ den im
Boot zurückgebliebenen Mann, der jetzt einer der unsrigen
war, jene bei Namen rufen, um zu versuchen, ob sie mit sich
unterhandeln und sich zur Ergebung bereit finden lassen
würden. Die Sache lief auch ab, wie ich es wünschte. Begreiflich genug, daß die Leute, mit Rücksicht auf ihre böse
Lage, sich gern zur Kapitulation verstanden. Als der von mir
Beauftragte, so laut er vermochte, einem seiner Kameraden
zugerufen: „Tom Smith!", antwortete dieser augenblicklich:
„Bist du es, Robinson?" — „Jawohl, Tom Smith, legt um
Gottes willen eure Waffen nieder und ergebt euch, oder ihr seid
alle im nächsten Augenblick des Todes."

„Wem sollen wir uns denn ergeben? Was sind es für Leute?"
fragte Smith wiederum.

„Sie sind hier bei mir", entgegnete jener. „Es ist unser Kapitän
mit fünfzig Mann, die euch diese zwei Sunden lang her-
umgehetzt haben.

Der Bootsmann ist tot, Will Fry ist verwundet, und ich bin
gefangen. Wenn ihr euch nicht ergebt, seid ihr sämtlich verloren."

„Wenn sie uns Pardon verheißen", erwiderte Tom Smith,
„dann wollen wir uns ergeben."

„Ich will gehen und fragen."

Hierauf rief der Kapitän selbst: „Smith, du kennst meine
Stimme, wenn ihr sofort die Waffen niederlegt und euch er-
gebt, soll euch allen das Leben geschenkt sein, ausgenommen
Will Atkins!"

Will Atkins fleht um sein Leben. Der Kapitän erobert sein Schiff zurück. Robinson kehrt nach achtundzwanzigjährigem Inselaufenthalt heim nach England

Jetzt schrie dieser Will Atkins: „Um Gottes willen, Kapitän, schenkt mir auch Gnade! Was hab' denn gerade ich getan? Die anderen haben ja ebenso schlecht gehandelt wie ich!" — Dies war jedoch nicht die Wahrheit. Wie es schien, hatte dieser Mensch bei dem Ausbruche der Meuterei die erste Hand an den Kapitän gelegt und ihn, nachdem er ihm die Hände gebunden, barbarisch behandelt und mit Schimpfworten beleidigt. Der Kapitän antwortete ihm, er solle die Waffen auf Gnade oder Ungnade niederlegen, sein Geschick würde von der Entscheidung des Gouverneurs abhängen. Mit diesen Worten bezeichnete mein Freund nämlich mich.

Um es kurz zu machen: die Männer legten ihre Waffen nieder und baten, daß wir ihnen das Leben schenken möchten. Ich schickte hierauf jenen, der mit ihnen vorher unterhandelt hatte, nebst zwei anderen zu ihnen und ließ sie binden. Hierauf erst kam meine große Armee von fünfzig Mann, die, jene drei inbegriffen, jetzt wieder auf acht zusammengeschmolzen war, zum Vorschein und bemächtigte sich der Fremden und ihres Bootes. Ich selbst hielt mich nebst einem Begleiter aus Staatsrücksichten noch fern.

Unsere nächste Sorge war nun, das Boot auszubessern, um zu versuchen, ob wir des Schiffes habhaft werden könnten. Der Kapitän beschäftigte sich jedoch zunächst damit, mit den Empörern zu unterhandeln. Er warf ihnen die Schändlichkeit ihres Verfahrens gegen ihn und die Nichtswürdigkeit dessen, was sie zuletzt gegen ihn beabsichtigt hätten, vor und zeigte ihnen, wie sie durch diese Handlung notwendig am Ende in das Elend und Verderben, vielleicht gar an den Galgen hätten geraten müssen. Sie schienen auch voll Reue zu sein und baten flehentlich um ihr Leben. Hierauf erklärte er, sie seien nicht seine Gefangenen, sondern die des Befehlshabers dieser Insel. Sie hätten zwar gemeint, ihn an ein ödes, menschenleeres Eiland auszusetzen, aber Gottes Gnade habe es so gefügt, daß es bewohnt sei und einen Engländer zum Gouverneur habe. Wenn es diesem beliebe, könne er sie sämtlich hängen lassen;

da er ihnen aber Pardon versprochen, so werde er sie vermutlich nach England schicken und dem Arme der Gerechtigkeit überliefern mit Ausnahme des Atkins. Dieser solle sich,
so laute der Befehl des Gouverneurs, auf seinen Tod vorbereiten, da er am nächsten Morgen baumeln müsse.

Dies alles war zwar freie Erfindung des Kapitäns, brachte aber
doch die gewünschte Wirkung hervor. Atkins fiel auf die Knie
und bat den Kapitän, sich bei dem Gouverneur für sein Leben
zu verwenden. Die anderen alle flehten, daß man sie um
Gottes willen nicht nach England schicken möge.

Jetzt kam mir der Gedanke, daß der Augenblick unserer
Befreiung nahe sei. Es müsse, dachte ich mir, eine Leichtigkeit
sein, diese Leute dahinzubringen, daß sie uns mit Freuden den
Besitz des Schiffes verschafften. Nachdem ich mich in die
Dunkelheit zurückgezogen hatte, damit sie vorläufig nicht
erführen, was für eine Art Gouverneur hier herrsche, rief ich
den Kapitän herbei. Ich verstellte dabei meine Stimme so, daß
es klang, als käme sie aus großer Ferne. Einer der Leute wurde
beordert, meinen Befehl weiterzutragen und dem Kapitän zu
melden, daß ihn der Kommandant zu sich entbiete.

Sofort erwiderte der Kapitän: „Sage Seiner Exzellenz, ich
würde alsbald kommen." Dies bestärkte die Gefangenen noch
mehr in ihrem Wahn, und sie glaubten sämtlich, der Gouverneur halte mit seinen fünfzig Mann irgendwo an einer entfernten Stelle der Insel.

Nachdem sich der Kapitän zu mir begeben hatte, teilte ich
ihm mit, es sei mein Plan, mich jetzt sofort des Schiffes zu
bemächtigen. Diese Absicht behagte ihm ungemein, und wir
beschlossen, sie gleich am nächsten Morgen auszuführen.
Damit das aber um so besser geschehen könne, schlug ich dem
Kapitän vor, die Gefangenen zu teilen. Ich beauftragte ihn,
Atkins und zwei andere von den Hauptübeltätern gefesselt nach der Höhle zu schicken, wo die übrigen lagen. Zu
diesem Transport wurden Freitag und die beiden mit dem
Kapitän an das Land gekommenen Leute verwendet. Diese
brachten die Gefangenen in die Höhle wie in einen Kerker, und
in der Tat war der Aufenthaltsort, besonders für Menschen
in dieser Lage, schlimm genug. Die übrigen Schiffsleute ließ
ich nach meiner oft beschriebenen Laube bringen. Da diese
umzäunt und die Gefangenen in Fesseln waren, bot der Ort
Sicherheit genug für ihre Verwahrung.

Zu den letzteren schickte ich am folgenden Morgen den Kapitän, damit er mit ihnen unterhandle, das heißt sie auf die Probe stelle und mir Bericht erstatte, ob auf ihre Mitwirkung zur Wiedererlangung des Schiffes zu rechnen sei. Er hielt ihnen das durch sie gegen ihn begangene Verbrechen nochmals vor und wies sie darauf hin, in welch traurige Lage sie selbst infolgedessen gekommen seien. Denn wenn der Gouverneur ihnen auch für den jetzigen Augenblick das Leben geschenkt habe, so würden sie doch, falls man sie nach England schickte, sicherlich gehenkt werden. Jedoch wolle er ihnen versichern, daß, wenn sie bei einer so rechtmäßigen Handlung, wie die Wiedergewinnung des Schiffes sei, Beistand leisteten, der Gouverneur ihnen vollen Pardon geben werde.

Man kann sich leicht vorstellen, wie begierig diese Bedingung von den Leuten in ihrer Lage angenommen wurde. Sie fielen auf die Knie und versprachen unter den kräftigsten Beteuerungen dem Kapitän, ihm bis zum letzten Blutstropfen treu zu bleiben, und wenn sie ihm die Rettung ihres Lebens verdankten, mit ihm durch die ganze Welt zu gehen: Sie wollten ihm in aller Zukunft wie ihrem leiblichen Vater anhängen.

Der Kapitän erwiderte: „Gut, ich werde gehen, dem Gouverneur eure Worte melden und versuchen, was ich tun kann, um ihn zur Einwilligung zu bewegen." So brachte er mir denn Bericht über die Stimmung der Leute. Er versicherte, überzeugt zu sein, daß man ihnen trauen dürfe. Um jedoch meiner Sache gewisser zu sein, befahl ich dem Kapitän, wieder zu den Gefangenen zurückzukehren und ihnen zu sagen, er habe zum Beweis, daß man nicht ihrer aller bedürfe, nur fünf Mann unter ihnen zu seinem Beistand auszuwählen. Die beiden anderen nebst den in die Burg (meine Höhle) Geschickten werde der Gouverneur als Bürgen für die Treue der übrigen zurückbehalten. Handelten die fünf Auserlesenen treulos, so würden die Geiseln sämtlich als treulos in Ketten am Strande aufgehängt werden. Diese bedenkliche Aussicht sollte nämlich den Gefangenen beweisen, daß der Gouverneur nicht spaße. Übrigens blieb ihnen keine Wahl, und es lag jetzt geradeso sehr im Interesse der Zurückbleibenden als des Kapitäns, die fünf Auserwählten zur Erfüllung ihrer Pflicht anzuhalten.

Unsere Streitkräfte wurden nun für die Unternehmung folgendermaßen in Gruppen geordnet. Zur ersten gehörte der Kapitän, sein Steuermann und sein Passagier; zur zweiten die beiden zuerst Gefangenen, denen ich auf des Kapitäns Empfehlung die Freiheit gegeben und Waffen anvertraut hatte; zur dritten die zwei anderen, die ich bisher gefesselt in der Laube gehalten, aber jetzt gleichfalls auf des Kapitäns Veranlassung losgelassen hatte; die vierte Abteilung bildete nur der einzeln im Boot gefangene Mann; endlich bestand die fünfte aus den zuletzt befreiten Gefangenen. So waren es im ganzen dreizehn Leute; die fünf in der Höhle und die beiden Geiseln blieben zurück.

Der Kapitän erklärte auf meine Frage seine Bereitwilligkeit, sich mit dieser Mannschaft an Bord des Schiffes zu wagen. Was mich selbst und Freitag anging, so hielt ich es nicht für zweckmäßig, mit auf das Unternehmen auszuziehen. Denn da wir sieben Mann zurückbehielten, hatten wir genug damit zu schaffen, sie getrennt zu halten und mit Lebensmitteln zu versehen. Die fünf in der Höhle sollten nach meiner Ansicht streng eingeschlossen gehalten werden. Freitag ging zweimal täglich zu ihnen, um ihnen zu essen zu bringen.

Die übrigen beiden Gefangenen mußten die Vorräte bis zu einer gewissen Stelle tragen, und Freitag nahm sie dann in Empfang.

Nachdem ich mich zu den beiden Geiseln begeben hatte, teilte ihnen der Kapitän, der mich begleitete, mit, ich sei vom Gouverneur beauftragt, über sie zu wachen. Der Gouverneur habe angeordnet, daß sie keinen Schritt ohne meine Erlaubnis tun dürften, wenn sie dem zuwiderhandelten, würden sie in Ketten gelegt und ins Gefängnis geworfen werden. So erschien ich, da ich mich nicht als Gouverneur zu erkennen geben wollte, jetzt als eine dritte Person und sprach bei jeder möglichen Gelegenheit von dem Befehlshaber der Insel, von der Garnison, dem Gefängnis und dergleichen Dingen.

Für den Kapitän boten sich jetzt als nächste und wichtigste Aufgaben die Ausrüstung seiner zwei Boote, die Verstopfung des Lecks in dem einen und die Bemannung beider. Er ernannte seinen Passagier zum Kapitän für das eine Fahrzeug und gab ihm vier Mann bei. Er selbst nebst seinem Steuermann und fünf weiteren Leuten begab sich in das andere. Sie machten ihre Sache so vortrefflich, daß sie schon um Mitternacht an das Schiff herankamen. Als sie sich auf Rufweite diesem genähert hatten, ließ der Kapitän durch Robinson die Leute an Bord anrufen und ihnen verkünden, sie hätten ihre

Kameraden und das Boot wieder, aber es sei viel Zeit darauf gegangen, bis sie diese gefunden hätten. Mit solchem und ähnlichem Geschwätz hielt er die Schiffsmannschaft hin, bis unsere Leute unter dèm Schiffe beigelegt hatten. Sobald der Kapitän und der Steuermann den Fuß auf Deck setzten, schlugen sie auch sofort den zweiten Steuermann und den Schiffszimmermann mit ihrem Gewehrkolben nieder. Unsere Leute zeigten sich sehr zuverlässig. Sie versicherten sich der ganzen auf dem Haupt- und Achterdeck befindlichen Mannschaft; dann verschlossen sie die Luken, um diejenigen, die sich im unteren Schiffsraum befanden, in diesem zu halten. Jetzt nahte auch das andere Boot, die Bemannung langte am Vorderteil an und nahm das Vorderdeck sowie die in die Küche führende Dachluke in Besitz und machte drei darin befindliche Leute zu Gefangenen.

Hierauf, nachdem das Deck gänzlich gesäubert war, befahl der Kapitän dem Steuermann, mit drei Leuten in die Kajüte einzubrechen. Dort hatte der neuernannte Rebellenkapitän mit zwei Männern und einem Schiffsjungen Feuerwaffen ergriffen. Kaum hatte der Steuermann mit seinen Gefährten die Tür gespalten, so gab der neue Kapitän mit seinen Untergebenen mutig Feuer auf sie, zerschmetterte dem Steuermann mit einer Musketenkugel den Arm und verwundete noch zwei von der Mannschaft, ohne jedoch einen einzigen zu töten. Unser Steuermann rief zwar um Hilfe, stürzte indessen trotz seiner Verwundung in die Kajüte und schoß den neuen Kapitän mit seiner Pistole durch den Kopf, daß die Kugel durch den Mund eindrang und hinter dem Ohr herausschlug. Der Mensch sank lautlos zusammen; darauf ergaben sich die übrigen, und das Schiff war somit ohne weiteren Verlust von Menschenleben in unserem Besitze.

Sobald der Sieg errungen war, ließ der Kapitän sieben Kanonenschüsse abfeuern, das Signal, das nach unsrer Verabredung mir den günstigen Erfolg des Unternehmens verkünden sollte. Man kann sich denken, mit welcher Freude ich die Salve vernahm, nachdem ich bis beinahe zwei Uhr morgens am Strande wachend gesessen hatte. Erst als ich das Signal gehört, legte ich mich nieder und schlief nach der großen Anstrengung des Tages sogleich fest ein. Plötzlich aber wurde ich durch einen Flintenschuß geweckt und hörte, nachdem ich eilig aufgestanden war, die Stimme eines Mannes rufen: „Herr

Gouverneur, Herr Gouverneur!" Ich erkannte sogleich die Stimme des Kapitäns. Als ich den Gipfel des Hügels erstiegen hatte, fand ich ihn dort stehen. Er deutete nach dem Schiff hin und sagte, indem er mich in die Arme schloß: „Mein teurer Freund und Erretter, dort ist Euer Fahrzeug, denn es gehört Euch ebenso wie mir nebst allem, was es enthält."

Ich richtete die Augen nach dem Schiff und sah es etwa eine halbe Meile vom Lande vor Anker liegen. Nachdem nämlich unsere Leute sich seiner bemächtigt hatten, waren die Anker alsbald gelichtet worden, und da das Wetter ruhig war, hatten sie das Fahrzeug gerade gegenüber der Mündung des kleinen Baches festgelegt. Da sich gerade die Flut erhoben, hatte der Kapitän in dem Langboot bis nahe an die Stelle gelangen können, wo ich einst mit meinen Flößen gelandet war, und so hatte er unmittelbar vor meiner Tür aussteigen können. Ich war vor Überraschung einer Ohnmacht nahe; denn ich sah jetzt alles, was zu meiner Rettung nötig war, sozusagen wie mit Händen zu greifen vor mir und ein großes Schiff in völliger Bereitschaft, mich zu tragen, wohin ich Lust hatte. Eine ganze Weile war ich nicht imstande, ein Wort zu sprechen. Ich hielt mich, um nicht umzufallen, am Kapitän fest, der seine Arme um mich geschlungen hatte. Als er meine Verwirrung gewahrte, zog er sogleich eine Flasche aus seiner Tasche und ließ mich einen herzstärkenden Trunk nehmen, den er zu diesem Zwecke mitgenommen. Darauf setzte ich mich auf die Erde und kam allmählich wieder zu mir selbst, vermochte jedoch noch lange Zeit kein Wort über die Lippen zu bringen. Inzwischen war der gute Kapitän in einer ebenso großen Aufregung wie ich, wenn auch nicht infolge der Überraschung. Er überhäufte mich mit tausend Ausdrücken der Zärtlichkeit, um mich wieder zum Bewußtsein zu bringen, aber der Freudenstrom flutete so gewaltig in meiner Brust, daß er alle meine Sinne mit sich fortriß. Endlich brach ich in Tränen aus, und dann erst gewann ich die Sprache wieder. Jetzt schloß ich meinerseits meinen Erretter in die Arme, und wir jubelten vereint.

„Ich sehe Euch", so sagte ich zu ihm, „als meinen vom Himmel gesandten Erretter an, und die ganze Begebenheit erscheint mir als eine Kette von Wundern. Solche Ereignisse legen uns Zeugnis ab dafür, daß die verborgene Hand einer Vorsehung die Welt lenkt, und sie beweisen aufs sicherste, daß die Augen einer unbegrenzten Macht in den entlegensten Winkel der Welt dringen und daß diese Macht dem Unglücklichen Hilfe bringen kann, wenn sie will." Ich unterließ auch nicht, gegen den Himmel mein Herz in Dankbarkeit zu erheben, und wer hätte hier auch unterlassen können, dem zu danken, der nicht nur auf wunderbare Weise in solcher Einöde und trostloser Lage für mich Sorge getragen hatte, sondern aus dessen Hand jetzt auch allein die Erlösung gekommen war!

Als wir uns eine Weile hindurch unterhalten, teilte mir der Kapitän mit, er habe von dem, was das Schiff an Ladung geborgen und was von den Schurken, die es eine Weile im Besitz gehabt hätten, übriggelassen sei, mir einige kleine Erfrischungen mitgebracht. Dann rief er den Leuten im Boote zu, sie sollten die Sachen für den Gouverneur ans Land bringen. Das war aber eine Ladung, so groß, als ob ich nicht die Absicht hätte, mit den Leuten mich einzuschiffen, sondern als wenn ich auf der Insel bleiben und jene allein ziehen lassen wolle. Da kam zuerst ein Flaschenkorb mit ausgezeichneten Spirituosen zum Vorschein, worunter sechs große Flaschen Madeira, deren jede zwei Liter enthielt; ferner befanden sich darunter zwei Pfund vorzüglicher Tabak, zwölf große Stücke Ochsenpökelfleisch und sechs Stück Schweinefleisch, ein Sack voll Erbsen und ungefähr ein Zentner Schiffszwieback. Auch war dabei eine Kiste mit Zucker, eine andere mit Mehl, ein Sack voll Zitronen, zwei Flaschen Limonadensaft und eine Menge anderer Dinge. Sodann aber, und das war mir tausendmal mehr wert als das übrige, hatte der Kapitän mir noch mitgebracht: sechs reine neue Hemden, sechs sehr gute Halstücher, zwei Paar Handschuhe, ein Paar Schuhe, einen Hut, ein Paar Strümpfe und einen sehr guten, vollständigen Anzug, der dem Kapitän selbst gehörte und nur wenig getragen war. Kurz, mein Freund kleidete mich von Kopf bis zu den Füßen. Jedermann kann sich denken, wie angenehm mir ein solches Geschenk in dieser Lage sein mußte, und dennoch vermag sich niemand vorzustellen, wie unbehaglich, linkisch und verlegen ich mich anfangs fühlte, als ich diese Kleider angelegt hatte.

Nach unserer gegenseitigen Beglückwünschung, und nachdem jene guten Dinge alle in meine kleine Behausung gebracht waren, hielten wir Rat darüber, was mit unseren Gefangenen zu tun sei. Es war nämlich wohl zu erwägen, ob wir sie mit uns nehmen sollten oder nicht. Besonders galt das von zweien darunter, die unverbesserlich und widerspenstig im höchsten Grade waren. Der Kapitän versicherte, er kenne sie als solche Schurken, daß keine Wohltat sie zur Treue bringen würde. Wenn wir sie mitnehmen wollten, so könne es nur so geschehen, daß sie, wie es Verbrechern zieme, in Ketten gelegt und der ersten besten Kolonie, wo wir an Land gingen, überliefert würden. Mit Rücksicht auf die Besorgnisse meines Freundes sagte ich ihm zu, ich wolle es übernehmen, die beiden in Rede stehenden Leute ·dahinzubringen, daß sie selbst darum bitten sollten, auf der Insel zurückbleiben zu dürfen. „Das wäre mir sehr erfreulich", entgegnete der Kapitän. „Gut", erwiderte ich, „so will ich sie holen lassen und statt Eurer mit ihnen reden."

Hierauf schickte ich Freitag und die beiden Geiseln, die, nachdem ihre Kameraden sich treu bewährt hatten, gleichfalls von den Fesseln befreit waren, nach der Höhle und ließ sie die fünf Gefangenen in ihren Banden nach der Laube bringen. Bald darauf trat ich in meinem neuen Anzug dort ein, und zwar jetzt wieder in meiner Würde als Gouverneur. Als wir alle versammelt waren und der Kapitän sich gleichfalls eingefunden hatte, ließ ich die Gefangenen vorführen und hielt eine Ansprache an sie. Ich bemerkte darin, daß ihre schurkenhafte Handlungsweise mir vollständig bekannt sei. Ich wisse, daß sie mit dem Schiff entflohen und noch auf anderen Raub ausgegangen seien, daß aber die Vorsehung sie in ihrer eigenen Schlinge gefangen und sie selbst in die von ihnen für andere bereitete Grube haben fallen lassen. Auf meine Anordnung, sagte ich, sei das Schiff wieder erobert und liege jetzt auf der Reede; sie würden demnächst ihren Kapitän an der großen Rahe baumeln sehen, auf daß er den gerechten Lohn seiner Schurkerei empfange.

Hierauf fragte ich, was sie dagegen vorzubringen hätten, daß ich sie nicht gleichfalls als ertappte Seeräuber bestrafe, wozu mich meine amtliche Stellung unzweifelhaft berechtigte.

Einer von ihnen antwortete im Namen der übrigen, sie hätten darauf nichts weiter zu erwidern, als daß ihnen bei ihrer Gefangennahme Schonung ihres Lebens versprochen worden sei und daß sie mich demütig um Gnade anflehten.

Darauf antwortete ich: „Ich weiß in der Tat nicht, was für eine Art Gnade ich euch erzeigen könnte; denn was mich selbst angeht, so habe ich beschlossen, die Insel mit allen meinen Leuten zu verlassen und mich mit dem Kapitän nach England einzuschiffen. Der letztere kann euch nicht mitnehmen außer als Gefangene in Ketten, damit euch für eure Meuterei und die Desertion mit dem Schiffe der Prozeß gemacht wird. Das aber führt, wie ihr selbst wissen werdet, zum Galgen. Deshalb weiß ich nichts Besseres für euch, als daß ihr euch entschließt, hier auf der Insel euer Glück zu machen. Ist das der Fall, so bin ich nicht abgeneigt, da ich Macht habe, über die Insel zu verfügen, euch das Leben zu schenken, wenn ihr glaubt, dieses auf dem Eiland fristen zu können."

Die Gefangenen schienen außerordentlich dankbar dafür zu sein und versicherten mir, sie wollten es weit lieber riskieren, hierzubleiben, als in England gehenkt zu werden. Daher ließ ich es hierbei sein Bewenden haben. Der Kapitän jedoch schien Schwierigkeiten zu machen, als ob er die Gefangenen nicht hier lassen dürfe. Das ärgerte mich ein wenig, und ich bemerkte ihm, die Leute seien meine Gefangenen und nicht die seinigen. Wenn ich ihnen einmal Gnade zugesagt hätte, so sei ich auch gut für mein Wort. Wenn er es nicht zufrieden sei, so würde ich sie in Freiheit setzen, wie ich sie gefunden hätte, dann möge er sie sich wieder einfangen, wenn es ihm gelänge. Sodann ließ ich die dankerfüllten Gefangenen losbinden, befahl ihnen, sich in die Wälder zurückzuziehen und die Stelle wieder aufzusuchen, woher sie vor kurzem gekommen seien. Ich versprach ihnen, einige Feuerwaffen und Munition zurückzulassen und ihnen Anweisung zu geben, wie sie ein ganz bequemes Leben führen könnten.

Hierauf bereitete ich mich vor, an Bord zu gehen, die folgende Nacht jedoch wollte ich noch auf der Insel verweilen und forderte daher den Kapitän auf, sich nach dem Schiff zu begeben, dort alles in Ordnung zu bringen, am nächsten Morgen das Boot für mich an Land zu schicken und den erschossenen Kapitän an die Rahe aufzuhängen, daß ihn die Leute auf der Insel sehen könnten.

Nachdem der Kapitän sich entfernt hatte, hieß ich die freigegebenen Gefangenen zu mir kommen und begann ein ernstliches Gespräch mit ihnen über ihre Zukunft. „Ihr habt", sagte ich ihnen, „das Richtige gewählt, hätte euch der Kapitän mitgenommen, so wäret ihr sicherlich in England aufgehängt worden. Seht dort den Kapitän an der Schiffsrahe baumeln. Das gleiche Los hätte euch erwartet."

Sie erklärten alle, daß sie sehr gern zurückblieben. Hierauf erzählte ich ihnen von meiner Ankunft und meinen Erlebnissen auf der Insel, zeigte ihnen meine Festungswerke, gab ihnen an, wie ich mein Boot gebaut, mein Getreide gesät, meine Trauben behandelt hatte, kurz, ich wies sie auf alles hin, was zu ihrer Behaglichkeit dienen konnte. Auch von den sechzehn Spaniern, deren Ankunft zu erwarten sei, sagte ich ihnen, ließ einen Brief an diese zurück und nahm den Verbannten das Versprechen ab, mit diesen all meine Vorräte zu teilen.

Dann gab ich ihnen meine Feuergewehre, fünf Musketen und drei Vogelflinten. Ferner erhielten sie drei Säbel und anderthalb Faß Pulver, denn so viel besaß ich noch, da ich nach den ersten Jahren nur wenig mehr gebraucht hatte. Auch beschrieb ich ihnen, wie ich die Ziegen behandelt, sie fett gemacht und gemolken und wie ich Butter und Käse bereitet hatte. Ich versprach, den Kapitän zu bereden, daß er ihnen noch weitere zwei Pulverfäßchen zurücklasse sowie einige Sämereien, die mir sehr schwer abgegangen seien. Auch den Beutel mit Erbsen, den der Kapitän für mich mitgebracht hatte, gab ich ihnen und ermahnte sie, Sorge zu tragen, daß diese eingelegt würden und gehörigen Ertrag lieferten.

Nachdem dies alles besorgt war, begab ich mich am nächsten Tage an Bord. Wir bereiteten uns vor, sofort unter Segel zu gehen, lichteten jedoch noch nicht an demselben Abend die Anker. Am nächsten Morgen früh kamen zwei von den Zurückgelassenen an das Schiff herangeschwommen, erhoben ein großes Klagegeschrei und baten um Gottes willen, an Bord genommen zu werden, wenn der Kapitän sie auch aufhängen lassen würde, denn sonst würden die drei anderen sie ermorden. Der Kapitän erwiderte, er könne nichts ohne meine Zustimmung tun. Nachdem ich dann noch einige Schwierigkeiten gemacht und ihnen das feierliche Versprechen der Besserung abgenommen, wurden sie an Bord gelassen und tüchtig durchgepeitscht. Sie zeigten sich später als ordentliche und ruhige Gesellen.

Einige Zeit darauf schickten wir zur Flutzeit das Boot an Land und ließen den Zurückgebliebenen die versprochenen Gegenstände überbringen, zu denen der Kapitän auf meine Veranlassung noch ihre Koffer und Kleidungsstücke gegeben hatte. Sie nahmen alles dankbar auf. Auch ermutigte ich sie, indem ich versprach, ihnen, wenn es in meiner Macht stünde, ein Schiff zuzuschicken, das sie mitnähme, und daß ich sie überhaupt nicht vergessen würde.

Beim Abschied von der Insel nahm ich als Erinnerungszeichen
mit mir an Bord: die große Ziegenfellmütze, die ich mir selbst
gemacht hatte, sowie meinen Sonnenschirm und einen meiner
Papageien. Auch das früher erwähnte Geld vergaß ich nicht.
Es hatte so lange nutzlos dagelegen, daß es ganz schwarz
geworden war und erst, nachdem es ein wenig gerieben worden
war, wieder für Silber gelten konnte. Ferner tat ich auch das
in dem Wrack des spanischen Schiffes gefundene Gold zu
meinen Habseligkeiten.
So verließ ich denn, wie ich aus dem Schiffskalender ersah, am
19. Dezember des Jahres 1686 das Eiland, nachdem ich achtundzwanzig Jahre, zwei Monate und neunzehn Tage darauf zugebracht hatte. Meine Befreiung aus dieser zweiten Gefangenschaft fand an demselben Monatstage statt wie meine Flucht in
dem Langboot von den Mauren zu Saleh. Nach langer Fahrt
und nach fünfunddreißigjähriger Abwesenheit betrat ich am
11. Juni des Jahres 1687 wiederum die englische Erde.

Robinson fährt nach Lissabon, von wo aus er seine brasilianischen Besitztumsverhältnisse regelt. Seine abenteuerliche Rückkehr nach England auf dem Landwege

Ich war in meinem Vaterland aller Welt so fremd geworden, als ob ich nie mit jemandem dort bekannt gewesen wäre. Meine treue Hauswirtin und Wohltäterin, der ich mein Geld anvertraut hatte, lebte noch, war aber in großes Mißgeschick geraten und befand sich, zum zweitenmal Witwe geworden, in sehr dürftigen Verhältnissen. Ich beruhigte sie über das, was sie mir schuldete, versicherte ihr, daß ich sie darum nicht in Sorgen setzen wolle, erleichterte vielmehr zum Dank für ihre alte Liebe und Treue ihre Lage, so gut wie meine geringen Mittel es damals gestatteten. Es war zwar nur wenig, was ich für sie tun konnte, doch sagte ich ihr zu, daß ich ihre frühere Freundlichkeit nicht vergessen werde. Das habe ich denn, wie zu gegebener Zeit erzählt werden soll, auch gehalten, sobald ich in die Lage kam, sie zu unterstützen.

Bald darauf begab ich mich in die Grafschaft York. Mein Vater und meine Mutter waren gestorben, und von meiner ganzen Familie lebte niemand mehr als zwei von meinen Schwestern und zwei Kinder des einen meiner Brüder. Da man mich schon seit langer Zeit für tot gehalten, war ich auch bei der Erbschaft des väterlichen Nachlasses nicht berücksichtigt worden. So hatte ich denn soviel wie nichts zu meinem Lebensunterhalt, denn das wenige Geld, das ich bei mir führte, konnte nicht hinreichen, mir eine Existenz zu gründen.

Jetzt aber erfuhr ich einen unerwarteten Beweis von Dankbarkeit. Der Schiffskapitän, den ich mit seinem Schiff und dessen Ladung so glücklich gerettet, hatte dem Schiffseigentümer einen getreuen Bericht von der Art, wie ich ihn und sein Fahrzeug gerettet hatte, abgestattet. Dieser und einige andere beteiligten Kaufleute forderten mich hierauf zu einer Zusammenkunft auf, sagten mir in dieser auf höfliche Weise ihren Dank und machten mir ein Geschenk von beinahe zweihundert Pfund Sterling.

Als ich nach reiflicher Überlegung einsah, wie wenig auch dieses Geld zur Sicherung meiner Existenz genügen könne, beschloß ich, nach Lissabon zu reisen, um zu versuchen, ob ich dort nicht Kunde über den Zustand meiner Plantage in Brasilien erhalten und erfahren könne, was aus meinem Kompagnon geworden sei. Ich mußte annehmen, daß er mich schon jahrelang für tot gehalten habe. So schiffte ich mich denn nach Lissabon ein und kam am ersten April dort an. Freitag begleitete mich getreulich auf allen meinen Fahrten und bewährte sich bei jeder Gelegenheit als ein zuverlässiger Diener. In der portugiesischen Hauptstadt machte ich zu meiner großen Freude meinen alten Freund, jenen Schiffskapitän, ausfindig, der mich einst an der afrikanischen Küste in sein Fahrzeug aufgenommen hatte. Er war inzwischen ein Greis geworden, hatte das Seeleben aufgegeben und sein Schiff seinem auch schon bejahrten Sohne überlassen, der noch immer mit Brasilien Handel trieb. Der alte Mann erkannte mich anfangs nicht, wie auch ich ihn nur mit Mühe wiedererkannte. Jedoch erinnerte ich mich sehr bald seiner Züge, und auch in dem Gedächtnis des Kapitäns tauchte die Erinnerung an mich, sobald ich meinen Namen genannt, wieder auf.

Nachdem wir uns herzlich begrüßt, war begreiflicherweise meine erste Frage nach meiner Plantage und nach meinem Kompagnon. Der Alte erwiderte, er sei seit fast neun Jahren nicht in Brasilien gewesen; bei seiner letzten Abreise von dort habe aber mein Kompagnon noch gelebt; dagegen seien die beiden Leute, die ich ihm beigeordnet, um meine Interessen zu wahren, schon damals tot gewesen. Indes glaube er, daß ich gute Kunde über das Wachstum meiner Pflanzung erhalten würde. Denn nachdem man allgemein angenommen, ich sei bei einem Schiffbruch ertrunken, hätten meine beiden Vertrauensmänner die Berechnung über die Einkünfte meiner Pflanzung dem Fiskalprokurator übergeben, der, für den Fall, daß ich nicht zurückkehre und es einfordere, mein Eigentum zu einem Drittel an den König, zu zwei Dritteln an das Kloster des heiligen Augustinus abgeliefert habe; an das letztere, damit es zu Almosen und für die katholische Mission unter den Indianern verwendet werde. Käme aber ich oder ein von mir Bevollmächtigter, um die Hinterlassenschaft zu fordern, so würde diese zurückerstattet werden, ausgenommen die schon zu mildtätigen Zwecken verwendeten Beträge, die nicht ersetzt werden könnten. Dabei versicherte er mir, der königliche Beamte, der die Staatseinkünfte zu verwalten habe, wie auch der Vorsteher jenes Klosters hätten stets mit größter Sorgfalt darauf gehalten, daß der Verwalter des Vermögens, das heißt mein Kompagnon, alljährlich eine genaue Rechnung über die Einkünfte habe ablegen müssen, von denen sie dann die mir gehörige Hälfte pflichtschuldigst in Abzug gebracht hätten.

Ich fragte hierauf den Kapitän, ob er nicht wisse, daß und wie sich meine Pflanzung vergrößert habe, und ob er glaube, es verlohne sich der Mühe, daß ich sie einmal selbst in Augenschein nehme; ferner auch, ob, wenn ich dort angekommen wäre, sich meiner Absicht, die mir gebührende Hälfte in Anspruch zu nehmen, kein Hindernis in den Weg stellen werde.

Hierauf erwiderte der Kapitän folgendes: Er könne zwar nicht genau sagen, bis zu welchem Umfang sich die Pflanzung vergrößert habe, aber so viel wisse er, daß mein Partner von dem bloßen Ertrag der Hälfte sehr reich geworden sei. Soviel er sich erinnern könne, meine er gehört zu haben, daß das dem Könige zugefallene Drittel meines Teiles, das, wie es scheine, einem anderen Kloster oder einer Stiftung zugewiesen sei, jährlich über zweihundert Moidores betrage. Was die Wiedereinsetzung in den vollen Besitz meines Vermögens betreffe, so sei diese gar nicht zu bezweifeln, da mein Kompagnon noch am Leben sei und meine Berechtigung bezeugen könne; wie ja auch mein Name in die königlichen Register und in das Staatsgrundbuch eingetragen sei. Auch die Nachkommen meiner zwei Bevollmächtigten seien sehr ehrbare und geachtete Leute und in besten Vermögensverhältnissen. Wie er glaube, würden sie mir nicht nur zur Wiedererlangung meines Vermögens behilflich sein, sondern ich würde auch noch eine ansehnliche Geldsumme in ihren Händen finden, die mir gehöre, als Ertrag der Farm, seitdem diese von den Erblassern jener Männer in meinem Auftrag beaufsichtigt worden, bis zu dem Zeitpunkt, in dem jene, wie oben erwähnt, ihr Mandat niedergelegt hätten, was seines Erachtens vor etwa zwölf Jahren geschehen sei.

Über diesen Bericht war ich ein wenig betroffen und unzufrieden. Ich fragte den alten Kapitän, wie es denn gekommen sei, daß meine Bevollmächtigten in solcher Weise hätten über mein Vermögen disponieren können, während ich doch, wie er wisse, ein Testament verfaßt und darin ihn, den portugiesischen Kapitän, zum Universalerben eingesetzt habe.

Er erwiderte: Das sei zwar richtig; aber mein Tod sei nicht

erwiesen gewesen, und er habe nicht eher als Testamentsvollstrecker verfahren können, bis irgendein sicherer Bericht über mein Ableben vorgelegen hätte. Überdies sei er auch nicht willens gewesen, sich mit Dingen in so weiter Ferne zu befassen. Daher habe er nur mein Testament eintragen lassen und seine Forderung angemeldet. Wäre er über meinen Tod oder darüber, daß ich noch lebe, sicher gewesen, so hätte er durch meine Bevollmächtigten das Ingênho (so werden in Brasilien die Zuckerraffinerien genannt) in Besitz nehmen lassen und seinen jetzt in Brasilien lebenden Sohn damit beauftragt.

„Aber", fügte der alte Mann hinzu, „ich habe Ihnen auch noch eine weitere Mitteilung zu machen, die Ihnen vielleicht weniger willkommen sein wird als die früheren. Da nämlich Ihr Kompagnon und Ihre Bevollmächtigten ebenso wie alle anderen Leute glaubten, Sie wären vollständig verschollen, so boten mir diese an, sie wollten mir auf Ihre Rechnung die Renten der ersten sechs oder acht Jahre auszahlen, was ich denn auch angenommen habe. In jener Zeit aber waren gerade große Aufwendungen zur Vergrößerung der Plantage, zum Beispiel zum Anbauen eines Ingênho, zum Ankauf von Sklaven und dergleichen mehr, nötig gewesen, und daher belief sich damals der Ertrag bei weitem nicht so hoch, wie es später der Fall war. Übrigens", so schloß der Kapitän, „werde ich Ihnen getreulich über das Empfangene und über die Art seiner Verwendung Rechnung ablegen."

Nach einigen Tagen brachte mir denn auch mein alter Freund die Berechnung über die Einkünfte meiner Plantage aus den ersten sechs Jahren. Diese war von meinem Kompagnon und dem Mitbevollmächtigten unterzeichnet, und der Ertrag war dem Alten jedesmal in Naturalien überliefert worden, zum Beispiel in Tabaksrollen, in Zucker (nach Kisten berechnet), Rum, Sirup und was sonst aus einer Zuckerpflanzung gewonnen wird. Ich ersah aus der Rechnung, daß die Einkünfte alljährlich um ein beträchtliches gestiegen waren. Da aber, wie erwähnt, die Unkosten bedeutend gewesen, so hatte sich die Einnahme anfangs nicht hoch belaufen. Nichtsdestoweniger konnte mir der alte Kapitän mitteilen, daß er mir vierhundertsiebzig Moidores in Gold schulde, abgesehen von fünfzehn doppelten Rollen Tabak und sechzig Kisten mit Zucker, die in seinem Schiff verlorengegangen seien, als er, etwa elf Jahre nach meiner Abreise von Brasilien, auf der Heimfahrt nach Lissabon Schiffbruch erlitten habe.

Der gute Alte erging sich hierauf in Klagen über sein Mißgeschick, das ihn genötigt, mein Geld zum Ersatz seiner Verluste und zum Ankauf der Teilhaberschaft an einem neuen Schiffe zu verwenden. „Jedoch", fügte er hinzu, „sollen Sie, alter Freund, in Ihrer bedrängten Lage nicht darunter leiden, und sobald mein Sohn heimgekehrt ist, werde ich Sie vollständig befriedigen." Damit holte er einen alten Beutel hervor und händigte mit hundertundsechzig Moidores in Gold ein. Dann übergab er mir die Dokumente über seinen Anteil an dem Schiff, mit dem sein Sohn nach Brasilien gegangen war und das ihm zu einem, seinem Sohne zum anderen Teile gehörte. Die Urkunden sollten mir nämlich als Sicherheit für den Rest meiner Forderung dienen.

Die Ehrlichkeit und Freundlichkeit des alten Mannes hatten mir jedoch das Herz so bewegt, daß ich es nicht vermochte, sein Anerbieten anzunehmen. Die Erinnerung an das, was er für mich getan, wie er mich einst in sein Schiff aufgenommen, wie großmütig er sich bei jeder Gelegenheit gegen mich gezeigt und wie redlich er auch jetzt wieder gegen mich handelte, rührte mich so, daß ich mich kaum des Weinens enthalten konnte. Ich fragte ihn, ob es denn seine Lage erlaube, daß er sich für den Augenblick einer so großen Summe entäußere und ob es ihn auch nicht in Verlegenheit setze. Er erwiderte, allerdings könne er es nicht leugnen, daß es ihm ein wenig schwerfalle. Allein es sei ja mein Geld, und ich würde es wohl noch nötiger haben als er.

Alles, was der alte Mann sagte, hatte einen so herzlichen Ausdruck, daß ich nur mit Mühe meine Tränen dabei bezwang. Ich nahm nur hundert Stück von den Moidores an, bat um Feder und Tinte, um dem Kapitän eine Quittung auszustellen, gab ihm hierauf den Rest zurück und erklärte, daß ich, wenn ich jemals wieder in den Besitz meiner Pflanzung käme, ihm auch die andere Summe wieder zurückerstatten würde. Dies ist denn auch später von mir geschehen. Die Urkunde über seinen Anteil an dem Schiffe seines Sohnes weigerte ich mich entschieden anzunehmen. „Wenn ich einmal des Geldes bedürfen werde", sagte ich, „so weiß ich gewiß, daß Sie ehrlich genug sein werden, es mir wieder zu bezahlen; bedarf ich es aber nicht und erhalte ich dasjenige wieder, worauf Sie mir Hoffnung machen, so will ich niemals auch nur einen Pfennig davon zurückhaben."

Der alte Mann fragte mich hierauf, ob er die nötigen Schritte tun solle, damit ich wieder in den Besitz meiner Plantage käme. Auf meine Erwiderung, daß ich selbst nach Brasilien gehen werde, antwortete er mir: „Das können Sie freilich tun, wenn Sie Lust dazu haben, aber auch ohne das gibt es Mittel genug, Ihr Recht zu sichern und Sie sogleich in den Besitz Ihrer Einkünfte zu setzen", und da gerade Schiffe im Hafen von Lissabon segelfertig für Brasilien lagen, veranlaßte er mich, meinen Namen in ein öffentliches Register einzutragen, und stellte in eidlicher Form ein Zeugnis aus, daß ich noch am Leben und diejenige Person sei, die ehemals das Land zu der bewußten Pflanzung angekauft habe.

Diese Urkunde ließ er von einem Notar ordnungsmäßig unterzeichnen, und ich sandte sie hierauf, mit einer Vollmacht und einem von der Hand des Kapitäns abgefaßten Schreiben begleitet, an einen ihm bekannten brasilianischen Kaufmann. Bis eine Antwort über meine Angelegenheit eintreffe, solle ich, so schlug der Kapitän vor, bei ihm wohnen.

Jene Vollmacht wurde in allergenauester Weise vollzogen. Noch vor Ablauf von sieben Monaten empfing ich ein dickes Paket von den Hinterbliebenen meiner Bevollmächtigten, nämlich den Kaufleuten, für deren Rechnung ich hatte nach Afrika gehen sollen. Das Paket enthielt folgende Briefe und Papiere:

Erstens: einen Rechenschaftsbericht über die Einkünfte meiner Pflanzung seit dem Rechnungsabschluß zwischen den Erblassern der Absender und meinem alten portugiesischen Kapitän, der vor sechs Jahren stattgefunden hatte. Die Berechnung ergab einen Saldo von tausendeinhundertundsiebzig Moidores zu meinen Gunsten.

Zweitens: eine Rechnung über weitere vier Jahre, während deren die Korrespondenten mein Vermögen verwaltet hatten bis zu dem Zeitpunkt, in dem die Regierung meine Güter als die einer verschollenen oder, wie der Kunstausdruck lautet, einer juristisch toten Person eingezogen hatte. Diese Rechnung ergab, da die Pflanzung sich inzwischen vergrößert hatte, für mich den Betrag von dreitausendzweihundertundeinundvierzig Moidores.

Drittens: eine Rechnung des Priors jenes Augustinerklosters, der länger als vierzehn Jahre hindurch einen Teil meiner Einkünfte bezogen hatte. Der Prior zeigte in redlicher Gewissenhaftigkeit an, daß nach Abzug des für das Hospital Verwendeten noch achthundertzweiundsiebzig Moidores übrig seien, die mir als Eigentum gehörten. Was dagegen den Anteil des Königs anlange, so würde davon nichts zurückerstattet werden.

Ferner enthielt das Paket auch noch ein Schreiben meines Kompagnons, der mir herzlich Glück wünschte, daß ich noch am Leben sei, und mir Bericht erstattete über die Vergrößerung meiner Pflanzung und deren jährlichen Ertrag. Auch genaue Angaben über die Bodenfläche der Plantage, über die Art ihrer Bebauung und wieviel Sklaven darauf gehalten würden, enthielt der Brief. Mein Partner hatte darin zweiundzwanzig Kreuze gemalt mit der Bemerkung, daß er ebensoviel Ave Marias zur Heiligen Jungfrau gebetet habe aus Dankbarkeit, daß ich noch am Leben sei. Auch lud er mich sehr dringend ein, nach Brasilien zu kommen und mein Eigentum in Besitz zu nehmen. Einstweilen sollte ich ihm Auftrag geben, an wen er, solange ich nicht selbst käme, meine Güter zu überliefern habe. Das Schreiben schloß mit den herzlichsten Versicherungen seiner Freundschaft und mit Grüßen seiner Familie. Als Geschenke waren ihm beigefügt: sieben schöne Leopardenfelle, die mein Kompagnon, wie es schien, von Afrika erhalten, wohin er noch ein zweites Schiff abgesandt hatte, dem offenbar eine bessere Reise beschieden gewesen war als einst mir. Auch fünf Kisten mit ausgezeichneten Delikatessen hatte er geschickt nebst hundert ungeprägten Goldstücken, die fast so groß waren wie Moidore. Mit demselben Schiff übersandten die zwei Hinterbliebenen meiner Bevollmächtigten: eintausendundzweihundert Kisten mit Zucker und den Rest meines ganzen Guthabens in Gold.

Jetzt konnte ich wohl mit Recht sagen: Hiobs Ende war besser als sein Anfang. Es ist unmöglich, die Bewegung zu beschreiben, in die mein Herz geriet, als ich jene Briefe las, und besonders, als ich meinen ganzen Reichtum um mich versammelt hatte. Denn da die Schiffe von Brasilien immer flottenweise kommen, so langten mit den Briefen zugleich auch meine Güter an, und die letzteren lagen bereits sicher im Hafen, als mir erst die Briefe in die Hände kamen. Ich wurde bleich, und mir schwanden die Sinne, und hätte der alte Mann nicht rasch ein herzstärkendes Mittel herbeigeholt, ich glaube, die plötzliche Freude hätte mich überwältigt und auf der Stelle getötet. Sogar nachher fühlte ich mich noch einige Stunden förmlich krank, bis ein schnell herbeigeholter Arzt, nachdem er den Grund meines Unwohlseins erfahren, einen Aderlaß verordnete. Nach diesem bekam ich Erleichterung und fühlte mich besser. Ich bin aber überzeugt, daß ich, wäre nicht auf diese Weise meinen Lebensgeistern Luft verschafft worden, vor übermäßiger Freude gestorben wäre.

Ich sah mich nun plötzlich im Besitz von mehr als fünftausend Pfund Sterling in barem Geld und eines Landgutes, wie ich es wohl nennen kann, in Brasilien. Das trug mir auch über tausend Pfund Sterling jährlich so sicher ein wie nur irgendein Grundstück in England.

Kurz, ich war jetzt in einer so guten Lage, daß ich kaum wußte, wie ich mich darin benehmen und wie ich sie recht genießen sollte. Das erste, was ich tat, war, daß ich meinen Hauptwohltäter belohnte, den guten, alten Kapitän, der zuerst in meinem Unglück Mitleid gezeigt hatte und von Anfang an gütig und bis zum Ende ehrlich und treu gegen mich gewesen war. Ich zeigte ihm alles, was ich zugesandt erhalten hatte, und sagte ihm, daß ich es, nächst der göttlichen, alles lenkenden Vorsehung, allein ihm zu danken habe und daß es jetzt an mir sei, ihm reichlich zu lohnen, was er für mich getan.

Vor allem gab ich ihm die hundert Goldstücke wieder, die ich von ihm erhalten hatte. Dann ließ ich einen Notar kommen und durch ihn einen, in den bestimmtesten Ausdrücken gehaltenen Verzicht über die vierhundertundsiebzig Moidores, die der Kapitän mir schuldig zu sein behauptete, aufsetzen. Ferner stellte ich eine Vollmacht aus, die ihn berechtigte, die jährlichen Einkünfte meiner Pflanzung für mich in Empfang zu nehmen. Das Dokument wies nämlich meinen Kompagnon an, die Zahlungen an den Kapitän zu leisten und diese mit den regelmäßigen Postschiffen in meinem Namen an ihn zu schicken. Die Vollmacht schloß mit einer Klausel, durch die ich dem Kapitän hundert Moidores jährlich auf Lebenszeit aus den Erträgen der Waren aussetzte und seinem Sohne nach ihm fünfzig jährlich, gleichfalls auf Lebenszeit. So vergalt ich meinem alten Freunde, was er an mir getan hatte.

Es blieb mir nun zunächst zu überlegen, welchen Weg ich zur Verwertung meines Besitztums, das die Vorsehung so unerwartet mir anvertraut hatte, einschlagen sollte. Wie viel mehr Sorgen überkamen mich jetzt als während meines stillen Lebens auf der Insel. Damals hatte ich nichts, als was ich bedurfte; jetzt war ich zu großem Reichtum gelangt und mußte für dessen Erhaltung sorgen. Nun bot sich mir keine Höhle mehr, wo ich mein Geld verstecken konnte, kein Platz, wo es ohne Schloß und Riegel liegen durfte, bis es verschimmelte und verrostete, ehe irgend jemand es angerührt hatte. Im Gegenteil wußte ich durchaus nicht, wo ich mein Geld hinlegen und wem ich es anvertrauen sollte. Mein alter Gönner, der ehrliche Kapitän, war die einzige Zuflucht, die mir blieb.

Zwar schien es zweckmäßig, daß ich mich zunächst zur Erledigung meiner brasilianischen Angelegenheiten dorthin begebe, aber vorläufig war gar nicht an eine Reise dahin zu denken, solange ich nicht meine Geschäfte hier geordnet und meine Schätze sicheren Händen übergeben hatte.

Anfangs dachte ich an meine alte Freundin, die Witwe, deren Ehrlichkeit ich kannte und von der ich wußte, daß sie treu gegen mich sein würde. Aber sie war alt und arm und konnte möglicherweise in Schulden geraten sein. So blieb mir also nichts anderes übrig, als selbst nach England zurückzukehren und meine Sachen dahin mitzunehmen.

Einige Monate gingen indessen darüber hin, ehe ich diesen Entschluß faßte. Jetzt, wo ich dem alten Kapitän seine früheren Wohltaten reichlich und zu seiner Befriedigung vergolten hatte, gedachte ich auch der obengenannten armen Frau, deren Mann mein erster Wohltäter gewesen und mir, solange es ihm möglich gewesen war, mit Rat und Tat beigestanden hatte. Ich veranlaßte zuletzt einen Lissaboner Kaufmann, an seinen Korrespondenten in London zu schreiben, daß er ihr einen Wechsel auszahle, die Frau aufsuche und ihr in meinem Namen hundert Pfund Sterling in Gold überbringe, auch freundlich mit ihr rede und sie in ihrer Armut mit der Versicherung tröste, daß sie, solange sie lebe, noch fernere Unterstützungen erhalten werde. Zugleich sandte ich jeder meiner beiden in England lebenden Schwestern hundert Pfund Sterling. Zwar lebten diese nicht in Dürftigkeit, aber sie waren doch auch nicht in glänzenden Verhältnissen. Die eine war verheiratet gewesen und jetzt Witwe, die andere wurde von ihrem Manne nicht so gut behandelt, wie sie es verdiente.

Unter allen meinen Freunden und Verwandten jedoch wußte ich keinen, dem ich mein ganzes Vermögen anzuvertrauen gewagt hätte, so daß ich hätte nach Brasilien reisen und mein Hab und Gut in sicheren Händen zurücklassen können. Dieser Umstand machte mir große Sorgen. Früher war ich schon einmal willens gewesen, mich ganz in Brasilien niederzulassen, denn ich hatte ja dort gewissermaßen meine Heimat. Aber allerlei religiöse Bedenken, von denen ich gleich mehr sagen werde, hatten mich damals davon zurückgehalten. Jetzt war es nicht die Religion in erster Linie, was mich bewog, nicht dahin zu reisen. Sowenig ich mir früher Skrupel darüber gemacht hatte, mich öffentlich zu der Konfession des Landes zu bekennen, ebensowenig hätte ich jetzt dagegen Bedenken getragen. Nur daß ich, seitdem ich mehr darüber nachgedacht hatte, zuweilen, wenn es sich darum handelte, dort zu leben und zu sterben, anfing zu bereuen, daß ich mich jemals zur katholischen Kirche bekannt hatte. Ich hielt jetzt diesen Glauben nicht mehr für den besten zum Sterben.

Aber, wie gesagt, das war nicht der Hauptgrund, der mich von der Reise nach Brasilien abhielt. Vielmehr lag dieser darin, daß ich wirklich nicht wußte, wem ich meine zurückbleibenden Sachen übergeben sollte. Daher beschloß ich endlich, sie mit nach England zu nehmen. Dort hoffte ich, irgendeine zuverlässige Bekanntschaft zu machen oder einen Verwandten aufzufinden, dem ich trauen konnte. So bereitete ich mich denn darauf vor, mit meinem ganzen Reichtum nach England zu reisen.

Ehe ich aber die Reise in die Heimat antrat, benutzte ich die eben abgehende Schiffspost nach Brasilien zur Beantwortung der treuen und gewissenhaften Berichte, die ich von dort erhalten hatte.

An den Prior des Augustinerklosters schrieb ich einen Dankbrief für seine redliche Handlungsweise und für das Anerbieten der achthundertzweiundsiebzig Moidores, indem ich auf diese verzichtete. Fünfhundert davon bestimmte ich für das Kloster, die übrigen dreihundertundzweiundsiebzig sollten nach seinem Ermessen unter die Armen verteilt werden. Daneben bat ich den guten Pater um seine Fürbitte für mich.

Alsdann verfaßte ich ein Schreiben an meine beiden Bevollmächtigten, worin ich ihnen meine volle Anerkennung für ihre große Gewissenhaftigkeit und Treue aussprach. Geschenke irgendwelcher Art konnte ich ihnen nicht anbieten, denn über dergleichen waren sie erhaben. Endlich schrieb ich noch an meinen Kompagnon, lobte seinen Fleiß in der Verbesserung der Pflanzung und seine Zuverlässigkeit hinsichtlich des wachsenden Ertrages und gab ihm Anweisungen über die fernere Verwaltung meines Anteils mit Rücksicht auf die Rechte, die ich meinem alten Freunde, dem Kapitän, zugestanden hatte. Diesem sollte mein Teilhaber alles, was mir zukommen würde, übersenden, bis er mündlich weiteres von mir hören würde. Ferner teilte ich ihm mit, daß es meine Absicht sei, nicht nur vorübergehend zu ihm zu kommen, sondern mich sogar für den Rest meines Lebens ganz bei ihm niederzulassen. Dem Briefe fügte ich ein schönes Geschenk von italienischem Seidenzeuge bei für seine Frau und seine beiden Töchter (der Sohn des Kapitäns hatte mir gesagt, daß er welche habe), nebst zwei Stücken feinen Tuches, von dem besten, das ich in Lissabon bekommen konnte, sowie fünf Stücke schwarzen Wollzeuges und Brabanter Spitzen von beträchtlichem Werte.

Nachdem ich diese Angelegenheit geordnet, meine Ladung verkauft und mein ganzes Besitztum in gute Wechsel umgetauscht hatte, überlegte ich, welchen Weg ich nach England einschlagen solle. Ich war hinlänglich an das Reisen zur See gewöhnt, dennoch aber fühlte ich eine große Abneigung dagegen, diesmal den Seeweg einzuschlagen. Einen bestimmten Grund dafür konnte ich freilich nicht angeben, aber meine Abneigung steigerte sich so, daß ich noch mehrmals, sogar als mein Gepäck schon eingeschifft war, meinen Entschluß änderte.

Es ist wahr, ich hatte schon viel Unglück auf der See gehabt, und die Erinnerung daran mochte wohl meinem Widerwillen zugrunde liegen. Man sollte nie so starke Impulse des eigenen Gefühls in dergleichen wichtigen Lebensaugenblicken geringschätzen. Zwei von den Schiffen, die ich mir zur Reise ausersehen (in dem einen hatte ich meine Sachen bereits eingeschifft, und wegen des anderen war ich schon mit dem Kapitän über die Reisebedingungen völlig einig gewesen), hatten auch wirklich Unglück auf der Reise; das eine wurde von algerischen Seeräubern genommen, das andere scheiterte bei Torbay, und die gesamte Mannschaft bis auf drei Leute ertrank. So wäre ich denn in jedem dieser Schiffe übel daran gewesen, und es ist schwer zu sagen, in welchem am schlimmsten.

Ein mir seit langem bekannter Kapitän, dem ich in meiner Bedrängnis mich anvertraute, drang ernstlich darauf, daß ich nicht zur See reisen sollte. Entweder, so riet er mir, sollte ich zu Lande bis nach La Coreña und von dort über den Meerbusen von Biskaya nach La Rochelle gehen, von wo aus die Reise nach Paris ruhig und sicher sei, und dann weiter über Calais nach Dover reisen, oder aber ich sollte mich nach Madrid begeben und den ganzen Weg durch Frankreich zu Lande machen. Ich war so gegen jede Wasserreise eingenommen, daß ich mich entschloß, das letztere zu wählen. Da ich weder Eile hatte noch die Kosten zu scheuen brauchte, so war dies auch bei weitem der angenehmste Weg. Zur Erhöhung der Annehmlichkeit führte mir mein alter Kapitän einen Engländer zu, den Sohn eines Lissabonner Kaufmannes, der sich bereit erklärte, mich zu begleiten. Später fanden sich noch zwei englische Kaufleute und zwei junge Portugiesen, die übrigens nur bis Paris mitgingen, so daß wir zusammen sechs Herren und fünf Diener waren.

Die zwei Kaufleute und die beiden Portugiesen begnügten sich zu je zweien mit einem Diener, um die Kosten zu sparen; was mich selbst betraf, so hatte ich neben Freitag, der zu landesunkundig war, um diese Stelle unterwegs versehen zu können, als Bedienten einen englischen Matrosen angenommen.

So reisten wir denn von Lissabon ab. Unsere Reisegesellschaft war sehr gut beritten und bewaffnet. Wir bildeten eine förmliche kleine Kompanie, und meine Gefährten taten mir die Ehre an, mich zum Hauptmann zu ernennen, und zwar erstens, weil ich der älteste von uns war, und zweitens, weil ich zwei Bediente hatte. In der Tat war ja auch von mir die Veranlassung zu der ganzen Reise ausgegangen.

Wie ich den Leser nicht mit dem Inhalt meiner Seetagebücher behelligt habe, will ich ihn auch nicht mit der ausführlichen Beschreibung meiner Landreise langweilen. Einige Abenteuer aber, die uns auf der langweiligen und beschwerlichen Reise begegnet sind, mag ich doch nicht ganz übergehen.

In Madrid angekommen, wünschten wir dort einige Zeit zu verweilen, um den spanischen Hof und alle Merkwürdigkeiten zu sehen, weil wir sämtlich fremd in Spanien waren. Da jedoch der Sommer sich schon zum Ende neigte, mußten wir uns beeilen, weiterzukommen. Wir verließen Madrid um die Mitte des Oktober. An der Grenze von Navarra wurden wir an mehreren Orten durch die Nachricht erschreckt, es sei so viel Schnee auf der französischen Seite des Gebirges gefallen, daß schon mehrere andere Reisende sich genötigt gesehen hätten, nach Pamplona zurückzukehren, nachdem von ihnen mit der äußersten Gefahr der Versuch gemacht worden wäre, vorzudringen.

In Pamplona selbst angekommen, fanden wir diese Aussagen bestätigt. Mir, der ich seit langer Zeit an ein heißes Klima gewöhnt gewesen war und in den Ländern gelebt hatte, wo ich kaum irgendwelche Kleidung an mir leiden konnte, war diese Kälte unerträglich. Auch wurde diese dadurch noch empfindlicher, daß sie uns so plötzlich überfiel; denn kaum zehn Tage vorher waren wir erst aus Altkastilien gekommen, wo es nicht nur warm, sondern sogar sehr heiß gewesen war. Unmittelbar darauf aber empfanden wir jetzt einen so scharfen, schneidend kalten Wind, der von den Pyrenäen her wehte, daß wir ihn kaum aushielten und in Gefahr waren, Finger und Zehen zu erfrieren.

Der arme Freitag erschrak förmlich, als er die Berge völlig mit Schnee bedeckt sah und die Kälte fühlte, denn so etwas hatte er in seinem ganzen Leben noch nicht gesehen oder empfunden. Zum Überfluß schneite es, während wir in Pamplona waren, ohne Unterlaß und mit größter Heftigkeit und Dauer. Wie die Leute sagten, war der Winter diesmal ungewöhnlich früh eingetreten.

Die Wege, die schon vorher schwer zu passieren gewesen waren, wurden jetzt ganz unzugänglich. Der Schnee lag stellenweise undurchdringlich hoch, und da er nicht, wie das in den nördlichen Ländern der Fall ist, hart gefroren war, so geriet man bei jedem Schritt in Gefahr, lebendig begraben zu werden. Wir mußten daher nicht weniger als zwanzig Tage in Pamplona bleiben. Als ich aber den Winter immer entschiedener herankommen sah und eine Besserung des Wetters immer unwahrscheinlicher wurde (in ganz Europa herrschte seit Menschengedenken der strengste Winter), schlug ich vor, nach Fuenterrabia zu gehen und uns dort nach Bordeaux einzuschiffen, von wo aus die Fahrt nur ganz kurz war.

Während wir noch diesen Plan überlegten, kamen vier Franzosen an, die auf der französischen Seite der Pässe ebenso aufgehalten worden waren wie wir auf der spanischen, dann aber einen Führer gefunden hatten, der sie durch das Land bis an die Grenze von Languedoc und von dort aus auf solchen Wegen über das Gebirge geführt hatte, daß sie gar nicht viel unter dem Schnee zu leiden gehabt hatten. Wo sie ja auf irgendeine größere Anhäufung von Schnee gestoßen seien, sagten sie, sei er so hart gefroren gewesen, daß er sie und ihre Pferde getragen habe. Wir schickten nach dem Führer dieser Leute, und er übernahm es, uns denselben Weg ohne Schneegefahr zu führen, vorausgesetzt, daß wir hinreichend bewaffnet seien, um uns gegen wilde Tiere zu schützen. Denn, bemerkte er, bei diesen starken Schneefällen zeigten sich häufig Wölfe am Fuße des Gebirges, die aus Mangel an Nahrung auf dem schneebedeckten Boden sehr grimmig zu sein pflegten. Wir versicherten, genügend ausgerüstet zu sein, um es mit dieser Art von Bestien aufzunehmen, wenn er uns nur gegen eine andere Art zweibeiniger Wölfe sichern wollte, die, wie wir gehört hätten sehr gefährlich seien, besonders auf der französischen Seite des Gebirges. Er beruhigte uns, daß wir nichts der Art auf dem Wege zu befürchten hätten, den er uns führen würde, und daraufhin erklärten wir uns bereit, ihm zu folgen. Auch zwölf andere Herren mit ihren Dienern, Franzosen und Spanier, die den Übergang vergeblich versucht hatten, schlossen sich uns jetzt an.

Am 15. November brachen wir mit unserem Führer von Pamplona auf. Ich war nicht wenig erstaunt, als er, anstatt vorwärts zu gehen, denselben Weg etwa zwanzig Meilen rückwärts verfolgte, auf dem wir von Madrid her gekommen waren. Nachdem wir zwei Flüsse passiert und die Ebene erreicht hatten, fanden wir uns wieder in einem warmen Klima, wo das Land blühend und kein Schnee zu sehen war. Plötzlich aber wandte sich unser Führer links und näherte sich dem Gebirge auf einem anderen Wege. Die Berge und Abgründe vor uns sahen schauerlich aus, aber unser Führer machte so viele Umwege und führte uns in solch mäanderartigen Windungen, daß wir ganz unmerklich die Höhe überschritten, ohne viel vom Schnee belästigt zu sein. Auf einmal zeigte er uns die fruchtbaren Provinzen Languedoc und Gaskogne, ganz grün und blühend, aber in weiter Ferne, von der uns noch eine geraume Strecke Wegs trennte.

Wir wurden jetzt einigermaßen dadurch in unserem Behagen gestört, daß es eine ganze Nacht und einen Tag so stark schneite, daß wir nicht weiterreisen konnten. Unser Führer beruhigte uns aber mit der Versicherung, es würde bald alles überstanden sein. So stiegen wir denn, unserem Manne vertrauend, immer in nördlicher Richtung weiter hinab.

Kampf mit Wölfen. Freitags Kampf mit dem Bären. Weiterer Kampf mit dreihundert Wölfen

Eines Abends, etwa zwei Stunden vor Einbruch der Nacht, als unser Führer gerade etwas vorangegangen und augenblicklich nicht in Sicht war, brachen plötzlich aus dem Hohlweg, der in einem dichten Wald endete, drei ungeheure Wölfe hervor, denen ein Bär folgte. Zwei von den Wölfen stürzten sich auf den Führer, und wäre er nur ein wenig entfernter von uns gewesen, wäre er unfehlbar zerrissen worden, ehe wir ihm hätten zu Hilfe kommen können. Der eine Wolf stürzte sich auf das Pferd, während der andere den Mann mit solcher Heftigkeit anfiel, daß dieser nicht Zeit oder auch nicht Geistesgegenwart genug hatte, seine Pistole hervorzuziehen. Vielmehr schrie er nur aus Leibeskräften nach uns um Hilfe. Ich gebot Freitag, der mir zunächst ritt, nachzusehen, was es gäbe. Sobald jener den Führer erblickte, schrie er ebenso laut als letzterer: „Ach Herr, ach Herr!" Aber ein tapferer Bursche, wie er war, ritt er sofort zu dem armen Menschen hin und schoß dem Wolf, der diesen angefallen hatte, mit seiner Pistole durch den Kopf. Es war ein Glück für den Führer, daß gerade Freitag ihm zu Hilfe kam, der, von seinem Vaterland her an solche Tiere gewöhnt, sich nicht vor ihnen fürchtete. Er machte sich dicht heran und schoß aus der Nähe, während jeder andere von uns aus einer größeren Entfernung gefeuert und dann vielleicht entweder den Wolf verfehlt oder den Mann selbst der Gefahr des Erschießens ausgesetzt hätte.

Das Ereignis war übrigens schlimm genug, um auch einen Tapferern als mich zu erschrecken. Wir entsetzten uns sämtlich, als auf den Knall von Freitags Pistole sich von beiden Seiten ein schauerliches Geheul der Wölfe erhob. Das Echo der Berge verdoppelte den Laut so, daß er uns den Eindruck machte, als ob wir von einer großen Menge solcher Bestien umgeben seien. Wahrscheinlich waren ihrer in der Tat nicht so wenige, daß wir nicht alle Ursache gehabt hätten, uns zu fürchten. Indessen hatte, nachdem Freitag den einen Wolf erlegt, der andere das Pferd sogleich losgelassen und die Flucht ergriffen. Da er glücklicherweise den Kopf des Pferdes angefallen, wo ihm das Zaumzeug zwischen die Zähne gekommen war, hatte er noch nicht viel Schaden getan. Der Mann jedoch war schwer verletzt. Das hungrige Tier hatte ihn zweimal gebissen, zuerst in den Arm und dann etwas oberhalb des Knies, und er war eben im Begriff gewesen vom Pferde zu fallen, als Freitag dazukam und den Wolf erschoß.

Man kann sich leicht vorstellen, daß wir alle bei dem Schuß von Freitags Pistole unsern Zug beschleunigten und so schnell, als die sehr mangelhafte Beschaffenheit des Weges es gestattete, zur Stelle ritten, um zu sehen, was vorgefallen sei. Sobald wir aus den Bäumen, die uns vorher an der freien Aussicht gehindert hatten, heraustraten, übersahen wir im Augenblick, wie die Dinge standen und daß Freitag den armen Führer schon befreit hatte. Doch erkannten wir nicht sogleich, was für ein Tier das getötete war.

Niemals aber ist wohl ein Kampf so kühn und in so überraschender Weise ausgefochten worden wie der, welcher nun zwischen Freitag und dem Bären erfolgte. Obgleich wir anfangs für Freitag fürchteten und sehr erschrocken waren, so bot dieses Gefecht doch für uns alle das unterhaltendste Schauspiel, das man sich nur denken kann. Der Bär ist ein schweres, plumpes Geschöpf und kann nicht so springen wie der Wolf, der schlank und leicht gebaut ist. Daher wird des Bären Verhalten hauptsächlich durch zwei Eigenschaften bestimmt. Für gewöhnlich fällt er Menschen nicht an, wenn ihn nicht das Übermaß des Hungers dazu treibt, wie es damals der Fall war, als der Boden über und über mit Schnee bedeckt war. Wenn man einem Bären im Walde begegnet und ihn nicht beachtet, so wird er sich auch nicht um einen bekümmern; man muß ihn jedoch sehr höflich behandeln und ihm den Vortritt lassen, denn er ist ein sehr vornehmer Herr und wird um keines Fürsten willen auch nur einen Schritt vom Wege abweichen. Fürchtet man sich, so tut man am besten, ihn gar nicht anzusehen und ruhig weiterzugehen. Denn wenn man stehenbleibt und ihn fest ansieht, so nimmt er das übel. Wirft man aber mit irgend etwas nach ihm und trifft ihn, wäre es auch nur mit einem fingerlangen Stückchen Holz, so fühlt er sich beleidigt und setzt alles beiseite, um Rache zu nehmen. In diesem Fall nämlich verlangt er Satisfaktion. Dies ist die eine seiner Eigenschaften, die andere besteht darin, daß er, einmal gereizt, nicht ablassen wird, dich Tag und Nacht zu verfolgen, bis er sich gerächt hat. Er verfolgt seinen Beleidiger unermüdlich Tag und Nacht, bis er ihn endlich eingeholt hat.

Als wir hinzukamen, hatte Freitag bereits unseren Führer gerettet und war eben beschäftigt, ihm vom Pferde zu helfen. Der arme, verwirrte und äußerst erschrockene Mensch schien mehr entsetzt als schwer verwundet zu sein. Plötzlich sahen wir den Bären aus dem Walde treten, ein ungeheures Tier, bei weitem der größte, den ich je gesehen habe.

Wir waren alle nicht wenig überrascht, als aber Freitag ihn erblickt, bemerkten wir sofort den Ausdruck von Freude und Mut auf seinem Gesicht. „Oho!" rief er und zeigte auf das Tier hin. „Ach, Herr, mir geben Erlaubnis, ihm schütteln die Hand, ich euch lachen machen will." Ich war verwundert, den Burschen so vergnügt zu sehen. „Du Narr", sagte ich, „er wird dich auffressen!" — „Mich auffressen, mich fressen?" wiederholte Freitag. „Ich ihn fressen, ich euch sehr lachen machen; ihr alle hierbleiben, ich euch etwas zeigen will." Damit kauerte er nieder, zog im Nu seine Stiefel aus, legte ein Paar Sandalen dafür an, die er in der Tasche bei sich hatte, gab meinem anderen Diener sein Pferd zu halten und eilte wie der Wind mit seiner Flinte davon.

Der Bär marschierte ruhig vorwärts, ohne sich um irgend jemand zu kümmern. Als Freitag ziemlich nahe an ihn herangekommen war, rief er ihn an, als ob das Tier ihn verstehen könne: „Höre, höre", rief Freitag, „ich mit dir sprechen will!" Wir folgten von ferne. Seit wir uns auf der Gaskogner Seite des Gebirges befanden, waren wir in eine weite, große Heide eingetreten, wo der Boden ziemlich flach und eben und mit vielen hier und da zerstreut stehenden Bäumen bepflanzt war. Freitag blieb dem Bären dicht auf den Fersen und hielt gleichen Schritt mit ihm. Jetzt hob er einen großen Stein, warf nach ihm und traf ihn gerade an den Kopf. Das schadete der Bestie aber nicht mehr, als hätte er gegen die Wand geworfen. Dennoch erfüllte es Freitags Zweck. Der Bursch war so furchtlos, daß er den Wurf nur getan, um den Bären auf sich zu hetzen und uns dadurch zu vergnügen. Als das Tier den Wurf fühlte und seinen Feind erblickte, machte es kehrt und wandte sich mit verteufelt langen Sätzen gegen jenen. Ein Pferd hätte sich in einen hübschen Galopp setzen müssen, um ihn einzuholen. Hierauf lief Freitag fort in der Richtung, als wolle er bei uns Schutz suchen. Wir alle machten uns bereit, zugleich auf den Bären zu schießen und meinen Diener zu retten. Doch war ich ungehalten auf diesen, daß er, nachdem er den Bären auf uns gehetzt, fortgelaufen war. Ich rief ihm zu: „Du Schlingel, willst du uns auf diese Weise zum Lachen bringen? Schnell auf dein Pferd, damit wir die Bestie totschießen können." Er antwortete: „Nicht schießen, nicht schießen; stillestehen, ihr lachen sollen!", und dabei lief der behende Bursch zwei Schritte, wenn der Bär einen machte, drehte sich plötzlich nach der Seite um, und eine große Eiche erblickend, wie sie seinem Zweck entsprach, winkte er uns, zu folgen. Nun verdoppelte er seine Eile und kletterte behende auf den Baum, nachdem er seine Flinte fünf bis sechs Schritte von sich entfernt auf den Boden gelegt hatte. Der Bär erreichte den Baum bald. Wir folgten von weitem. Zunächst blieb das Tier bei der Flinte stehen, roch daran, ließ sie dann liegen und kletterte trotz seiner gewaltigen Schwere wie eine Katze den Baum hinan. Ich war entsetzt über die vermeintliche Torheit meines Freitag und konnte bis jetzt durchaus nichts Lächerliches an der Sache finden.

Sobald wir den Bären in den Baum klettern sahen, ritten wir alle näher heran und sahen Freitag an dem dünnen Ende eines großen Astes hängen und den Bären, der auf halbem Wege eben dahingekommen. Jetzt gelangte die Bestie an die Stelle, wo der Ast anfing schwächer zu werden. „Aha", rief Freitag uns zu, „jetzt sehen, wie den Bären ich tanzen lehre!" Dabei wiegte und schaukelte er den Zweig, daß der Bär anfing zu schwanken, innehielt und anfing, sich nach dem Rückzug umzusehen. Nun lachten wir wirklich herzlich. Aber Freitag hatte noch lange nicht genug. Als er das Tier innehalten sah, rief er es von neuem an, als ob es englisch verstehe: „Wie, du nicht weiterkommst? Bitte, weiterkommen!" Er hörte jetzt auf zu schaukeln, und der Bär, als habe er wirklich verstanden, was Freitag gesagt habe, begab sich wieder ein wenig vorwärts. Dann fing jener aufs neue an zu schütteln, bis der Bär abermals stillestand. Wir meinten, jetzt sei es Zeit, ihm eins auf den Pelz zu brennen, und riefen Freitag zu, er möge sich still halten, damit wir auf den Bären schießen könnten. Er aber rief eifrig: „O bitte, bitte, nicht schießen, ich schon schießen werde, wenn Zeit."

Kurz gesagt, Freitag tanzte so lange und der Bär balancierte so komisch, daß wir wirklich herzlich lachen mußten. Immer aber konnten wir noch nicht begreifen, was der Bursch eigentlich vorhabe. Anfangs glaubten wir, er habe es darauf abgesehen, den Bären abzuschütteln, dazu aber war dieser zu schlau, denn er ging nie so weit vor, daß er hätte herunterfallen können, sondern hielt sich beständig ganz fest mit seinen großen, breiten Tatzen und Füßen. Wir konnten nicht einsehen, was eigentlich daraus werden und worauf der Spaß hinauslaufen sollte. Bald aber setzte uns Freitag darüber außer Zweifel. Als er sah, daß der Bär sich ganz fest an den Zweig geklammert hielt und sich nicht verlocken ließ, weiter vorwärts zu kommen, rief er: „Gut, gut, wenn du nicht weiterkommen, ich selbst gehen will; wenn du nicht zu mir kommen, ich gehen und zu dir kommen werde." Damit kletterte er bis an das äußerste, dünnste Ende des Zweiges vor, das sich unter seiner Last bog, und ließ sich auf diese Weise langsam zur Erde nieder, indem er den Zweig tief genug hinabzog, um auf seine Füße springen zu können. Dann lief er dahin, wo seine Flinte lag, nahm diese auf und blieb stehen.

„Nun, Freitag", rief ich ihm zu, „was soll's jetzt werden? Warum schießt du ihn nicht tot?"

„Nicht schießen", sagte Freitag, „noch nicht. Wenn jetzt schießen, nicht treffen; warten, euch noch mal lachen machen." Und wirklich, das tat er, wie man sogleich sehen wird. Denn als der Bär seinen Feind sich nicht mehr gegenüber sah, trat auch er seinen Rückzug von dem Zweige an, aber sehr bedächtig, sich bei jedem Schritte umsehend und rückwärts gehend, bis er die Mitte des Baumes erreicht hatte, dann ließ er sich gleichfalls rückwärts an dem Stamme herunter, indem er sich mit den Vorderpfoten festhielt und einen Fuß nach dem andern sehr langsam weiterbewegte. Jetzt nun, als der Bär eben seine erste Hintertatze auf den Boden setzte, trat Freitag an ihn heran, legte die Mündung seines Flintenlaufes in sein Ohr und schoß ihn tot. Dann drehte sich der Schelm um, um zu sehen, ob wir auch lachten, und da er uns ansah, daß wir uns wirklich sehr amüsierten, brach er selbst in ein lautes Gelächter aus. „So wir Bären totmachen in meinem Lande", sagte Freitag. „So tötet ihr sie?" erwiderte ich. „Wie ist denn das möglich? Ihr habt ja gar keine Flinten?" — „Nein", erwiderte er, „nicht Flinten, aber viel große Pfeile."

Die Sache hatte uns zwar viel Vergnügen gemacht, aber was das Schlimme dabei war, wir befanden uns jetzt in einer ganz wilden Gegend mit einem verwundeten Führer und wußten nicht, was wir anfangen sollten. In meinen Ohren klang noch immer das Geheul der Wölfe, und wirklich, ausgenommen das Geräusch, das ich einst an der afrikanischen Küste hörte (wovon seinerzeit erzählt ist), habe ich nie etwas Ähnliches gehört, was mich mit solchem Entsetzen erfüllt hätte.

Dieser Umstand und das Herannahen des Abends trieben uns vorwärts, sonst hätten wir gewiß, wie Freitag gern wollte, das Fell des Bären abgezogen, denn es war wohl wert, mitgenommen zu werden. Da wir aber noch beinahe drei Meilen zurückzulegen hatten und unser Führer zur Eile mahnte, so ließen wir das ungeheure Tier liegen und setzten unsere Reise fort.

Der Boden war noch immer mit Schnee bedeckt, wenn auch nicht mehr so tief und gefährlich wie auf den Bergen. Die Raubtiere waren, wie wir später hörten, von Hunger getrieben, in den Wald und in die Ebene herabgekommen, um Nahrung zu suchen. In den Dörfern hatten sie großen Schaden angerichtet und viele Schafe und Pferde, ja sogar mehrere Menschen getötet. Noch eine gefährliche Stelle blieb uns zu passieren, von der der unser Führer uns sagte, daß, wenn überhaupt Wölfe in der Umgegend wären, wir sie dort antreffen würden. Dies war eine kleine, von allen Seiten mit Wald umgebene Ebene, an die sich ein langer, schmaler Hohlweg anschloß, durch den wir mußten, um den Wald zu verlassen und das Dorf zu erreichen, wo wir übernachten wollten. Es war eine halbe Stunde vor Sonnenuntergang, als wir in das Gehölz eintraten. Bald darauf erreichten wir die Ebene. Bis jetzt hatten wir weiter nichts gesehen, als daß auf einer kleinen Lichtung, die nicht über zwei Klafter breit war, fünf große Wölfe in vollem Laufe einer hinter dem andern her über den Weg setzten, als ob sie einer Beute nachjagten und diese schon im Auge hätten. Sie nahmen keine Notiz von uns und waren in wenigen Augenblicken aus unserem Gesichtskreis verschwunden. Unser Führer, der, beiläufig bemerkt, ein erbärmlicher Feigling war, ermahnte uns, uns bereit zu halten, denn er glaubte, es seien noch Wölfe im Anzug. Wir hielten unsere Waffen in Bereitschaft und blickten aufmerksam umher, sahen aber keine Wölfe weiter, bis wir aus dem Walde, der fast eine halbe Meile lang war, heraus in die Ebene gelangt waren. Sobald wir uns im Freien befanden, gab es allerlei zu sehen. Das erste, was uns in die Augen fiel, war ein totes Pferd. Das arme Tier war von den Wölfen zerrissen, und zwölf der Bestien waren noch damit beschäftigt, nicht sowohl davon zu fressen als vielmehr die Knochen abzunagen, denn das Fleisch hatten sie schon alles verschlungen. Wir hielten es nicht für ratsam, sie bei ihrem Mahle zu stören, und ihrerseits achteten sie auch nicht viel auf uns. Freitag wollte auf sie schießen, aber ich verbot es ihm entschieden, denn ich fürchtete, daß wir bald mehr zu tun bekommen würden, als es bis jetzt den Anschein hatte.

Wir hatten die Ebene noch nicht zur Hälfte hinter uns, als wir auch schon in dem Walde zur Linken ein schreckliches Wolfsgeheul hörten und gleich darauf etwa hundert Stück der Bestien geradewegs auf uns zukommen sahen. Sie liefen fast alle in gerader Linie nebeneinander, so regelmäßig wie ein von geschulten Offizieren kommandiertes Regiment Soldaten. Ich wußte nicht recht, auf welche Weise wir sie empfangen sollten, doch hielt ich es für das beste, wenn wir gleichfalls eine geschlossene Linie bildeten. In einem Augenblick waren wir denn auch in einer solchen aufgestellt. Damit aber so wenig wie möglich Pausen eintraten, ordnete ich an, daß zuerst nur jeder zweite Mann feuern und die anderen, die nicht geschossen hätten, sich bereit halten sollten, gleich darauf eine zweite Salve folgen zu lassen, wenn der Feind fortfahren würde, vorzudringen. Diejenigen, die zuerst geschossen hätten, sollten sich dann nicht damit aufhalten, ihre Gewehre wieder zu laden, sondern inzwischen ihre Pistolen in Bereitschaft halten, denn wir waren jeder mit einer Büchse und ein Paar Pistolen bewaffnet. Nach diesem Plane waren wir imstande, sechs Salven abzufeuern, jedesmal die Hälfte von uns zugleich. Indessen fürs erste wurde das gar nicht nötig, denn nach den ersten Schüssen machte der Feind halt und schien sowohl vom Knall als vom Feuer erschreckt zu sein. Vier der Wölfe stürzten, an den Köpfen getroffen, zu Boden, und mehrere andere waren verwundet und liefen blutend davon, so daß wir die Spuren auf dem Schnee bemerken konnten. Als ich sah, daß sie stutzten, sich aber nicht sogleich zurückzogen, fiel mir ein, daß ich einmal gehört hatte, auch die wildesten Tiere fürchteten sich vor der menschlichen Stimme. Ich forderte daher unsere ganze Gesellschaft auf, aus vollem Halse zu schreien. Die Angabe bestätigte sich, denn auf unser Geschrei wandten sich die Bestien um und begannen sich zu entfernen.

Hierauf ließ ich eine zweite Ladung hinter ihnen hergehen, auf die sie sich in Galopp setzten und in den Wald rannten. Wir hatten jetzt Zeit, unsere Gewehre wieder zu laden, was wir, um uns nicht aufzuhalten, im Weiterreiten taten. Kaum waren wir aber damit fertig und wieder zu neuer Verteidigung gerüstet, als wir auch schon einen schrecklichen Lärm in demselben Walde zur Linken vernahmen, nur weiter entfernt von der Richtung, die wir eingeschlagen hatten.

Jetzt brach die Dämmerung herein, und das verschlimmerte unsere Lage sehr. Der Lärm wuchs und ließ sich bald als das Heulen und Bellen dieser höllischen Geschöpfe unterscheiden. Auf einmal erblickten wir drei Rudel Wölfe, eines zur Linken, eines hinter uns und ein drittes vor uns, so daß wir ganz umringt zu sein schienen. Da sie uns aber nicht angriffen, setzten wir unsern Weg fort, so schnell uns die Pferde tragen konnten. Der Weg war aber sehr beschwerlich, und wir konnten daher nicht starken Trab reiten. Auf diese Art gelangten wir nur langsam an den Eingang des Gehölzes, das wir am Ende der Ebene zu passieren hatten. Wie groß war aber unser Entsetzen, als wir beim Näherkommen eine unzählige Menge Wölfe gerade in dem Eingang des Passes stehen sahen. Plötzlich vernahmen wir von einer anderen Richtung her den Knall einer Flinte, und als wir uns nach dieser Seite umsahen, sprang ein Pferd mit Sattel und Zaum heraus, mit Windeseile fliehend und sechzehn bis siebzehn Wölfe hinterher in vollem Laufe.

Das Pferd hatte zwar einen Vorsprung vor ihnen, aber da wir vermuteten, es würde nicht lange in diesem Tempo aushalten können, so zweifelten wir nicht, daß sie es zuletzt noch einholten, was gewiß auch geschehen ist. Bald darauf bot sich uns ein grauenvoller Anblick dar. Nach der Richtung hinreitend, wo das Pferd herausgekommen war, fanden wir den Leichnam eines anderen Pferdes und zweier Menschen, die von den gierigen Tieren zerrissen worden waren. Einer der Männer war ohne Zweifel derselbe, den wir die Flinte hatten abschießen hören, denn dicht neben ihm lag ein eben abgefeuertes Gewehr, dem Manne selbst aber waren der Kopf und Oberkörper abgefressen. Wir wußten vor Schrecken nicht, was wir tun sollten. Die Tiere brachten uns aber bald zum Entschluß, indem sie sich, nach Beute hungrig, um uns versammelten. Ich glaube wahrhaftig, es waren ihrer an die dreihundert. Zu unserem Vorteil aber lagen gerade am Eingang in den Wald einige große Baumstämme, die im letzten Sommer gefällt und zum Transport dahingelegt schienen. Ich zog meine kleine Truppe innerhalb dieser Holzstücke zusammen und befahl, nachdem wir uns in einer Reihe hinter einem der größten aufgestellt, daß alle absitzen und die Pferde in der Mitte eines Dreiecks einschließen sollten. Diese Vorkehrung bewährte sich sogleich, denn in ungeheurer Wut griffen uns die Bestien alsbald an. Sie kamen brüllend auf uns zu und erkletterten den Holzstoß, der uns zur Brustwehr diente, um sich geradewegs auf ihre Beute loszustürzen. Ihre Wut war wahrscheinlich besonders dadurch hervorgerufen, daß sie unsere Pferde hinter uns sahen, auf welche sie es besonders abgesehen hatten. Ich befahl meinen Leuten, wie vorhin zu schießen, einer um den andern, und sie zielten auch so sicher, daß sie gleich beim ersten Schusse eine Anzahl der Wölfe töteten. Es war jedoch notwendig, ein ununterbrochenes Feuer aufrechtzuerhalten, denn wie Teufel stürmten die Bestien vor, die hinteren immer den vorderen nachdrängend.

Als wir die zweite Salve abgeschossen hatten, hielten sie ein wenig inne, und ich hoffte schon, sie würden weichen, aber es war nur eine augenblickliche Pause, denn alsbald drangen andere vorwärts. So schossen wir nun zwei Pistolenschüsse ab und hatten, glaube ich, in diesen vier Salven siebzehn oder achtzehn von ihnen getötet und noch einmal soviel gelähmt. Dennoch rückten sie von neuem vor.

Da ich fürchtete, wir würden unsere Munition zu schnell verschießen, rief ich meinen zweiten Diener (nicht Freitag, der war besser zu gebrauchen, wenn er seine und meine Büchse mit großer Gewandtheit immer wieder von neuem lud, während wir kämpften), gab ihm ein Pulverhorn und gebot ihm, einen langen Strich des Holzstoßes damit zu bestreuen. Das tat er denn und hatte nur eben Zeit, davonzueilen, als die Wölfe auch schon herankamen. Sobald einige von ihnen auf das Pulver traten, feuerte ich eine Pistole auf das Pulver ab und steckte es damit in Brand.

Diejenigen von den Tieren, die schon auf dem Holzstoß waren, wurden arg verbrannt, und sechs oder sieben von ihnen sprangen oder vielmehr stürzten, von dem Feuer gereizt und geängstigt, zwischen uns. Mit diesen wurden wir im Augenblick fertig, die übrigen aber waren so erschreckt von dem

Feuerblitz, den die Nacht (es war nämlich inzwischen ganz dunkel gworden) noch schrecklicher erscheinen ließ, daß sie ein wenig zurückwichen. Darauf befahl ich, unsere letzten Pistolen alle auf einmal abzuschießen und dann ein Geschrei zu erheben. Nun machten die Wölfe kehrt. Wir warfen uns sofort auf etwa zwanzig verwundete, die sich auf dem Boden wälzten, und bearbeiteten sie mit unseren Schwertern. Dies erfüllte vollständig unseren Zweck, denn das Geheul und Gebrüll, das sie anstimmten, wurde von ihren Gefährten sehr wohl verstanden, so daß sie alle flohen und uns verließen.

Wir hatten alles in allem ungefähr sechzig Stück getötet. Wäre es Tag gewesen, würden wir noch mehr erlegt haben. Da das Schlachtfeld nun wieder gesäubert war, setzten wir unseren Weg alsbald weiter fort, denn es blieb uns noch immer beinahe eine Meile zurückzulegen. Wir hörten die Raubtiere in den Wäldern heulen und winseln, während wir vorwärts ritten, und zuweilen glaubten wir auch einige zu sehen, aber der Schnee blendete so, daß wir unserer Sache nicht gewiß waren. So gelangten wir denn in ungefähr einer Stunde nach dem Ort, wo wir übernachten sollten. Wir fanden die Bewohner in großer Aufregung und unter den Waffen. Wie es schien, hatten die Wölfe und einige Bären in der vorigen Nacht den Ort überfallen und großen Schrecken verbreitet, daher sahen sich die Leute genötigt, Tag und Nacht, besonders aber während der letzteren, um Vieh und Menschen zu schützen, Wache zu halten.

Am nächsten Morgen war unser Führer so krank, seine Glieder waren so sehr angeschwollen und die beiden Wunden schmerzten ihn dermaßen, daß er nicht weiter mitreiten konnte. Wir sahen uns daher genötigt, einen anderen Führer anzunehmen, der uns nach Toulouse bringen sollte. Dort fanden wir warmes Wetter und ein blühendes, fruchtbares Land, frei von Schnee und von Wölfen. Als wir in Toulouse unsere Abenteuer erzählten, sagten die Leute, das sei etwas ganz Gewöhnliches in der großen Heide am Fuße des Gebirges, besonders wenn der Boden mit Schnee bedeckt läge. Sie waren verwundert, daß wir einen Führer gefunden hätten, der uns bei der strengen Jahreszeit diesen Weg geführt, und sagten, es wäre erstaunlich, daß wir nicht alle umgekommen seien. Als wir ihnen erzählten, wie wir uns aufgestellt hatten und die Pferde in die Mitte genommen, tadelten sie das sehr und sagten, es wäre fünfzig gegen eins zu wetten gewesen, daß wir alle auf diese Art zerrissen worden wären. Dann gerade der Anblick der Pferde pflege die Wölfe so wütend zu machen, und sie hätten es auf diese besonders abgesehen. Zu anderen Zeiten fürchteten sie sich vor Flintenschüssen, aber wenn sie durch den furchtbaren Hunger grimmig wären, machte sie die Begierde, an die Pferde zu gelangen, unempfindlich für jede Gefahr. Nur durch das unausgesetzte Feuern und durch die Pulvermine seien wir ihrer Herr geworden. Wären wir dagegen ruhig auf unserer Pferden sitzen geblieben und hätten wir im Reiten gekämpft, so würden sie die Pferde nicht so ausschließlich als ihre Beute angesehen haben als in jenem Falle, wo diese keine Menschen auf dem Rücken zu tragen hatten. Ferner, sagten sie uns noch, wenn wir, zum Äußersten gedrängt, uns alle zusammengestellt und die Pferde preisgegeben hätten, so würden die Wölfe mit solcher Gier über die Tiere hergefallen sein, daß wir sicher davongekommen wären, besonders da wir mit Gewehren versehen und so zahlreich gewesen seien. Ich meinerseits hatte mich nie in meinem Leben in solcher Gefahr gefühlt, als da ich die dreihundert Teufel so heulend und mit gähnenden Rachen auf uns losstürzen sah und keinen Schutz- und Zufluchtsort entdecken konnte. Ich hatte mich schon gänzlich verloren gegeben, und ich glaube, es wird mich nicht wieder gelüsten, je wieder diese Berge zu übersteigen. Lieber noch will ich tausend Meilen zur See machen, und sollte ich auch in jeder Woche einen Sturm erleben.

Von meiner Reise durch Frankreich habe ich nichts Ungewöhnliches zu berichten, außer was andere Reisende schon und viel interessanter erzählt haben, als ich es vermöchte. Von Toulouse ging ich nach Paris, von dort, ohne mich weiter aufzuhalten, nach Calais. Hierauf landete ich am 14. Januar nach einer außerordentlich kalten und anstrengenden Reise in Dover.

Robinson regelt daheim seine Vermögensverhältnisse und besucht noch einmal seine alte Insel

Nachdem ich nun wieder an dem Ausgangspunkt aller meiner Reisen angelangt war, befand ich mich binnen kurzem auch im Besitz meines ganzen, neu erworbenen Reichtums; denn die Wechsel, die ich mitgebracht hatte, wurden mir bereitwilligst ausgezahlt.

Meine Hauptratgeberin war die gute, alte Witwe, die aus Dankbarkeit für das Geld, das ich ihr geschickt hatte, keine Mühe scheute und keine Sorge zu groß fand, um mir zu dienen. Ich vertraute ihr auch so unbedingt, daß ich ganz ruhig über die Sicherheit meines Eigentums lebte. In der unwandelbaren Redlichkeit dieser guten Frau habe ich stets ein großes Glück für mich gesehen.

Bald darauf kam mir der Gedanke, meine Güter in der Verwahrung meiner Freundin zu lassen und mich nach Lissabon und von da nach Brasilien einzuschiffen. Diesmal aber stellte sich mir als Hauptbedenken die Religion in den Weg. Schon während ich mich noch in der Fremde aufgehalten, und besonders in meiner Einsamkeit, waren mir einige Zweifel über den katholischen Glauben aufgestiegen. Ich wußte, daß ich mich nicht nach Brasilien begeben, am wenigsten aber mich dort gänzlich niederlassen könne, wenn ich nicht entschlossen sei, mich ohne Rückhalt in den Schoß der katholischen Kirche zu begeben; es hätte denn sein müssen, daß ich Lust trüge, mich für meine Überzeugung zu opfern, ein religiöser Märtyrer zu werden und durch die Inquisition zu sterben. Daher entschied ich mich denn dafür, in der Heimat zu bleiben und von hier aus, wenn es möglich sei, über meine Pflanzung zu verfügen.

In dieser Absicht schrieb ich an meinen alten Freund in Lissabon, dessen Antwort dahin lautete, er könne meine Pflanzung mit Leichtigkeit dort im Lande veräußern. Wenn ich ihm aber erlauben wolle, so würde er sich in meinem Namen an die beiden Kaufleute, die Nachfolger meiner beiden Treuhänder, wenden. Diese seien in Brasilien an Ort und Stelle und hätten einen Überblick über den Wert der Besitzung. Da sie, wie er wisse, sehr reich seien, so würden diese, wie er glaube, sich gern zum Kauf bereit finden lassen. Er zweifle auch nicht, daß ich mindestens vier- bis fünftausend Piaster bei dem Verkauf gewinnen würde.

Hiermit war ich völlig einverstanden. Ich gab dem Kapitän Auftrag, die Offerte zu machen, und als nach Ablauf von acht Monaten das Schiff zurückgekehrt war, meldete er mir, daß jene beiden das Anerbieten angenommen und dreiunddreißigtausend Piaster einem ihrer Korrespondenten in Lissabon mit dem Auftrag zur Auszahlung geschickt hätten.

Ich unterzeichnete hierauf den mir von Lissabon übersandten Kaufkontrakt in aller Form und schickte ihn an meinen alten Freund, der mir dafür zweiunddreißigtausendachthundert Piaster als Kaufsumme für meine Plantage in Wechseln übermachte. Bei dem Verkauf war ein Rest des Kaufgeldes zurückbehalten, der als Rentenkapital für jene hundert Moidores, die ich für den alten Kapitän, und für die fünfzig Moidores, die ich für dessen Sohn auf Lebenszeit ausgesetzt hatte, dem Vertrag gemäß auch ferner auf meiner Plantage haften sollten.

So habe ich denn Bericht erstattet von dem ersten Teil meines an Schicksal und Abenteuer reichen Lebens, eines Lebens, das ein gar wunderbares Mosaikspiel der Vorsehung darstellt und das so reich an Abwechslung war, wie es die Welt wohl nur selten wird aufweisen können. In Torheit ward es begonnen, aber dennoch hatte es bei weitem glücklicher geendet, als irgendein Teil desselben mir zu hoffen das Recht gegeben hätte.

Man sollte nun wohl glauben, in meiner jetzt so guten Vermögenslage sei ich darüber hinaus gewesen, noch an weitere Wagnisse zu denken, und das würde in der Tat auch wohl der Fall gewesen sein, wenn nicht gewisse Umstände obgewaltet hätten. Ich war nun einmal an ein unstetes Leben gewöhnt, hatte weder Familie noch ausgedehnte Verwandtschaft, noch auch, trotz meines Reichtums, sonstigen großen Verkehr. Dazu kam, daß ich, wiewohl ich meine Pflanzung in Brasilien verkauft hatte, doch die Erinnerung an dieses Land nicht aus dem Sinn schlagen konnte und große Lust empfand, einmal wieder einen Ausflug dahin zu machen. Besonders lebhaft aber war mein Verlangen, meine Insel einmal wiederzusehen und zu erfahren, ob die armen Spanier sich dort befänden und wie sie von jenen zurückgelassenen Schuften behandelt worden seien.

Meine treue Freundin aber, die Witwe, riet mir sehr von einer weiteren Reise ab und vermochte auch so viel über mich, daß sie mich fast sieben Jahre lang von meinem Plane, über das Meer zu gehen, abhielt.

Während dieser Zeit nahm ich mich zunächst meiner beiden Neffen an, der Kinder des einen meiner Brüder. Der älteste besaß etwas Vermögen, das ich, nachdem ich ihn standesgemäß erzogen, durch ein Vermächtnis nach meinem Tode vermehrte. Den anderen tat ich zu einem Seekapitän und ließ ihn von ihm ausbilden, und als er nach Ablauf von fünf Jahren zu einem verständigen, tapferen und unternehmungslustigen jungen Mann herangewachsen war, übergab ich ihm ein gutes Schiff und schickte ihn aufs Meer; und ebendieser junge Mensch war es, der mich später, so alt ich war, zu neuen Unternehmungen und Abenteuern verleitete.

Inzwischen aber hatte ich mich auch selbst in England häuslich eingerichtet. Was das wichtigste ist, ich hatte eine vorteilhafte und mich völlig befriedigende Ehe geschlossen, aus der mir drei Kinder, zwei Söhne und eine Tochter, geboren wurden. Als aber der Tod mir mein Weib geraubt hatte und mein Neffe gerade zu dieser Zeit von einer mit gutem Erfolg gekrönten Reise aus Spanien zurückgekehrt war, gewann mein Drang in die Fremde und sein Zureden die Oberhand und veranlaßten mich, in dem Schiff meines Neffen als Privathändler nach Ostindien zu reisen. Dies geschah im Jahre 1694.

Auf dieser Reise besuchte ich denn auch die junge Kolonie auf meiner Insel. Ich fand dort meine Nachfolger, die Spanier, und ließ mir genauen Bericht über ihre und der zurückgebliebenen Verbrecher Lebensweise erstatten. Die armen Spanier waren von diesen anfangs schlecht behandelt worden. Dann hatte eine Aussöhnung stattgefunden, hierauf neue Veruneinigung und abermalige Versöhnung, der dann wieder Zwietracht gefolgt war. Endlich waren die Spanier gezwungen gewesen, Gewalt anzuwenden, hatten auch die Kerle unterworfen, sie aber dann mit Großmut behandelt. Wollte man diese Geschichte in ihren Einzelheiten berichten, sie würde so viel Mannigfaltigkeit und wunderbare Ereignisse aufzuführen haben wie meine eigene. Besonders interessant war der Bericht von den Kämpfen der Kolonisten mit den Karaiben, die einige Male auf der Insel gelandet waren, und ferner die Mitteilungen über die auf der Insel eingeführten Verbesserungen. Fünf von den Kolonisten hatten auch einmal einen Einfall auf das Festland gewagt und elf Männer und fünf Weiber als Gefangene von dort heimgebracht. Durch die letzteren war die Insel bei meiner Ankunft mit etwa zwanzig Kindern bevölkert.

Ich verweilte auf der Insel gegen drei Wochen. Bei meiner Abreise ließ ich zur Unterstützung der Bewohner allerlei notwendige Dinge zurück, insbesondere Waffen, Pulver, Schrot, Kleider, Werkzeuge und dergleichen mehr, sowie auch zwei Handwerksleute, die ich von England mitgebracht hatte, nämlich einen Zimmermann und einen Schmied. Außerdem teilte ich die Insel unter die Bewohner ein, behielt für mich zwar das Eigentumsrecht des ganzen, überwies aber jedem der Kolonisten gerade die Landstrecken, die ihm am erwünschtesten waren. Nachdem ich dies alles in Ordnung gebracht und die Bewohner verpflichtet hatte, die Insel nicht zu verlassen, nahm ich von dieser Abschied.

Von hier aus nach Brasilien gelangt, schickte ich eine dort angekaufte Barke mit weiteren Siedlern nach meiner Kolonie. Daneben übersandte ich an diese, außer anderen Hilfsmitteln, auch sieben Frauen, die mir sowohl zu Dienstleistungen als auch zu Frauen, für diejenigen, die Lust danach trügen, geeignet schienen. Den Engländern hatte ich versprochen, von ihrer Heimat aus einige Frauen und eine ansehnliche Ladung mit brauchbaren Dingen zu schicken, wenn sie sich der Pflanzung gehörig annehmen wollten. Diese Zusage aber hatte ich später nicht halten können, wiewohl sich die Leute sehr ordentlich und fleißig zeigten, nachdem sie erst einmal gebändigt und ihnen ihre besonderen Grundstücke angewiesen waren. Ich übersandte ihnen von Brasilien aus fünf Kühe, darunter drei trächtige, sowie auch einige Schafe und Schweine, die bei meinem nächsten Besuch auf der Insel sich beträchtlich vermehrt hatten.

Hiervon jedoch und auch darüber, wie einmal dreihundert Karaiben einen Überfall auf die Insel gemacht und die Pflanzungen verwüstet hatten, wie es zweimal zu einer Schlacht mit ihnen kam, in der sie zuerst geschlagen wurden und drei der ihrigen den Tod fanden, worauf sie aber, nachdem ein Sturm die Kanus der Feinde zerstört, den Rest von diesen durch Hunger und Waffen vernichtet hatten; wie dann die Pflanzung aufs neue in Ordnung gebracht war und in welcher Weise die

Kolonisten ferner ihr Leben auf der Insel geführt hatten —
über diese Dinge, sowie auch über einige sehr merkwürdige
Begebenheiten, die ich selbst auf meinen weiteren Fahrten,
zehn Jahre später, erlebt habe, berichte ich vielleicht einmal
später.

BELLETRISTIK

JOHN DONNE
Zwar ist auch Dichtung Sünde

Gedichte
Englisch und deutsch

Aus dem Englischen. Nachdichtungen von M. Hamburger
und Chr. Schuenke.
Herausgegeben von M. Hamburger
Mit 10 Federzeichnungen von I. Kraft
Band 944. Broschur 1,50 M

Noch nicht dreißigjährig, galt John Donne (1572–1631) unter seinen Zeitgenossen als Dichter, ohne auch nur eine
Zeile veröffentlicht zu haben. Lediglich vier Gedichte ließ
er zu Lebzeiten drucken, dennoch galt er einer Generation
von Lyrikern als Vorbild. Kurz nach seinem Tode erschien
1633 eine aus fliegenden Blättern zusammengestellte Ge-
samtausgabe seiner Dichtungen, und dreißig Jahre lief eine
Auflage nach der anderen von der Presse.
Wie Shakespeare in der Dramatik hat Donne in der Lyrik
Herausragendes zur Erneuerung der Sprache geleistet. Ein
bedeutender Poet, für manche Kenner der größte Liebes-
lyriker englischer Zunge, hier mit einer beachtlichen Aus-
wahl seiner Gedichte und Sonette, Elegien und Satiren vor-
gestellt.